JN062557

正義と腐敗と文科の時代

渡部昇一

青志社

正義と腐敗と文科の時代

渡部昇一

はじめに

早藤眞子（渡部昇一長女）

本年（２０２３年）、父の七周忌（帰天後満六年）を無事、執り行うことができました。この六年間、父の遺した仕事の価値を改めて認め大切に思い、再び編んで読者の皆さまに届けて下さる方々が絶えず、おられました。何とありがたく幸運なことかと、深い感謝の念に満たされます。

この度、ここに収められたエッセイは通称初期三部作と呼ばれた『文科の時代』１９７４、『腐敗の時代』１９７５、『正義の時代』１９７７（いずれも文藝春秋）の三作から『「時代」を見抜く力』２０２０（育鵬社）の中に収まらなかったものを主に、今、正に読まれるべきと痛感されるものを再び納めたものであります。

また、谷沢永一先生が１９９０年代前半に、これら三部作が一冊ずつ、ＰＨＰ研究所から文庫本として再版されるにあたり、三作全部に解説を寄せて下さった――これも三編とも一緒に納めました。

谷沢先生は間違いなく、深く正確に渡部昇一の本質を捉えて下さった方であります。父は、先生亡き後、「谷沢先生が居なくなって淋しい。本当に淋しい」と何度も申しておりました。

一切の垣根を取り払って腹を割った話、特に本の話、歴史の話などを興に乗るまま対話できる方を亡くしたからでありましょう。先生と父は実に、共通点が多かったのです。

一に、教えていた大学で圧力団体と体を張って徹底的に戦ったことがあること。

二に、本に対する無上の愛情を持っていること。

二を受けての三に、愛国者であること。谷沢先生曰く、「本を集めるということの基本には、先人に対する畏敬の念がなくては駄目なんです」父曰く「本を愛すれば、素朴な愛国者になるんです。素朴に自分の生まれた国を愛するようになるのですね」

その四、入学した大学が天下に冠たる名門ではない（関西大学と上智大学）ため、裸で世に出て、常に自分の実力だけで勝負を続けて認めてもらうしかなかったこと。

四までを受けてその五、政治信条がぴったりと合うこと。

その六、必ず自分の実感に基づいて発想していること。（以上『誰が国賊か』クレスト選書）

父は元々明朗な人でありましたけれども、特に谷沢先生とご一緒に仕事や食事をした後や、自分のゼミの大学院生達と集まった後は非常に上機嫌でした。その様な時はよく家の中を歩きながら、唱歌を口ずさんでおりました。父の上機嫌な歌声と、それに続く笑い声、谷沢先生の笑顔と講談の様な名調子の語り、その溢れ出るような語彙（ごい）の豊かさと鋭い切れ味を、ともに懐かしく思い起こします。

さて、エッセイの背景を少しご案内しましょう。

父は25歳（1955年10月）の時にドイツのミュンスター大学に留学し、カール・シュナイダー教授のもとで英語学・言語学を専攻し、27歳（1958年5月）で文学博士号を受けます。猛烈に勉学に打ち込みながらも、キリスト教文化・文明国で、可能な限り人と交わって社会に分け入り、見聞を広げて洞察を深めました。その後、英国のオックスフォード大学（ジーザスカレッジ）で寄託研究生となり、ドブソン教授の許（もと）で研究を続けますが、父の父が病気で倒れたため、日本に帰国致します。30歳で母迪子（みちこ）と結婚、そしてドイツ留学から丁度10年後の1965年、35歳の時に研究社より『英文法史』が出版されます。

これに先だって、上智大学では33歳の時に英文学科助教授になり、学者として益々精力的に研究を続けてゆきます。

そして、30代の最後の約一年を（1968～1970）フルブライト招聘教授として単身渡米・米国の六つの大学で「比較文明論」を講じます。ここで注目すべきは「比較文明論」

だったところです。父は「日本とは何ぞやということを、どうやったらアメリカ人に分からせることができるか」を常に意識して、つまり絶えず西欧人と西欧文明を意識しながら、彼らの面前で講義をし、比較のセンスを非常に発達させていったということです。

帰国後、間もなくして、先ず『「人間らしさ」の構造』１９７２年を産業能率短期大学出版部から上梓します。父の専門以外の、記念すべき初めての書きおろしエッセイです。翌年（１９７３年）『日本史から見た日本人』をつづけて書きおろします。この後に件の『文科の時代』１９７４年、『ドイツ参謀本部』（中央公論社）１９７４年、『日本語のこころ』（講談社）１９７４年、『腐敗の時代』（文藝春秋）１９７５年、『ことばの発見』（中央公論社）１９７５年、『知的生活の方法』（講談社）１９７６年、と代表作群と呼ばれるものが、なだれの如く続いていくのです。

アメリカから帰国した父とアメリカに行く前の父と、どこかが変わったと感じられたのは、私がもう物心ついてから起こったことだからでしょう。渡米前の父は、私や弟と遊びでじゃれたりしてくれることも多く、楽しくて優しい父という記憶しかなかったのですが、帰国後の父は、楽しくて優しい面はそのまま残しながら、本当に一刻を惜しんで仕事をしていました。その姿から緊張感が伝わって来るようになりました。あの頃の父の仕事の質と量を見れば当然のことと、思われます。気迫と厳しさが加わった父のその姿は変わったというよりは、私には新しく、圧倒されながら眺めていた記憶があります。

この時代の父のエッセイは、現代の日本のある事象や問題を話題にしながら、その事象や問題の「真実の姿」を浮かび上がらせるために、歴史の縦軸（垂直）と比較文明の横軸（水平）でジワリジワリと迫って対象に光を当てていきます。そのうち「あれ⁉」という瞬間に、全貌が３Ｄで明らかに立ち現れます。

谷沢先生がおっしゃったように書き手の父は、「眼の人」であります。自分に視ているその有様を、読み手にもハッキリと見せるために、ゆっくり時間と手間をかけてまるで物語の様に組み立ててみせているのです。そして、組み建つ建築の土台と材料になるものは、長年の勉学と読書と体験知で培った父の「知」の蓄積であります。それが膨大な量の言葉となって父を動かし書かせたのだと思います。正に一刻を惜しんで……。

父が今、生きていたら日本のこの状況をどう観るだろうか、と自分に問うことはしばしばあります。父に見えていてエッセイの中で、何十年も前に問うていた、あるいは柔らかく警告していた「寒気がするような」ことが現実になりつつあるのを、神様は父に見せたくなかったのでは、とも思えるのです。しかし父は、光明を捉える人です。答えはいつも明るい方に面を向けた者に、見えるものなのでしょう。

生涯、明らかなるもの、晴れやかなるものを愛した父は、自分の精神もまたその様であることを願ったためにか「嘘」というものを一度もついたことがありませんでした。

私はこの事実に、父の亡き後暫くして突然、ハタと気付きました。そして母にも確認しました。

「分からないことを分かったふりをしない」「分からないことをごまかさない」という「知的正直」であることを常に他人にも奨めた父でしたが、本人は実生活の、実に大から小に至るまで、自分にも他人にも「偽る」ことが無かったのです。こんなことを言ったことがありました。

「嘘をつく、というのは弱い、ということなのだなぁ。弱味があったり、弱い立場の者しか嘘はつかんのだなぁ。強い者にはその必要がないからなぁ」

父はまた、分からないこと、不明なことを分かるまで辛抱強く抱えていることのできる人でもありました。「違和感」に敏感でスッキリ消化・納得できるまで、忘れずどこかで究明し続けているのです。父自身は自分のこの性癖を、「プロというのは、絶えず頭から離れない（仕事・課題）人のことだ」と断言していました。その点で、プロの探偵のようなところがありました。学者風に言い換えるなら「ものごとの由来を根源まで徹底的に掘り下げていく姿勢、ラテン語のアド・フォンテス（ad fontes）」（父の愛弟子の一人である江藤裕之教授の表現）を生涯、貫いた、とも言えましょう。「明らか」という言葉を使いましたが、私には最上の「智」も「愛」も溢れる源は同じで、「光明」に限りなく近いものではないかと感じております。父はその源にいつも近く、親しくありたかったのではないかと思います。

さて、各エッセイの内容の短い紹介です。

「天皇について」は、日本は実は国体自体は五度も変化したのだから、皇統の断絶さえなければ危機は何度も乗り越えられるのではないかと問うているエッセイです。古代日本社会と古代ゲルマン社会の比較から始まり、天皇というものの「玄義」について、またカトリック教会がなぜ継続しているのかについても述べています。

「戦後啓蒙のおわり・三島由紀夫」は、三島由紀夫という天才文学作家に、何が見えていたのか、何が彼を切腹に向かわせたのか、三島自身の渾身の力作の中にその答えを見つけ、実像に肉迫します。

「小佐野賢治考」は、小佐野賢治という人物の生涯を、彼の立場から共感を持って描きながら実はそれに重ね合わせて田中角栄のことを論じているのです。父は、生涯を通じて田中角栄型人間の味方でした。

「文科の時代」は、ハイゼンベルクの不確定性原理の解説や、アポロ計画の終了、「宇宙船地球号」のイメージなどに触れて、物質的生産と拡大原理の時代は終わりに向かい、深化と内向の時代が来ているとして、日本の江戸時代や平安時代に文科の時代の生き方のヒントを探してみせます。

「腐敗の効用」は、父の出世作と呼ばれるエッセイです。清潔や正義を訴える人間性に潜む危険を日・英の例を追って立証していきます。

「甲殻類の研究」は題の真意を当てるのが楽しいエッセイです。注目すべきは、公立の無料保育所の需要についての考察です。昨今の無償化は実は大変な不平等で、家庭で子育てしたい母親達の価値を逆に低めていく原因になっていることに気付かされます。

「労働について」は、西欧の繁栄は実は、中世の修道会の健全な労働観が担っていたという驚きの逆説的発見から、人間と奴隷の間の話をします。

「英語教育考」は、私個人の考えでは、父の突出した最高傑作の一つではないかと思います。いわゆる「平泉論争」と呼ばれたものの第一段です。日本式外国語教育成果の豊かな知的財産とはどういったものなのか。聖徳太子までさかのぼって伝統を確認した後、顕在量と潜在力の話になります。

平泉渉氏と父の論争の全貌は『英語教育大論争』として現在、文春文庫に収められていますが、同書の単行本刊行時に山本七平氏より「この論争自体がひとつの進歩である」と評されました。

「新聞の向上?」では、日本のメディアの死を予見しています。「報道しない自由」という悪質な犯罪を告発しています。

「なぜ英国病は生れたか」これは、「議会は納税者を護るために存在する」という鉄則からはずれると国が滅びるという恐い話です。

「歴史と血の論理」このエッセイは構造が特に美しいと思います。日本とは何ぞやという問いの答えを山上憶良の和歌に見つけます。又、近年の遺跡研究やDNA研究で、もはや証明された「縄文人こそが百済の原住民である」という事実を、父は言語学の観点からこの時すでに指摘しております。

この度、この「はじめに」を書くにあたって、本書に納められたエッセイを始め谷沢永一先生と父の共著等を新たな感激とともに読み直す機会を与えられました。青志社の阿蘇品社長に心から御礼を申し上げます。

２０２３年　10月23日

正義と腐敗と文科の時代《目次》

ブックデザイン　塚田男女雄

I

天皇について　国体は何度も変った

1

西暦七一六年、日本で言えば元正天皇の霊亀二年に、後にドイツ保護の聖人と崇敬されるようになった聖ボニファチウス、当時はまだウィンフリートと呼ばれていた三十六歳のイギリス人修道士が、フリジア人（今のオランダあたりに住んでいたゲルマン人）を改宗させるつもりで、二人のお伴を連れてドーバー海峡を渡って行った。当時北ドイツ一帯はまだ異教の地であったのであるが、フリジア人の酋長ラードボードは既に改宗して洗礼を受けることに同意していたのである。

ところが実際会って話してみたところ、この異教徒の酋長は、改宗の約束を引っこめてしまった。その理由は古代ゲルマン人の宗教とキリスト教との対立点をもっとも簡明に、またシャープに示している。この酋長は言った。

「そうすると洗礼を受けずに死んだわしらの先祖には救いがないと言うわけじゃな。そして永遠の地獄に堕ちたままでいるというわけなのじゃな。そんならわしはキリスト教とやらはご免じゃ。わしはあんたがたのような一握りの乞食みたいな連中と一緒に天国に行くよりは、先祖と共にいたいのじゃ。そこがたとえあんたの言うような地獄であったとしてもじゃな」と。

ラードボードは自分の洗礼を取りやめただけではない。今度は積極的にキリスト教の迫害を始めたのである。そしてそれまで既に彼の領内にあったキリスト教の教会を破壊させて古来の神社を建てさせた。

その後再びフリジア人を改宗させようと乗り込んで行った聖ボニファチウスは結局その地で殉教することになるが、それはこのことがあってから約四十年後の話である。

「宣教師と共に天国に行くよりは、先祖たちと共に地獄にとどまっていた方がよい」と言って異教を頑固に守ろうとしたラードボードの話は、文明の光に背を向けた野蛮人の酋長の一例として、つまりよくある話として聞き流されそうである。事実、相当に精しい現代の標準的教会史を見ても、このゲルマン人の酋長の主張はあげられておらず、ただ聖ボニファチウスの殉教という見地からのみ扱われているのが通例である。しかしここでラードボードが言っている先祖の霊の意味を考えて見ると、それは他人事でないように思われてきてならないのだ。

われわれが西洋と日本の宗教を比較する時、あるいは西洋人と日本人の死生観を比較する時、普通はキリスト教化されてからの西洋を考え易いが、「西洋人」の中核をなすゲルマン人が改宗したのは、それほど古いことではない。イギリスにローマから正式な宣教団が送られたのは五九七年、つまり推古天皇の五年であって、欽明(きんめい)天皇の御代に百済(くだら)から仏像と経論が送られた時よりも約半世紀も遅いのである。そして今のドイツの中心部の布教は主としてイギリスの修道院で育った宣教師によって行なわれたので、それより更に約百五十年遅れた八世紀の半ば頃に成しとげられたのであった。

この改宗以前のゲルマン人の宗教心がわからないと、例の酋長の主張の意味もわからないし、またいわゆる「高等宗教」に民族ごと改宗することの意味もわからないであろう。そして日本という特殊な国の出来工合(ぐあい)もよくわからないのではないかと思われる。古代ゲルマン人の宗教は古代日本人の宗教と驚くほど似ていた。むしろ同質であったと言える。

彼らはまず、死者の霊魂が不滅であると信じていた。ドイツ語で霊魂のことをSeel(ゼーレ)と言うが、これはSee(ゼー)（海(うみ)・湖(うみ)）に-lo（属するもの）が付いた形である。英語のSoul（魂）も、古英語形 sawol から来ており、ドイツ語と同じく、saiwalō という単語、つまり「海から来たもの」とか「海に属するもの」という意味であった。つまり古代ゲルマン人にとって、特定の海、あるいは湖が、人間が生まれる前の、あるいは死んでからの霊魂の滞在地と考えられていたのであった。死ねば自分の霊魂はある特定の「うみ」に帰り、また子孫に出てくるという考え方である。従って古代のゲルマン人は氏族を大切にし、自分の子孫の絶えることを極度に怖れた。というのは子孫が絶えれば自分がもうこの世にもどってこれなくなるからである。このような語源解釈に対しては、「どこまで本当かな」と疑念を持たれる方もあろうが、これは一九四〇年にヴァイスヴァイラーによって研究発表されてから、学者の間の支持をえて定説となり、今では辞書にも採録されている見解である。

　この見方に立てば、例のフリジア人の酋長ラードボードが、なぜキリスト教の天国より、先祖と共にあることを望んだかが、多少なりとも実感できると思う。いな多少なりとも解ったような気になれる近代国家の国民は日本人ぐらいであると言えるかも知れない。日本には高天原（たかまがはら）という思想があった。そこには先祖の神々が、つまり霊が集っていて、この世に生きている人を見ている感じである。このような感じ方が現代までまがりなりにも連なっている例としては「草葉の陰（かげ）から見てるからね」と言って死んでゆく老婆や、靖国神社に参拝する遺族たちがある。

　少しの学校教育も受けず、全く本も読めず伝承のみに生きてきた日本人を見つけることは今ではかなり難しいと思うが、私が一緒に育った祖母はそういう人であった。私の祖母は若い時に目を悪くしたこともあって字は読めなかった。ラジオが家庭に入って来た時はもう還暦を越えていたと思う。

それでこの祖母が孫に話して聞かせてくれたことは、祖母が子供の時に自分の親から口伝で聞いたことばかりであって、文明開化前の東北の山国の純粋とも言える伝承ばかりであった。そうして聞いた話のうちでかなりの比重を占めているのは死後の世界のことである。自ら食を断ってミイラになろうとした坊さんに手を貸してミイラにしてやったのはみな祖母が直接間接知っている人たちだったので、どうして人は生きながらにミイラになるものであるかについてもかなり身近な話として聞いたものである。

そういう世界に支配的なことは、死者の霊の不滅ということであり、また死後の世界は何となくこの世の延長みたいなものであって、死んでから生前の知人にまた会えるという感じ方であった。そして死者の国から生者の住むこの世を眺めることができるという信念であった。祖母が何かにつけて言ったことは、「私が死んでも、お前たちのことは草葉の陰からよく見守ってやるからね」ということだったのである。

私の祖母は、形式教育、つまり学校体験がゼロだったわけであるが、明治の頃に女子としてはかなり高い教育を受けて、学校教師をしていた老婦人で、しかも私の祖母と全く同じような信念を持っている人が私の親しい人に今もいる。この方は若い頃に夫を亡くされて、子供を女手一人で立派に育て上げて、今では周囲の人にすすめられて、キリスト教の話を神父さんに聞いている。

元来、頭のよい方なので教義はわかるし、聖書も読むし、神父さんを尊敬もする。しかし改宗する気は全然ない。その理由はこうである。「私がキリスト教になって死んだら、あの人に会えなくなります。夫は死ぬ時に、先に行って待っているよ、と言ったのに、私だけがキリスト教の天国に行ってしまったのでは申し訳ありませんから」というのだ。これはラードボードが、聖ボニファチウスのすすめを拒否した理由とまったく同じではないか。

ここに私は二人の老婆の話をあげたが、それは文字通りOld Wives' Tale（老婆たちの間に行なわれるような迷信とか、たわいのない話）ではないか、などと一笑に付されてしまいそうな気もするので、もう少ししっかりした情報源からの話を一つ紹介しておきたい。そのお話をなさった方は東大教授をなさっておられた故成瀬正勝先生であり、それを私は三年前の夏に直接聞いたのである。そのお話の席には現東大総長林健太郎先生をはじめ、十人以上の学者が居合わせていて、しかも速記録がプリントされているから出所はしっかりしている。要点をのべてみよう。

成瀬先生は戦時中、産業傷痍（しょうい）者の再教育をやっておられたが、その勤め先の事務員の話を聞いて、青山の巫女（みこ）に会いにいらっしゃった。ところが実際、別に聞きたいこともないので弱ってしまって、結局、「勤め先の上の人と意見が合わないのですがやめた方がよいでしょうか」と質問なされた。するとその巫女は、神棚に向って祈ってから、「あなたの今の職場は、あなたの進退に関係なく、じきになくなってしまいます」と言う。これは予言としては的中したことがあとでわかった。

しかしここまでならテレパシーということで、西洋にもあることだし、たいして珍しいことでもないと言う心理学者もいるだろう。しかしそれから続く話は、一寸、日本以外では考えられぬことである。

その巫女はしばらく坐ってから指折り数えて、「あなたの身内で七年前におなくなりになった方がございませんか」と言う。一寸思い当らなかったので、手帳を出してしらべて見ると七年前に叔父さんがなくなっていることを憶い出された。それからその叔父さんの霊がのり移ったらしく地獄から響くような声を出す巫女との話のやり取りがあるのである。その巫女がそういう状態から普通にもどって、更にこう成瀬先生に尋ねたと言うことである。

「あなたの叔父様は、大変あなたに会いたがり心配しておなくなりになりました。それからもう一つ、私にわからないことがございます。叔父様は、元来、仏様がたくさんいる中にたった一人、神様でもって祀(まつ)られている。そのために周囲の人から非常にいじめられておいでになります。これはどういうことでございますか」

この巫女はもちろん成瀬先生とは一面識もなく、先生の家のことは何も知らないのである。しかし成瀬先生から見ると、これはまことに思い当ることがあったのである。先生の叔父さんは東照宮の神主としてなくなられたため、成瀬何々命（のみこと）という名前で、衣冠束帯を着けて、笏（しゃく）を持って葬られたのである。成瀬先生の家は元来禅宗で、神式で葬られたのは、その叔父さんが初めてだとのことである。それにこの叔父さんの霊の話をする時、この巫女はしょっちゅう自分の右頬をつねったのだそうである。成瀬先生はその意味がわからなかったので、後で原宿から奥様に電話をおかけになって、「ちょっと変なことを聞くけれども、叔父さんの死ぬ前の癖はどうだったろう」とおたずねになった。するとそういうことがあったことについては何も知らない成瀬夫人は、「御存知ないの、右のほっぺたをおつねりになる癖があったようです」とお答えになったというのである。

この話の信憑性（しんぴょうせい）について疑念がないとすると、われわれの先祖の霊魂は不滅である上に、生きている時の意識を持ち、しかも他の死者の霊とも交際があるらしい。神式で葬られた霊は仏式で葬られた他の霊の中で孤立して弱っているらしい。どうも妙な話であるが、成瀬先生のお話を聞くと「改宗」の意味の重大さがわかるような気がナる。デカルトの哲学が好きだった人がベーコンの哲学に変ってもどうということはない。ニュートン力学から相対性原理に変っても魂には関係しない。しかし自分の宗教を変えることが、死後において肉親の霊から仲間はずれにされることを意味するならばそれは大変なことになる。

実は私の母もそれについて心からなる怖れを持った人であった。母は先祖の霊が存在し、絶えず自分を見守っていることを生き生きと実感した人である。そして自分の愛する息子がキリスト教になることを心配した。自分は先祖のもとに帰りたいが、息子が別の宗教になってしまったら、自分と再び一緒になれないのではないか、という例のラードボードの考え方と同じ考え方をしていたものである。私は長男であり、しかもあとは女のきょうだいだけであるから、私が西洋の宗教に入信すれば、先祖の祀り（まつ）は絶えることになると母は思ったのである。近頃は子供がキリスト教に入ろうと、何か別の宗教に凝ろうと、そういう心配をする親が稀になったように思うが、これは古来の霊魂観を持った人が少なくなってきているからであろう。

2

さて欽明天皇の十三年――西暦で言えば五五二年、東ゴート族がしきりにローマに侵入していた頃、百済（くだら）が仏像と経典を日本に送ってよこした。百済はこの頃仏教が盛んで、その数年前にも丈六の大仏を作ったりしていたのであるが、日本からの軍事援助を受ける代りに、

「高等宗教」を送ってよこしたのであった。

その時、欽明天皇はまだ若くていらっしゃったのであるが、大臣たちを前にして、「わたしも此の柔和な顔つきをしている仏像をおがんでみようと思うが、お前たちはどう思うか」とお尋ねになったのである。

すると朝鮮半島との関係も深く、また半島や大陸の文明国では仏教が盛んであり、それが高い文化と結びついていることを知っていた開明派の蘇我稲目（そがのいなめ）は喜んで賛成した。

「西の文化の高い国々では、どこでも仏像をおがんでおります。この日本という島国だけが、国際的なやり方にそむくことはできない相談です。仏像をおがまれるのは大変結構なことと存じます」と答えたのである。

これに対して物部守屋（もののべのもりや）、中臣勝海（なかとみのかつみ）という二人の大臣が断乎として反対した。そして「わが国をしろしめし給う君主は、天地国家の百八十（ももやそ）の神々を、春夏秋冬一年中、絶えずお祀りなさるのがお役目でございます。今になって古来の祭りを廃止して、外国の神様をおがむようなことをなさったならば、おそらく、日本中の神々がお怒りになることでございましょう」と申し上げたのである。

中臣家の先祖は天児屋根命（あめのこやねのみこと）であり、この神は天照大神（あまてらすおおみかみ）が岩戸に入られたときに祝詞（のりと）を読んだと伝えられている。物部氏も饒速日命（にぎはやひのみこと）以来の名家である。そして天孫降臨の時も、神武天皇御東征の時にも、常に抜群の功績があったと伝えられる家系である。

今の人はこれらの系図上の話を伝説とか神話とか言うけれども、六世紀の日本人にとって、それは疑う余地なき現実と考えられ、その霊の存在を、われわれが重力の存在を感ずるほどにはっきり感じていたのである。その人たちにとって、先祖の祀(まつ)りを絶やすことは、地獄に行くよりも恐ろしく、またいまわしいことだったのであろう。ここでもわれわれは、ゲルマン人の例の酋長の主張と同じ主張を見るのである。

これに反し、蘇我氏は名門とはいえ、系図は孝元天皇にまでさかのぼるだけであって、神代に至らない。そしてより近い先祖には武内宿禰(たけしうちのすくね)という朝鮮半島と関係の深い人もいるし、稲目の祖父は韓子宿禰(からこのすくね)、父は高麗などという名前であったところを見ると、朝鮮とは何か特別な関係があったとも考えられる。稲目自身は敬神家であったらしいけれども、中臣氏や物部氏とは少し肌合いが違っていたのであろう。

この両者の議論を聞いておられた欽明天皇は、「なるほど日本中の神々が怒られるようなことになっては一大事である」とおっしゃって、仏像礼拝のことはお取り止めになり、その仏像を稲目に与えて、自由に流布せしめられたのであった。

これは一種の「国体(こくたい)」論争であったと見られよう。物部・中臣派の意見では、天皇は日本の神を一年中祭る最高司祭なのであって、ここに別の宗教をまぜることは国体の断絶であると考えたのである。これに反して蘇我氏は、より啓蒙的な立場から、天皇の機能を政治的側面から主として解釈して新しい宗教を入れてもかまわない、むしろその方が国際政治がうまく行く、と判断したらしいのである。

しかし仏教は間もなく皇室に入ってきた。しかもそれは後宮から入ってきた。稲目の娘の堅塩媛(きたしひめ)は欽明天皇の妃となり、七男六女をお産みになったが、その第一皇子が後に即位されて、用明天皇となられた。聖ヘレナとコンスタンチヌス大帝の場合にも見られるようにどこでも母の宗教的影響は子供に対して大きいものである。用明天皇は仏教を信じるようになられたのである。その仏教は稲目の娘であって熱心な仏教徒である母后から受け継がれたものであった。

肝腎の天皇がさっさと改宗されたのであるから国粋派の気勢は上らない。中臣勝海も物部守屋も蘇我氏に滅されてしまった。

かくして日本の「国体」は変ったのである。何と言っても仏教を信ずる天皇は、それまでの神様だけをあがめた天皇とは同じでない。それで私は用明天皇の仏教改宗を、第一次国体変化と呼ぶことにする。「国体」という単語には不快な連想をもつ人も少なくないと思うが、他に適当な言葉も思い当らないので、「国がら」とか、「政体」とかいう観念を合せたようなものとして使わせていただきたい。

先祖崇拝を中心とする土着の宗教に、外国から、いわゆる「高等」宗教が入ってきたというのは、何も日本だけに起ったことではなかった。それはキリスト教の入ったゲルマン民族の地域では、どこでも起ったことである。

アルフレッド大王（八九九年歿）と言えば、異教徒のバイキングの侵入から、イギリスを護り、またキリスト教を護り通した英雄的な王であるが、この王家の系図を見ると、バルデイとかウォーデンとかイエトとかいう名前が先祖としてあげてある。この系図はイギリスがキリスト教に改宗してから三百年ほど経ってから作られたものであるから、今あげた名前は人名として扱われているが、元来は神名である。

バルデイはゲルマン神話の主神と母なる大地の神の間に生まれた子である。それは明けの明星としてもあがめられたし、また馬の形をしたものとしてもあがめられた。そしてアルフレッドの系図の中で、バルデイの父がウォーデンとなっているのは、まさしく神の系図を人間の系図として使っているからである。

最初イギリスに来たゲルマン人の酋長をヘンギストとかホルサと言うのは、いずれも「馬」の意味であるところから見て、それが氏神を示していたことに間違いない。つまり、神の系図がそのまま国王の系図につながっているという意味で、日本の天皇の系図と同じパタンなのである。

そして古代ゲルマン人の一族の長、つまりキングは、古代の日本の天皇と同じようなものであった。そして日本人もゲルマン人も六世紀頃に外国から来た高等宗教に曝され、改宗したというところまでは、どちらも同じコースをたどったのである。

では両者の差はどこから生じてきたのであろうか。

先ず新しく入って来た高等宗教に差があった。向うにはキリスト教が入って来て、わが国には仏教が入って来たのである。しかしもっと大きな差は、それを受け容れる側の態度であった。ゲルマン人の方では．先にあげたラードボードのようにキリスト教を拒絶しそれを迫害した酋長やら、キリスト教に改宗した酋長やらさまざまであったが、結局はすっかりキリスト教になったのである。土俗の習慣としては異教的風習もだいぶ残ったが、たて前としては先祖伝来の宗教を捨て、新しい宗教になった。日本風の言い方をすれば、先祖の祀りを絶やしたのである。改宗とは元来そうしたものなのだろう。

ところが日本の方はその改宗がゲルマン人の場合のようにすっきりしない。『日本書紀』には用明天皇について、「天皇ハ仏法ヲ信ジ、神道ヲ尊ブ」と書いてある。この場合の「神道」という意味は必ずしも明らかでなく、今日の神道と同じかどうかはわからないのであるが、しかしともかく当時の「神」という字の用い方とか、「仏法」と並記してあることなどからみて、古来の先祖崇拝と考えてよいのではないかと思う。簡単に言ってしまえば、「天皇ハ仏法ヲ信ジ、神道ヲ尊ブ」ということは、「用明天皇は仏教を信じたけれども、先祖の祀(まつ)りも絶やさなかった」ということになろう。確かに用明天皇は外来宗教に改宗され、国体を変えられた方であるけれども、伊勢神宮をなくしてしまうとか、その祀りを絶やすということはなされなかった。

これは今の宗教観などから言えば不徹底な改宗であって、中途半端とか、いい加減とかいうような批判が出るかも知れないが、このいい加減なところ、よく言えば「甲を捨て去ることなく乙も取る」というところが、日本人とゲルマン人の差を作ったということになるかも知れない。それは年功序列を廃止することなく技術革新と経営合理化をやってのけた戦後の日本社会の考え方と一脈通じていると言ってよいであろう。欧米人、つまりゲルマン人的な考え方からすれば、二律背反的に見えるものが、日本というところでは何となく両立してしまうのである。

その原型が用明天皇の改宗に見られるわけなのである。先に国体の変化と言ったけれども、これは文字通り変化であって断絶ではない。むしろ古い国体の観念を拡大したものであった、とさえ言える。

天皇の改宗が国体の断絶にならないことがわかれば、国粋派の考え方も変ってこようというものである。仏教導入に反対した物部守屋や中臣勝海が滅ぼされてから五十八年後の大化元年に、中大兄皇子（なかのおおえのおうじ）と中臣鎌足が中心として起したクーデターによって、蘇我入鹿、蝦夷（えみし）の二人は滅ぼされることになったが、しかし蘇我氏の導入した仏教に対する迫害はなかった。それどころかこの中大兄皇子と鎌足を中心とする大化改新のブレーンだった高向玄理（たかむこのくろまろ）、南淵請安（みなぶちのじょうあん）、僧旻（みん）といったような人たちは、かの仏教尊崇家であられた聖徳太子によって隋に送られた留学生たちだったのである。大化改新は、政治上の大変革ではあったが、決して廃仏毀釈（はいぶつきしゃく）にはならなかった。仏教が国体に危険でないことはすでに国粋派の子孫たちにも明らかであったのである。

二つの宗教を共存させ、両方をおがむという、他の国民から軽蔑されそうなことをもっとドラマティックになさって見せたのは天武天皇である。昨年（昭和四十八年）は式年遷宮で伊勢神宮がだいぶ話題になったが、この制度をおきめになったのがこの天皇である。

これはそれ自体として面白いことなのであるが、それよりもっと面白いのはこの式年遷宮が制定されたと正に同じ年に、同じ天皇が、諸国の家ごとに仏壇を作ることを命じられたのである。土着宗教の総本家、カミのカミなる伊勢神宮の祀りの形態を、その後千二百数十年経た今日にまで残るような形に定められた天皇が、同時に外来の宗教の全国布教運動を強力にすすめられたというのは、外国人の論理からすれば全くキテレツなのである。

このようなことから外人の中には、「日本人には真の宗教心がないのではないか」とか、「日本人は不可解である」という人が出てくるわけであるが、もっと率直な外人なら、「日本人は矛盾律さえ理解できず、むやみに外国の真似がうまいだけの民族だ」と言うかも知れない。たしかレヴィーストロースはその『原始神話学』の中で野蛮人は矛盾に鈍感であることを指摘しているが、この点からすれば、日本人は無知蒙昧なアンダマン諸島の土人なみということになるかも知れないのだ。

東大寺を建立なさったかの偉大なる聖武天皇ですらも、東大寺を建てるについての神意を伺うために、伊勢神宮に勅使を出されたというから何をか言わんやである。これとくらべれば、超現代的なオートメーション工場を作る時に地鎮祭をやるぐらいはどうということはない。キリスト教の教会を作る時に地鎮祭をやったっておかしくないくらいの国柄なのである。

3

用明天皇の改宗を国体の変化の第一号とすれば、第二号はどうしても源頼朝の幕府創立ということになろう。用明天皇の場合はそれによって天皇家が古代シャーマン的限界を乗り越えたという意味で、その宗教的意味が主であったが、鎌倉幕府の場合は、その政治体制の変化の意味が主である。

頼朝は征夷大将軍になったが、これは元来は東北方面派遣軍司令官と言ったところであって、中央においてはそれほどの地位でもない。また右大将にもなったが、これは公文式によって公文を出すためには大臣大将以上でないとできないのでなっただけであって、頼朝にとっては大した意味はないのである。とにかく彼は完全に武力を以て東北地方から西南群島まで支配したのであって、頼朝以前には、これほど確実に、しかも広く日本を支配した人は一人もいないのだ。

しかしこの頼朝は自分が天皇になる気はさらさらないのである。ほかのどこの国でも、頼朝のような立場になった人が現われたら、その人が帝王になるであろう。西洋の歴史でも、シナの歴史でも常にそうである。しかし頼朝は「古いものを廃することなく、新しいものも入れる」という、あの用明天皇以来の日本人の宗教的態度を今度は政治体制に入れたのである。

彼は全く新しい軍事政権を作り、新しい政治制度を確立したが、古い政治体制を廃止しなかった。彼の作った鎌倉幕府はそれよりも約五百年も昔に出た大宝律令にもとづく律令制度を変えようとしない。守護地頭といった制度を作ったといっても、それより前のものを廃止したわけではないのだ。頼朝以来、明治維新まで約七百年間武家政治が続くのであるが、古代の律令は明治十八年に廃止されるまで約千二百年間存続したのである。

これは民族の思考の基本的パタンというものであろう。この異常さ、あるいは特殊さというものは、よその国の例を取って仮定的に考えて見るともっともよくわかる。たとえばシナ大陸を、毛沢東のように確実に、しかも広く把握したシナの帝王はいない。そして地理的舞台の大小を別とすればその支配の原理が武力である点でも、かつての功臣の多くを粛清した点でも、毛沢東と頼朝は類似している。

この毛沢東が、清朝の皇帝もその宮廷もそのまま残し、清の法律もそのまま廃止しないでおいて、しかも現在のような政治をやるということが考えられるであろうか。そういう情景は全く想像できない。ところが、本質的には全く同じことを頼朝はやったのである。したがって、頼朝のやったことは、日本人以外の見地に立てば、全く想像もできない変なことなのである。別の言い方をすれば、それだけ日本人は変な国民なのである。

頼朝のやったことがわからないのは外人だけでもなかった。当の日本人の中にも解らない人間が出てきたのである。たとえば水戸の『大日本史』は頼朝が平家を滅ぼした後に、政権を天皇に返さなかったことを批判しているのである。これは水戸の学者たちが朱舜水などのシナの学者の名分論によって日本史を考えているからである。

シナ式の名分論では、頼朝は政権を朝廷にすっかり返すか、あるいは頼朝自身が天命を得て自ら皇帝になるべきなのであろう。しかし頼朝はシナの名分論などは知らないから、純粋に日本式に考えているのである。つまり神社も仏寺も、その両方を心からおがめる日本人なのである。

では政権のなくなった天皇、つまり新しい国体の中での天皇はどうなったか。

兵馬の権は奪われたとは言え、天皇は廃止されず、依然として律令制度によって官位を出すことができたのであるから、これも国体の断絶とは言えず、変化である。そして武力はないのに、最高権力者をひざまずかせうるという点で、日本の天皇はローマ法王と似た性質を獲得したことになった。西ローマ帝国滅亡後の西欧に統一をもたらしたゲルマン人の大酋長シャーレマニューも、その王冠はローマ法王から受けたのである。

これによって日本の天皇は、いかなる内乱があっても滅びる怖れのないものになったと言えよう。内乱というのは武力を持った武士同士の争いであるが、天皇は常に安全圏に立ちえたのである。戦国時代に、皇室の式微が甚だしかったとは言いながら、断絶のおそれはなく、かえって武家や一般人の精神的憧憬の的となっていたらしい。

4

第三回目の国体の変化は頼朝の死後、たった二十五年後に起る。「承久の変」がそれである。承久の変の重要さを本当に認識したのはおそらくイザヤ・ベンダサン氏が最初であろう。彼はこの事変を境として日本史を前期天皇制と後期天皇制にわけているが、それは氏が外人の目で見たからであって、日本史を考える上での重要な貢献であると思う。しかし私は天皇の宗教的機能を考えるので、仏教導入の方がもっと大事件だと思っている。しかし承久の変に特別な重要性を認める点で、ベンダサン氏に賛成である。

では承久の変はなぜそんなに重大なのか。私の流儀で簡単に言えば、承久の変によって「主権在民」の原理が、天皇と共存するようになったということである。

事の起りは、多能であられた後鳥羽上皇が、鎌倉幕府から武力で実権を取り上げようとなされたからである。ローマ法王が武力でナポレオンに勝てるわけはないように、上皇の軍勢は大敗し、それに関連した後鳥羽、土御門、順徳の三上皇は島流しにされてしまった。

さて問題はどなたを次の天皇にするか、である。

この時、幕府の実権者であったのは北条泰時であるが、彼は三上皇を島流しにした上に、皇位についておられた仲恭天皇を廃し、承久の変には何の関係もなかった後堀河天皇を立て、次いでその皇子を四条天皇として立てた。ところが四条天皇は幼少でなくなられたので皇子がない。そこで泰時はどうしようかと思ったあげく御籤（おみくじ）を引いたのである。

それによると土御門上皇の皇子を立てるがよいとあった。泰時も元来その意見であったのでこの方に定めて、秋田義景を京都にやって、土御門上皇の皇子即位のことを行なわしめることにした。しかし皇室の方では、順徳天皇の皇子を立てる意向であったのである。このような情況であったので、一旦、鎌倉を出た義景は途中から引き返してきて「もし私が京都につく前に、順徳天皇の皇子がすでに皇位に即いておられたらどうしましょうか」と泰時に聞いたのである。これに対する泰時の答が面白い。

「もし順徳院の皇子がすでに即位しておられたら、その方を廃してもよい。順徳天皇は積極的に承久の変に関係なさった方であるから、その皇子を立てるのは不適当である。土御門上皇は、この変にはあまり関係されなかったのであるからその皇子を立てるのが、北条氏のためのみならず、天下の平穏のためにも適当である」

と言ったのであった。こうして後嵯峨天皇の即位が実現したのであるが、承久の変の後の北条氏のやり方を見ると、天皇を自由に廃立しているのであり、しかも何の造作もなくやっているのだ。あたかも今の日本の首相が伴食大臣のクビをすげかえるような手軽さで。

北条氏は元来地方の武士である。そして泰時は人間としては誠に立派な人物で、当時の人々の間での信望がきわめて厚かった人である。つまり彼の権力の出所は、上からではなくて、下から来ているのである。下から来ている権力によって天皇の廃立を自由にやるということは、今の言葉で言えば主権在民にほかならぬであろう。先年、日本共産党がプロレタリア独裁という言葉をやめて、プロレタリア執権という言葉を使い始めた時、私は執権泰時を思い出した。天皇を自由に廃することは、おそらく共産党員の持つ夢に違いないのだから。

しかし泰時は、単なる主権在民の政体を欲したのではない。彼は天皇を持つ主権在民の政体を欲したのであって、天皇をすっかりなくしようなどとは夢にも考えていないのである。それどころか彼は貞永（じょうえい）式目という武家法を作ったわけであるが、古代の律令はそのままにしてあるのだ。

むしろ彼は謙遜して、「古来の律令は漢文みたいなもの、自分の定めた式目は漢字を読めない人のための仮名みたいなもの」と言っているのである。そして皇室自体に対する敬意は失っていないのであるから、まことに奇妙な話だ。式日の中でも神仏を尊崇し、神社仏閣をよく修理するように命じているが、日本で神様とか仏様とかいうのは、皇室の先祖の霊と、それに仕える者たちの霊のことにほかならないのである。

5

第四回目の国体の変化は言うまでもなく明治維新と明治憲法である。前にのべたように明治十八年に約千二百年ぶりで古代の律令が廃止されたわけだが、成文典がすっかり変ったのだから、これは国体の変化そのものずばりである。これによって天皇は用明天皇以前の土着宗教にもどられ、その上でプロシャ憲法に似た憲法の規定による立憲君主になられたわけである。廃仏毀釈もあったし、主権在民は実質上はともかく、制度の上ではタブー同様になった。

こう考えると、明治維新は復古運動であったが、単に武家政治が始まる前の政体にもどるというだけの復古運動でなく、用明天皇以前の姿にもどすという、とてつもなく古い時代への復古運動であったということになる。憲法という言葉は聖徳太子の憲法（いつくしきのり）からとったものらしいが、明治政府の理念としては聖徳太子以前の日本にもどることであった。十九世紀という弱肉強食の帝国主義時代に、数千万の人口を抱え、既に相当発達した文明を持つ国を六世紀の状態にもどすことができるわけはない。したがって理念ばかりは六世紀で、現実としては十九世紀立憲君主制ということになる。

ここで日本人は、これが四回目の国体の変化であると認識すべきであった。しかし実際には「日本の国体は金甌無欠（きんおうむけつ）である」という主張が国是となったのである。それは全くの事実誤認であったことはすでにのべたところから明らかであろう。つまり、天皇が断絶しなかったことを国体が変化しなかったことと誤解してしまったのである。

明治維新が、そして日露戦争が世界史の転換の契機となったことは多分、誰でも認めることであろうが、その非白人世界のチャンピオンとして輝かしく登場した日本が、その後、白人からも有色人種からも、共に憎まれる存在に変ったのは、事実誤認のトガメが大きくなったからである。

日本を戦争に駆り立てて行った青年将校や右翼は結局、六世紀の、物部・中臣の発想の枠を越えていなかった。

六世紀の国体観念で二十世紀の戦争をはじめてしまったのである。

昭和の悲劇はともかくとして、明治における国体の変化自体を過小評価してはならないであろう。明治天皇は日本の近代化を促進するために、宮中の祭儀の時以外は、常に洋服を召されていたという。天皇は決して排外的ではなく、西洋風の法律制度の導入に熱心でおられた。この六世紀への復古と、ラジカルな近代化という矛盾した努力が、矛盾と感じられずに共存した故に、明治は聖代だったのである。また明治天皇は「軍人は政治にかかわるな」と言われた。

六世紀までは軍事を司った大部族の長が大臣役をしていたのだから、このお言葉は復古の精神に反しているわけになるが、そういう矛盾を包んで外に出さないところが日本の天皇のよいところだということを、昭和の軍人は忘れたのである。

6

第五回目の国体の変化は敗戦と共にやってきた。今度こそはもうだめだと日本人はみんな思った。天皇は自らマッカーサーを訪ねられて「私は神ではない」と言われたのであるから。そして日本が外国に軍事的に占領されるということは有史以来の初体験だったのだから。国民の多くが虚脱状態になったのは当然であった。そして卑屈になった。

そのうち何とか国力が恢復してくると、敗戦をむやみにくやしがる人も出てくるようになった。

「すめらみことは、何とて人になり給いしや」という主義に殉じて割腹した三島由紀夫はその典型である。これは日本史、特に天皇と国体に対する事実誤認のもっとも傷しい例である。

彼が切腹などしないで今も生きて文学を創造し続けてくれていたら、と思って残念に思うのは私一人ではあるまい。私の国体観からすれば、三島は腹を切るほどのことはなかったのである。なるほど天皇は「私は神ではない」とマッカーサーに言われたが、その神とはゴッドのことであり、マッカーサーもそう理解したはずである。しかし日本の天皇がゴッドであったことなどは有史以来、一度だってないのだ。天皇は常に国民の代表として、日本人の先祖の霊を祀る方である。それを古代日本語で「あらひとがみ」と言ったので、西洋流のゴッドとは異質なものである。そして敗戦によって天皇が祭り事を絶やされたことはないのであって、天皇の機能は連続して絶えてない。つまり日本の国体にはまだ断絶がない。

しかし日本が外国の軍隊に占領された以上は、そんなことを言っても詭弁だと言う方もあるだろう。しかし用明天皇は外国の神（この場合は仏）に向って心から平伏されたのだ。これは武力による敗北よりもっとひどい敗北と考えられるのではないか。さればこそ、物部氏や中臣氏は「すめらみことは、何とて外国（とつくに）の神に平伏し給いしや」と嘆きながら滅んで行ったのである。これが三島由紀夫の悲劇の六世紀版であることはどなたにもわかっていただけると思う。

しかし用明天皇の精神的降伏によって、日本の天皇はゲルマン人の酋長とは違ったものとなったのである。アルフレッドやラードボードの子孫は断絶して消えてしまったのに、日本の天皇は日本人のアイデンティティの拠（よ）り所として日本人と共に展開してきたのである。日本人のアイデンティティの拠り所とは別の言葉で言えば日本人の「統合の象徴」である。つまり、現行憲法第一条の規定は、新しい天皇を作ったというよりは、前からそういう意味で日本の天皇はカミだったので、それがたまたま敗戦を契機にして明文化されたものと言うべきであろう。

日本の軍事的敗北は、重大なる国体の変化であった。それについては一点の疑いもないが、同時にそれは断絶でなかったことにも一点の疑いもない。

この前の戦争を天皇の責任にする議論も多くあるし、その中には真理の粒が含まれてないこともない。しかし二十世紀前半の戦争は天皇を持たない国もみんなそれぞれの理由で参加していたのであって、天皇があったから戦争が起ったというような簡単なものでないであろう。しかしあのような形で急速に停戦が成立したのは天皇の力であったとは言えるであろう。普通の日本人は、大体そんな風に感じていたので、戦争後間もなく天皇が各地を行幸なさった時も歓呼して迎えたのであろう。国民は軍部の首脳に対しては決してこういう暖かい気持を持たなかったのである。

それぞれの国体の変化が、その当時は極めて深刻に思われながらも、ふり返って見ると日本という国がアイデンティティを失わずに脱皮成長するためのステップになってきているようである。

今度の敗戦は深刻であったが、戦に敗れ、外国に占領されても天皇に象徴される日本の国体は断絶しなかったということの方が、後世になって見ればはるかに重大な意味を持つであろう。事実、チャーチル、スターリン、ルーズベルト、トルーマン、ジョージ六世と、この前の大戦の相手は、蔣介石と毛沢東をのぞけばすべてこの世にないし、いわゆる戦勝国は、戦後三十年間の間に、日本よりうまくやってきたとは義理にも言えない。日本では農民やオフィス・ガールもロンドンに旅行に行くほどなのに、戦勝国の方はそこまでになっていないといった奇妙な現象が起っている。

敗戦という国家の最大の不祥事すらも、天皇をもつ日本を一まわり大きく育てる肥料になったと考えうることは、やはり天皇というものの「玄義(げんぎ)」である。アメリカ人の中にもこの現象に気付いて「沖縄や硫黄島まで返してもらった上に、大統領にアラスカまで出迎えに出てもらうとは、天皇は本当にゴッドなのではないか」と皮肉っぽく書いている人がいた。

おそらく「正統」というものはそんなものなのではないだろうか。

もし原始キリスト教のみが本物のキリスト教であるならば、カトリック教会などはとっくにキリスト教でなくなっていることになる。しかし事実は、思想上・歴史上の大事件があるたび、公会議が開かれ、新しい信条を出しながらカトリック教会は衰退の色も見せないで続いてきている。

原始キリスト教から見るとひどく国体（「教体」と言うべきか）がずれてきているようでも、現在のローマ法王が「ペテロの座」の正統の継承者であることには間違いない。正統、あるいは国体を何かもう出来上ってしまって不動で硬化したものとしてでなく、脱皮を伴う展開の連続であると考える時はじめて日本の天皇の本質をよりよく理解できるのではないだろうか。

さて、国体の変化が第五回目で終って天皇が絶えるか、更に六回目の変化が起るかは、多分に共産党の将来とかかわりを持つであろう。

しかしその問題は本稿での考察の範囲を超えるようである。

戦後啓蒙のおわり・三島由紀夫

1

私がそれを見たのは新宿の映画館においてであった。黒沢明監督の「用心棒」だったか「椿三十郎」だったかを見に行った時のことである。その時のニュース映画はそのシーンをはじめからおわりまでまことに鮮明に映し出していた。

学生服にジャンパーを着た少年が演壇の左側から跳び出て来て、演説中の浅沼稲次郎日本社会党委員長の腹部に短刀をさしこんだ。その時の衝撃で浅沼委員長の顔から眼鏡がはずれて落ちるのも見たような気がする。大柄で太った浅沼委員長のだぶだぶした感じの洋服と、小柄でやせている山口少年の編上げの靴が印象的であった。

この事件は私が映画のニュースで見るよりだいぶ前に起った事件であった。それを新聞で見た時もショックを受けたのであったが、大きなスクリーンの上で見た刺殺事件のなまなましい臨場感は私を呆然とさせてしまった。私は映画館を出て喫茶店に入り、暫くの間そのシーンを思い浮べていた。そして「戦後はこれで終ったのだ」という実感が胸の底から湧き上ってくるのを感じた。そしてその「感じ」には何だかなま暖い温度があったことを憶えている。

山口二矢（おとや）という十七歳の少年が浅沼委員長を刺殺したのは昭和三十五年、つまり六〇年安保の秋のことであった。本当は六〇年安保騒動自体が戦後の終止符であったのかも知れない。

それは少数党が議会の中で、実力によって絶対多数党の審議を阻止することを公然と唱えたことからはじまった。この場合の「実力によって」というのは「議会のルールに従わないで」ということである。天下の公党が議会のルールに従わないことを公然の方針として打ちだし、社会の公器たる大新聞はそれをむしろ公論であるかの如き論陣を張り、少なからざる公衆がそれに従ったのであるから、戦後の議会制度尊重の精神はそこで終ったと言ってもよいのであろう。

ヨーロッパへの留学から帰ってきたばかりで、西洋式思考に馴染んでいた私には、議会の中での「実力阻止」というのがまことにおかしかった。議会制度の国での「実力」というのは「多数党」になること以外にありえぬはずである。その他の「実力」を議院内で認めることは、テロの原理を認めるのに等しいのではないかと、当時クラス担任をしていた英語科の学生たちとはよく話し合ったものだった。

しかしそれまで見たこともない大規模な安保阻止のデモに興奮していた学生たちのかなり

の数の者には、私の論理が耳に入らなかった。単なるデモと実力阻止の区別もつかない学生もいた。それで「実力を以て多数党に決議させたいということが行われるならば、それは戦前のような右翼運動の活動を肯定することになり、そういう団体を復活せしめるであろう」と私が言った時、クラス委員が、「右翼という言葉を持ち出して学生に恐怖感を与えるのはよくない」と言って、後で私に要望しにやって来るということもあった。

しかし六〇年安保以後、右翼の活動が目についてきたことは疑いえぬ事実であった。戦後からその時までは右翼は大部分の人の意識の外にあったのに。六〇年安保における野党の戦術はそれまで右翼を抑えていた論理を破壊したのである。その後起った一連の事件は時間の問題であった。

浅沼事件はショックではあったが、「とうとう来るべきものが来た」という印象を私に与えた。しかしその光景をニュース映画で見た後に、もう一つ私の心にひっかかるものがあった。「院内実力行使は右翼復活にまっすぐ連なる」というところまでは前々からの私の論理であったから、刺殺の光景をニュース映画で見ても心にひっかかるものがあるはずはない。それなのに何かしきりに心にひっかかるのはどうしたことなのだろう。映画館の近くの喫茶店ですっかり考えこんだが、心にひっかかる「何か」の正体はわからなかった。コーヒーはすでになくなっていた。

その夜帰ってきてから浅沼事件についての切り抜きを引っぱり出して読み直した。そして山口少年は十一月二日の夜に少年鑑別所で自殺したが、その直前に部屋の壁に「七生報国」と「天皇陛下万歳」と書き残していることを発見した。発見したというのはおかしいかも知れない。

新聞ではとっくに読んでいた筈だったから。しかしそれは意識の表面からは消えていたのだった。ニュース映画を見た後で何か心にひっかかったのはこれだったのである。七生報国——これこそ戦後の日本人からすっかり消えてしまった言葉であった。

あの短刀をふるった少年の姿とこの言葉が結び付いた時、私の目の前に光が走ったのである。私は飛び上って廊下に出た。当時、私は宿直も兼ねて大学の図書館に住みこんでいたので、本を読んだり考え事をして興奮した時は、いつでも人気のない真夜中の大学の廊下を歩き回るという特権にめぐまれていた。そしてがらんとした廊下をこつこつと歩きながら七生報国と壁に書いた少年のことを考えているうち、全く突然、その前の年に出版されて話題になっていた三島由紀夫の『鏡子の家』が頭に浮んだのである。山口少年を解く鍵はあの小説の中にあると直観した。

もちろんこの小説の作者が、丁度十年後の七〇年安保の年の同じ月に、「七生報国」と書いた鉢巻をして切腹するとは夢にも思わなかったのであるが。

2

浅沼事件のニュース映画に刺戟されて読み返した小説が『鏡子の家』だったと言ったら嗤われるかも知れないが、三島事件のテレビに刺戟されて読み返した小説が、石坂洋次郎の『青い山脈』と『山のかなたに』とであったと言ったら更におかしく思われるかも知れない。しかし事実はその通りであった。

昭和四十五年十一月二十五日の朝の八時頃、私は人間ドック入りのため渋谷にある病院に入院した。検査の合間は退屈なものであるが、本を読む気にもならず、昼のニュースでも聞こうかと思ってテレビをつけていたのである。そのため三島事件は最初からテレビで見ることができた。そして鉢巻の「七生報国」の四文字を一種の戦慄をもって眺めた。

短期ドックであったから翌日の昼頃に退院し、その足で午後には『家庭の友』というカトリックの雑誌の座談会に出た。何か別のテーマで話すことになっていたのであったが、前日に起った三島事件に合わせて急に話題が「三島由紀夫の死」に変えられた。それで私はしきりに七生報国の鉢巻のことをしゃべった記憶がある。そしてそこから家に帰る途中に石坂洋次郎の今あげた二冊の小説の文庫本を買った。

その晩は赤鉛筆を手にしながらこの二冊を入念に読んだ。先ず『青い山脈』を、それから『山のかなたに』を。それは苦しい読書であった。三島事件の次の日に読む本にしては、それは恥ずかしいほど明るく、恥ずかしいほど楽天的で、恥ずかしいほど浅薄で、読むに耐えない底（てい）のものであった。しかし我慢しながらこの二冊を読み終えた時、私は自分の直観が正しかったと確信した。三島由紀夫が文学的には『鏡子の家』で結末をつけ、行為の上では割腹自殺で結末をつけようとした世界を、石坂洋次郎という天才的な風俗作家はまことに正確に描いておいてくれたのである。三島の『鏡子の家』第一部までは石坂洋次郎の世界に連なっている。三島由紀夫は明らかな目でこの世界に終りが来ることを看取ってしまっていたのだった。しかも山口少年の刺殺事件が起る前の年にすでに。

日本中がまだ焼跡だらけの昭和二十二年（一九四七年）に『青い山脈』は朝日新聞に連載され、たちまち日本中の読者を魅了した。平松幹夫氏によれば、戦後の小説界ではじめて「ベスト・セラー」とか「ミリオン・ストーリー」というアメリカ語がふさわしい作品としてあげうる最初の小説がこの『青い山脈』なのだそうである。それは万人を愉しませてくれる小説であり、従って最もよく売れた小説であった。これは当時の日本人の感じ方によい意味で巧妙に迎合した作品であって、戦後の日本人の精神史の一大モニュメントである。私は今なお『青い山脈』を田舎の図書館で読んだ夏の暑い午後のことをまざまざと覚えている。

あまりの面白さに、丁度小便を我慢した時のように膝のあたりが震えてきたものだった。その頃は町でも工場でも家庭でも学校でもこの小説の映画の主題歌が唄われていた。

若く明るい唄声に
雪崩(なだれ)も消える花も咲く
青い山脈　雪割り桜
空の果て
今日もわれらの夢を呼ぶ
（西条八十作詞「青い山脈」Ⓒ全音日本音楽著作権協会承認番号四九七六九〇号）

何と明るかったことであろう。何と希望に満ちていたことであろう。そしてその明るさは何と愉しい感じをみんなに与えてくれたことであろう。暗い時代は終ったのだ。雪の中から春の花が出てくる感じであって、空のかなたでは夢が呼んでいるような気がしてくる雰囲気であった。

古い上衣よさようなら

悲しい夢よさようなら
青い山脈……

といった風に過去は暗く未来が明るいということが臆面もなく唄われ、それがまたみんなの実感に訴えたのだった。チェスタトンの言葉で言えば good time coming のセンチメントの時代であり、私の言葉で言えば素朴進化論が実感になれるような幸いな時代であった。そして三島由紀夫の言葉で言えば「壁が取っ払われた時代」で焼跡の彼方に青い山脈ならぬ希望の白雲の浮ぶ時代であり、鏡子の家のメンバーの男たちがまだおかしくならない時代であった。

『青い山脈』は東北の田舎の少年であった私の胸を特別に鋭い愉悦の気分で満してくれたものだったのに、三島が自決した次の日の夜には、何と幼稚でつまらないお伽話に見えてきたことか。それは私の文学鑑賞力の向上とか趣味の変化とかにはあまり関係がないと思う。私は吉川英治でも岡本綺堂でも村上浪六でも昔読んだ大衆小説を喜んで読み返して閑をつぶせる男なのである。それなのにあれほど面白かった『青い山脈』と『山のかなたに』が嫌悪感を起こさせるほど面白くなくなったことこそ、『鏡子の家』の第一部と第二部の間にある亀裂の意味するものである。

3

「石坂洋次郎の小説には、男のほっぺたをひっぱたく女が必ず出てくるな」
と高校時代の先生が言われたことを思い出す。今では男のほっぺたをひっぱたく女主人公を登場させたって何も珍しいことはないし、男を蹴っとばしたり撲り倒す女が出てくる小説だって特に話題になることはない。しかし石坂洋次郎が『若い人』をはじめとする人気作の中に、女子大を出た知的な女教師を登場させ、その女主人公に男のほっぺたをひっぱたくシーンを用意したことは、当時としてはなみなみならぬ小説技術であった。昔の日本男児は偉い者であって、男の子の寝ている枕もとは母親だって歩けなかったものなのである。特に東北地方ではいつまでも男子尊重の念が強かったのであるから、石坂洋次郎の女主人公は、漱石が『三四郎』の中に美禰子（みねこ）を登場させたことに劣らないぐらいの新鮮な印象を与えたのであった。

　漱石が当時実在していないような知的な女性像を創り出して現実を先取りして見せた時、漱石はそれによって社会を啓蒙し、そういうタイプの女性が現実に生まれてくるのを促進しようとする意図があったかどうかわからない。しかし石坂が男の頬をひっぱたく若い女性像を作って見せた時、はっきりとした社会啓蒙の意図があり、そういう女性が出て来ることを進歩であると考え、それが善であり正義であることを信じて疑わなかったことは確かである。戦時中は『若い人』のために右翼団体から不敬罪や軍人誣告罪の容疑があるとされ、沈黙を余儀なくされていた石坂は、戦後の自由な風潮はまぎれもない進歩であると実感しており、新憲法を双手を挙げて歓迎した。戦時中のむしゃくしゃから、彼は古いものは悪と規定し、新憲法と共にやってきた新しいものは善と規定し、この新旧の対立を善悪の対立と割り切ることに躊躇しなかった。

「新」と「旧」との争いが「善」と「悪」との争いとなり、終局には「新」が勝つという一種の勧善懲悪のパタンは、勧善懲悪物が常に民衆によって歓迎される意味において、戦後の大衆読者層と映画ファンの心を摑んだのである。そして滝沢馬琴が「善」を勧めたような自信を以て石坂は「新」を説くのである。そこにはほとんど宣教師的な臭いさえ嗅ぎ取られたくらいである。新憲法は石坂にはまごうかたなき福音であった。

「なるほど、新しい憲法も新しい法律もできて、日本の国も一応新しくなったようなものですが、しかしそれらの精神が日常の生活の中にしみこむためには、五十年も百年もかかると思うんです……」（『青い山脈』新潮文庫三〇ページ）

こう言っている独身の校医の沼田の発言は石坂の本音である。新憲法を絶対の善として、それが国民に滲透して行く過程がとりもなおさず進歩なのである。そうすることが「生徒を啓蒙する」ことなのだと沼田は考えている。その話し相手になっている若い英語の先生である島崎雪子はもっとラディカルにその啓蒙を封建的な東北の女学校で実現したいと願っているのである。新憲法の滲透度が日本の天国化の尺度と感じられ、その推進者として英語の先生がイメージされているのは正にあの時代的なのだ。それは懐かしくて涙が出るような時代だったと思われる方もいるだろう。したがって片山内閣も希望をこめて受け取られていたのである。

「まあ、お前さんたちも考えるんだな。いまの総理大臣は、明治維新の志士、英雄型とちがって、キリスト様が好きで、料理屋や芸者衆は大嫌いのようだし、またこれからは、ますますそういう生真面目（きまじめ）な素人（しろうと）タイプの政治家に国を治めてもらわにゃならんのだし、ここらで足を洗うことを考えるんだね」（『同書』二三三ページ）

ここではキリスト教まで新鮮なものとして受け取られ、英雄非待望論が語られ、料理屋が政治家に用いられなくなる時代がすぐにも実現されそうに感じられている。そのくらいだから、新しいものなら無知でも、古い教養よりはよいことになる。

「……学生たちは、頭をあげたとたんに、垂れた両手の掌（たなごころ）をパッと前に向けて、いっせいに〝オス！〟と怒鳴ったのには驚いた。オスとは街のあばれ者たちが、いろんな場合に発するあいさつの言葉だということは君も知っていよう……。しかし、ぼくは、ともかく彼らが新しい風俗をつくり上げようとしている真面目な努力に、非常な好感をもった。これはひところの青年たちが、パスカルやヘーゲルやデカルトに読みふけったことよりも、もっと重大な意義をもつものだと考えられるのだ。ぼくはこう考えている。ぼくたちの古い生活の習俗に、一番根強い執着を潜在させているものは、ヨーロッパ的な知識や教養を身につけた階級の人々ではないのかと——。その反対に、大衆というものは、指導しだいで、あんがい無造作に、スポリスポリと古いカラを脱ぎすてていけるのではないかと——。」(『同書』二七四ページ)

「オス!」とパスカルをくらべて、「オス!」の方がよいという発想。文化や教養のない人たちの方が新風俗になじみやすく、それが問題なくよいことだという発想。そこに共通するのは、新しいことは正に新しいという理由だけで絶対の善であるという素朴進化論なのである。だからダンスの流行はよいことなのであり、ダンスすること自体が新憲法に近づく手っ取り早い方法みたいにとられる。

そして西洋の恋愛小説の会話は憧憬すべきものとして語られ、そこまで日本の社会が成熟しておらず、ずっと幼稚な段階にあると英語の島崎雪子先生は認識している。

新と旧の対立を、善と悪、プラスとマイナスに見立てる思考法の中で、西洋は、特にアメリカは「新」とされると、必然的に日本、あるいは東洋は「旧」になる。

「日本人が、いいえ、東洋人が、電気、汽車、飛行機、電話その他、近代の文明生活に役立ってるものを何一つ発明発見できず、みんな西洋人がそれをやったというのも、東洋人が自分たち人間の能力にあっさり見切りをつけて、家畜みたいに消極的な暮し方をしておったからだわ。そして、歌や俳句をよんで、干からびた分別くさい顔をしたり、剣道の極意をきわめて深刻がったり、娯楽にすぎない碁や将棋を人生観に結びつけて貧弱な自己満足にふけったり、そんなコセコセした生活に甘んじて来たのね。……結婚の習慣だってそうよ。当事者がなんの意志発動もなさず、第三者が媒妁する。それだったら、男も女も家畜みたいじゃないの……」(『山のかなたに』新潮文庫三〇七―八ページ。傍点筆者、以下同様)

このタケ子さんの言葉によれば、東洋文化も日本文化も全部ダメなので、剣道も媒妁結婚も家畜みたいな生活から生まれてきたものである。それに第一、『山のかなたに』は特攻隊を作る教育を受けていた予科練帰りの中学生と彼らの受けた軍隊の教育批判の小説でもあるのである。もちろん石坂洋次郎は剣道五段を取り媒妁結婚をし、旧軍を讃美した三島由紀夫にあてつけをしているわけではない。『山のかなたに』が読売新聞に連載された昭和二十四年は三島由紀夫はまだ『仮面の告白』を書いた新進作家にすぎず、後に見るような右翼的傾向は毛ほども示しておらなかった。むしろ典型的な戦後の作家と考えられていたのであるから。

新しいものを何でも明るく感じ、キリスト教徒の首相に期待をよせる気持を、西条八十はこの小説の映画の主題歌として巧みにすくい上げていた。

山の彼方（かなた）に　鳴る鐘は
聖（きよ）い祈（いの）りの　アヴェ・マリヤ
つよく飛べ飛べ　こころの翼（つばさ）
光る希望の　花のせて
（西条八十作詞「山のかなたに」© 全音日本音楽著作権協会承認番号四九七六九〇号）

ここでアヴェ・マリヤなど出てくる必然性はないのである。しかしアヴェ・マリヤがハイカラだった時代がつい二十五年ばかり前にはあったのだ。私の中学の一友人は、たまたまその頃東京に遊びに来て、渋谷駅を上ったところを歩いていたら、チャペルで若い男女が讃美歌を歌っているのを聞いた。そして彼は因習に満ちた東北の田舎の中学にもどるのがいやになって、そのまま東京の学校に転校したのである。これなどは『山のかなたに』の時代の青年の典型的な心情を示したものだろう。その頃は渋谷のあたりだって焼けっ原であったが、そこに生活の苦しさよりも大部分の青年は希望を認めたのである。同じく西条八十はそこのところを天才的に巧みにすくい上げて主題歌を作った。

雨にぬれてる　焼けあとの
名もない花も　ふり仰ぐ
青い山脈　かがやく嶺の
なつかしさ
見れば涙が　またにじむ

ここにも「焼けあと」などを出してくる必然性はないのである。小説の方は何しろ空襲などとは関係のなかった東北の小さい町の話なのだから。しかし当時の『青い山脈』的なセンチメントから言うと、どうしても「焼けあと」と希望の「かがやく嶺」を結びつけてもらわないとしっくりしないのだ。石坂洋次郎は敗戦直後の明るさ――敗戦国が明るいなどというのは本来珍現象なのだが――を小説化し、西条八十はその小説の映画の主題歌として、小説の内容自体とは直接関係のない、当時の日本の観客たちのセンチメントを流行歌の歌詞として結晶せしめてくれた。

こういうのが戦後しばらくの間の日本人の心象風景であった。そこには焼けあとがあって、その向うには輝く青い山脈があつて、その山のかなたにはもつとすばらしい生活が待つてゐそうであった。つまりまだ壁がなかった。

しばらくするとそこに壁が立ちはじめ出したのである。そこを三島由紀夫は『山のかなたに』が出てから丁度十年後の昭和三十四年に『鏡子の家』の中でこう表現している。

「しかし四人が四人とも、言はず語らずのうちに感じてゐた。われわれは壁の前に立つてゐる四人なんだと。

それが時代の壁であるか、社会の壁であるかわからない。いづれにしろ、彼らの少年期にはこんな壁はすっかり瓦解して、明るい外光のうちに、どこまでも瓦礫がつづいてゐたのである。日は瓦礫の地平線から昇り、そこへ沈んだ。ガラス瓶のかけらをかがやかせる日毎の日の出は、おちちらばつた無数の断片に美を与へた……今ただ一つたしかなことは、巨きな壁があり、その壁に鼻を突きつけて、四人が立つてゐるといふことなのである」(『鏡子の家』新潮文庫九五-六ページ)

そしてここで一つ付け加えさせてもらえば、石坂洋次郎の『青い山脈』の時代にも、三島の「壁がない」時代にも言及されていない重要なことが一つある。それは当時の日本がまだアメリカの占領下にあって、朝鮮戦争もはじまっていなかったことである。圧倒的な他国の軍事占領下にあって、非武装中立主義のキリスト教徒の首相をたたえることはやさしい。外の風が少しも吹きこまない外国軍の占領下において、壁のない状態を憧れるのもおかしなものだ。普通の壁はなくても軍事占領という透明な、しかし普通の壁よりずっと完全な気密性の壁があったのだから。このような状態での楽観主義は、しっかりした両親の保護下にある幼稚園児童の陽気さにすぎなかったのではないか。つまりは痴者の楽園だったのではないか。せいぜい十二歳の精神年齢だったのではないか。

Those were the days, my friend,
We thought they'd never end,
We'd sing and dance forever and a day
………
la la la la la la……

4

「《金閣寺》で私は〈個人〉を描いたが、この小説では〈戦後は終った〉と信じた時代の感情と心理の典型的な例を書こうとしたのである。すべての物語が東京と紐育（ニューヨーク）で展開する。

四人の青年、一人はサラリーマン、一人はボクサー、一人は俳優、一人は画家の四人の青年が、鏡子と言う巫女(みこ)的な女性の媒(なかだ)ちによって、現代の地獄巡りをする。現代の地獄は、都会的でなければならない。おのずからあらゆる挿話が、東京と紐育に集中するのである。私は自分のあらゆるものをこの長篇に投げこんでしまったので、当分空っぽなまま暮すほかない。」

三島由紀夫はそれまでの彼の最長篇書き下し千枚の『鏡子の家』第一部・第二部（新潮社・昭和三十四年、彼は、三十四歳）を出版した時、その本のオビにこう書いたのである。彼の発言はそれこそ「仮面の告白」が多くてどこまで本音かわからないところがあるが、いろいろの伝聞証拠から見て、右のオビの言葉は彼の実感と見てよいのではないかと思う。彼は昭和二十九年頃に十返肇に「僕の理想の生活は、一年に一篇だけ長篇小説を書いて、短篇は書かない。書いても二十枚ぐらいのをひとつだけ。あとは全部、芝居を書いていたい……」（「三島由紀夫の新劇論」）と言っていたそうである。

三島は自分がしたいと思うことはしてみた人間である。それから数年後、彼は実際にこれをやってみた。事実昭和三十三年から翌年にかけては、『文章読本』のほかには、若干の芝居と一つの短篇しか書いていないようであるから、ほとんど厳格と言ってよいほど「理想の生活」をやってみたことになる。それは別の言い方をすれば欧米の作家のような生活ということであろう。私の愛読する通俗がかった現代作家にアーサー・ヘイリイ（『ホテル』『大空港』など）とハーマン・ウォーク（『ケイン号の叛乱』『戦争の風』など）がいて、その作品は大体全部読んでいるつもりであるが、一冊読み上げてから次のが出るまでまことに待ちどおしいのだ。こういう人たちは一冊書き上げると十分の休養と、十分の準備の後に次のものを書くらしく、読者の方も一冊読んだら次の作品まで二、三年待つということになる。したがって入念で調査が行きとどいているから大人の読者を失望させない。三島は多作に耐える天才ではあったが、やはり欧米流のゆるやかな生産のリズムを羨ましいと思ったのであろう。それは正常で健全な志向と言うべきものであった。

三島は新しいライフ・スタイルに入るべく全力投球したのであった。自分が空っぽになったと思うほど、あらゆるものを投げこんだのである。しかし彼が望んだライフ・スタイルの転換はならず、その後は以前と同じように長篇小説は連載となった。つまり世評は高かったが、プロの評論家たちは大部分がこの作品を不成功と見たのである。自分が空っぽになるほど打ちこんだと公言する長篇書き下し作が失敗作と烙印されては、三島のようなプライドの高い人間は常人には想像もつかぬ深い所で傷つき、そのルサンティマンは時間をかけてゆっくりと彼のコースを決めて行くことになる。翌年出た短篇『憂国』は無気味な方向を暗示する小さな徴候であった。

プロの批評家たちが『鏡子の家』を失敗作と見なしていたのに反し、意外な人たちが意外な受け取り方をしていたのである。私が三島由紀夫という才気煥発な戦後作家に対する見方を一変させられたのも、その意外な人たちの一人によってであった。

私の知人にすごい秀才がいた。彼は多くの戦後派の秀才とは違って多分に心情的右翼であった。実は彼とのつき合いは英語を通じてであったので、始めのうちはそんなことを知らなかったのである。彼が結婚した時、花嫁の手料理を食わせるからと言って私を自宅に招いてくれた。それで彼の家を訪ねたのであるが、玄関を入ると、玄関の突き当りの飾り戸棚に二冊の本が並んで立てかけてあったのである。『鏡子の家』の第一部と第二部であった。私はまだ読んでいなかったので、「どうですか、あれは面白いですか」と聞いた。すると彼は「三島先生のあれはいいですよ」と言う。私は一寸自分の耳を疑いたいような気持ちだった。天才かも知れぬが軽薄な才子と思っていた三島由紀夫を「三島先生」という人間が目の前に現われたのだから。三島由紀夫を「三島先生」といったその友人は文学青年ではない。東大法学部を出て堅い仕事に従事しているので、文学の故に三島由紀夫を先生よばわりするような人ではなかった。それに彼の家には『鏡子の家』以外は文学書などはないといってよかった。

評論家たちの悪評の影響もあって私はその時まだ『鏡子の家』を読んでいなかったのであ

るが、早速それを借りて帰って読んだ。彼のように聡明な男に「先生」よばわりさせる力のあった三島の書き下し小説はどんなものであったかという好奇心が急に湧いてきたからである。そして読了した時彼が三島に先生を付ける理由を了解したような気持ちになった。

それはどういうことであったかと言えば、三島はこの小説の中で「戦後は終った」と信じた時代の感情と心理の典型的な例を書く約束をし、それを見事に果していたからである。

三島がここで想定している時代は昭和二十九年四月からの二年間である。そしてこの昭和二十九年に日本の社会には何が起ったか当時の年鑑を繰って見よう。先ず第一にこの年の正月には皇居に参賀人が三十八万人押しかけて死傷者十六人も出るような大混乱が起っている。これは別に皇室に慶事があったわけでもないのに、再び天皇をなつかしく思う日本人が急増したことを示している。特別の理由がないのにそうなったということは「時代」の流れが変ったことを雄弁に物語っていると言えよう。そしてこの年の六月にはそれまで保安隊と言われていた組織が変えられて陸海軍方式となったのである。つまり自衛隊が誕生し、戦後初めて外敵への防衛任務が規定されたのだ。その一方、造船疑獄に対して犬養法相が指揮権を発動するという類のない醜態があったこともつけ加えておいてよいであろう。

『鏡子の家』には二重橋事件にも、自衛隊の発足にも、直接の言及はない。おそらくこの小説を書いていた時の三島は、自衛隊のことをあまり意識していなかったと考えられる。しかしこの年を何となく「戦後は終った」時点として設定したのは、こういうことについては常に適切なものを無意識のうちにも発見できるという天才のせいであろう。一種の無作意発見能力、英語で言えばセレンデピティと呼ばれる能力に近いであろう。われわれ凡人はそれを後になってから調べてようやく気付く。

むしろ三島が昭和二十九年を戦後の終りと感じた直接の理由は社会的事件によってよりも、自分の作品の系列の一つが頂点に達したと感じたからかも知れない。この年の六月、書き下し長篇の『潮騒』が大評判となってベスト・セラーになり、第一回新潮社文学賞を受け、更に映画化されてこれまたすばらしい人気を呼んだのである。このような現象は正に石坂洋次郎の『山のかなたに』以来なかったことなのである。しかし三島はこの成功によって、「その後ギリシャ熱がだんだんさめるキッカケにもなった」(『私の遍歴時代』)と告白している。

三島のギリシャ熱がさめ始めた時点に『鏡子の家』が設定されたことに注目しよう。そしてそのきっかけとなった『潮騒』は、自衛隊の発足と同じ年の同じ六月だったことにも注意しよう。そういう自分自身のことや社会のことを無意識の土壌として『鏡子の家』という花は咲き出でたのである。プロの評論家たちはこの花の中に文体の絢爛さと、ピカピカした才能しか認めないで失敗作とした。しかし右翼的心情をもった素人は、その中にあやまることのない屍臭を嗅ぎ取っていたのである。啓蒙批評家たちの嗅覚にはわからなかった「戦後という時代」の屍臭を。

5

普通の社会でなら「嘘つき」と言われても仕方がないようなことを三島由紀夫は臆面もなく言ってのけた。「嘘つき」という言葉が誤解され易いならば「矛盾した発言」と言ってもよい。いまそれをお目にかけよう。

昭和二十四年に『仮面の告白』を刊行して大成功を収めた時、三島は自分の内心に巣喰う怪物を何とか征服したような気持ちになって、新しい志向を得たと言う。それは何としてでも生きねばならぬという思いと、明確な、理知的な、明るい古典主義への傾斜であると彼は言い切った。そしてこの言葉に嘘はなかったと思う。その頃私は学生であったが、三島由紀夫という作家は東大に行ってギリシャ語の勉強をしているという噂があった。それで英語をやっていたわれわれは「えらい奴もいるもんだ」と言って感嘆もし羨望もしたものである。当時の語学に対する一般的序列からいうと、先ず英語をやり、第二外国語として独仏のいずれか、あるいは両方をやり、その後に余裕があればラテン語を、そしてその後にギリシャ語がくるのであった。これは西洋の学問をやる人の階梯（かいてい）であると考えられていたので、その第一関門の英語のあたりで齷齪（あくせく）している自分たちとの間の開きの大きさを考えると、まことに雲壌万里の感があったのである。そしてその作家はどうあがいたところで当時のわれわれには手のとどかない外遊に出かけ、ギリシャを体験することで自分自身の古典主義の完成をするというのである。あまりにも輝かしい存在で、愛読者として鑽仰（さんぎょう）するよりほかはなかった。

そのギリシャについて彼はこう書いた。

「私はあこがれのギリシャに在って、終日ただ酔うがごとき心地がしていた。古代ギリシャには〈精神〉などはなく、肉体と知性との均衡だけがあって、〈精神〉こそキリスト教のいまわしい発明だ、というのが私の考えであった」と。

このギリシャによって「健康への意志」を呼びさまし、もうちょっとやそっとでは傷つかない人間になったと思い、晴れ晴れとした心で日本に帰って来たというのである。つまりは「肉体と知性」が明るいのであり、「精神」はキリスト教のいまわしい暗い発明と断じ、その明るい世界にコミットしようと決心したらしい。この海外旅行中に書いたといわれる『夜の向日葵（ひまわり）』の女主人公は、最愛の一人息子が死におとしいれられても、その不幸を幸福に考えてしまうような女性、つまり夜の暗い時でも太陽を向いているような人である。そして帰朝後にギリシャの体験を日本の風土の中で小説化した『潮騒』は正に「わがアルカディヤ」を描こうとしたものであり、その明るさと健康さの故に、石坂洋次郎が動かしたとほぼ同じ種類の読者と観客を動かした。このように明るい「古典主義時代」が三島に存在したことは疑いえぬ事実と思えるのに、三島は昭和四十二年に書いた『葉隠入門』の中で、『葉隠』こそが戦前戦後を通じて唯一の座右の書であると言っているのだ。そしてこの解説書の最後を次の無気味な一節で結んでいるのである。

「われわれは、一つの思想や理論のために死ねるという錯覚に、いつも陥りたがる。しかし『葉隠』が示しているのは、もっと容赦ない死であり、花も実もないむだな犬死さえも、人間の死としての尊厳を持っているということを主張しているのである。もしわれわれが生の尊厳をそれほど重んじるならば、どうして死の尊厳をも重んじないわけにいくであろうか。いかなる死も、それを犬死と呼ぶことはできないのである」と。

明るい古典主義へ傾斜し、あこがれのギリシャにあって終日ただ酔うが如き心地していた人が、その頃も唯一の座右の書として『葉隠』を愛読していたということが考えられるであろうか。ここに嘘がある、と常識は言うのであろう。それは丁度、ロココ風の家具を愛し、ヴィクトリア朝のコロニアル様式の新居を快適だと言っていた三島が、ひとが家具を買いに行くというそのはなしを聞いても吐気がすると言うようになったことと似ていると言えるかも知れない。

では三島を嘘つきだと言うことなく、この矛盾を説明することができるであろうか。

6

「あかつきの薄暗いうちからいち早く起き出して太陽を待ちこがれていたのに、太陽が上ってくると、目がくらんでしまうような人の気持ちを私は学問において味わった」というゲーテの言葉を私はオカルト現象を説明するために引用したことがある。そしてこの言葉を三島における矛盾を解く鍵として再び引用したいと思う。

夜のとばりが東の方から上ってくる時、人は期待に胸をふくらませる。どのようなすばらしい一日がくるのであろうかと思う。しかしその期待は長く続くわけではない。午後には人は明るさに飽き、そして疲れ、夜の灯や闇の中の休息を欲してくる。これが通常のコースである。それは大きく歴史上の時代の流れとして見てもそうなるものだし、個人の場合もそうだ。

石坂洋次郎の場合、曙（あけぼの）の前の闇は不愉快な闇であった。そこでは軍や右翼の圧力があった。それはあたかも悪夢の中で身動きができなくなるように、文士としては身動きならぬ状態であった。彼にとって占領軍と共にやって来た新憲法こそは曙の光そのものであった。その光に照らされ「青い山脈」が東の空に浮き上がり、更にその「山のかなた」では光る希望がみんなを呼んでいると感じたのである。石坂の小説の勧新懲旧の話に奇妙な熱っぽさがあるのは、石坂の実感だったからである。そしてその石坂の実感を、戦争を悪魔のように感じた読者たちは自分たちの実感としたのであった。

三島にも敗戦と共に朝の光がさしてきた。しかし彼と石坂とは朝を迎える気分が全く違っていた。石坂の明方の夢は悪夢だったのに、三島の夢は甘美であったのである。彼は祖母や母によって超過保護に育てられた。そして歌舞伎の話を耳にし、読書に淫した。学習院時代は後年自決した蓮田善明などと暖い交友関係を持ち、十九歳で『花ざかりの森』を出版し、初版四千部を一週間で売り切っている。そして当時の座右の書の第一は上田秋成全集であり、そのほかには、和泉式部日記、古事記、日本歌謡集成、室町時代小説集、泉鏡花であったという。いずれも理知よりは美しい夢の世界といったものである。学習院は首席で卒業し恩賜の金時計をもらったし、進学したところは東大の法学部であった。徴兵検査でははねられ、学徒動員で働いていた軍需工場では、いまあげたような本を読んで孤独な美的趣味に熱中し、警報が鳴るたびに、書きかけの原稿を抱えて防空壕の中に逃げこんだ。そしてそこから遠い大都市の夜の大空襲を眺めるとまことに美しく、あたかも贅沢な死と破滅の大宴会の遠い篝火(かがりび)のあかりを望見するかのようであると思った。そこで彼は幸福であったのである。彼は述懐する。

「就職の心配もなければ、試験の心配さえなく、わずかながらも食物も与えられ、未来に関して自分の責任の及ぶ範囲が皆無であるから、生活的に幸福であったことはもちろん、文学的にも幸福であった」と。

これはまことに至福の時代と言うべきであったのではないか。特にしばらく時間を置いて回想すれば、白光に包まれたような恍惚感の連続の時代と感じられるはずだ。日本が非合理の原理に支配されていた闇の時代に、三島は甘美極まる夢を見ていたのだ。そこに来た敗戦という日本の精神的伝統に対する啓蒙の朝の光は、それまで悪夢の中にいた石坂とはちがって、三島によっては少しも希望の光とは受けとめられなかった。それは甘美な夢からむりやりに起こされ、暖かいふとんから冷たい板の間にひっぱり出された病人のようなものであった。「それは敗戦という事実ではなかった。私にとって、ただ私にとって怖しい日々がはじまるという事実だった」

という『仮面の告白』は本音だったはずである。彼はいやいやながら朝の光、新しい啓蒙の時代に入ったのである。その朝は、彼が暖かいふとんの中で怖れていたようにきびしいはじまりであった。戦後の文壇の風潮はアメリカ式の民主主義的啓蒙か、ソ連式の左翼的啓蒙のぎらぎらした光に照らされ、三島が暁の夢の中で見たような唯美的な世界はなじまなかった。『花ざかりの森』を出してくれた七丈書院を合併した筑摩書房にそれまで書き溜めた原稿を持ちこんだが断わられてしまったのである。あれほどよく売れた『花ざかりの森』すらも出してもらえなかった。

その後、川端康成に原稿を読んでもらえるようになってようやく短篇を発表できることになる。その頃大蔵省をやめ、社会的に葬られることを覚悟して書き下した『仮面の告白』は幸いにも好評を得、この成功で作家としての地位は確立された。これはまことに背水の陣をしいたような作品であり、いくらすべての価値観念が崩壊した時代とは言いながら、下手をすればそこでカリアは終りになる危険があったのである。

しかし仮面をつけようがつけまいが告白は告白である。キリスト教では告白によって再び神との良好な関係が恢復されるとしているし、精神分析学では分析医に告白することによって治療がえられるとする。三島は「仮面の」という限定句付きの告白による自己分析によって、耽美的文学青年病から癒やされたのであった。告白によって癒やされるということは、新しい状況に適応する能力が恢復するというのが精神分析学の教えるところであるらしいが、三島の場合も、新しい状況に適応できるようになったのである。つまり朝日の光に立ち向えるようになったのだ。新憲法の光に対して胸を張ることができるようになったのだ。暁の甘美な夢の中にぐずぐずしていた三島の目がバッチリ醒めたのである。この時の感想が前にのべた彼の新しい志向なのである。一つには何としても生きねばならぬという思いであり、いま一つは、明確な、理知的な、明るい古典主義への傾斜であるというのだが、生きる意志や明るい知性に頼ろうとする気持ちが出てくるのは、仮面をつけた告白に限らず、あらゆる成功した告白の後に見られる現象と言ってよい。それは朝の光が美しく健康な希望に満ちていると感ずることができるということである。三島文学に対する最もすぐれた理解者の一人である佐伯彰一氏は、三島を「眼の人」と呼んだが、まことに適切な表現である。三島の目は明晰に見ることに憑かれ、片っぱしからその対象を領略して行った。

しかし先にあげたゲーテの言葉を読み返して欲しい。ふくろうの目は鋭い。鋭いが故に闇の中においての方がよりよく見えるのである。三島の目は暁の闇の中で隠微な中世の美を認めることのできる底（てい）の目であった。今、戦後の啓蒙の光の中でバッチリ目を開いた時、それは明るすぎる風景だったのではないか。眼がよいだけに白い光にたちまち疲れ、再び暗がりを探し出すのではないか。

『告白』によって癒えた三島は、生への意欲を得、理知的で明るい古典美を求めて明るいギリシャに行き、帰ってきてから明るく健康な三重県の島を素材にして明るく健康な『潮騒』を書く。しかしこれが三島における明るさの極限である。この作品は「その後ギリシャ熱がだんだんさめるキッカケになった」と彼は言うが、つまりは、「これで明るさには飽いた」ということである。普通の人なら、明るい小説で大成功すればその方向をずっと走り続けるであろう。しかし彼の眼はよすぎたのである。それに暁闇の夢の甘美さが体のどこかですっかりふっ切れていなかったのかも知れない。

二十四歳の時『仮面の告白』でパッチリ眼が醒めた三島は、四年後の二十八歳の時には『潮騒』で真昼の太陽を見た感じがして、黄昏を待ち望む気持ちになるのだ。もちろん真昼はすぐには暗くならない。『永すぎた春』など、まだまだ明るい作品は続くし、ロココの家具を美しいという感じ方も持続する。ロココというのは西洋では典型的な啓蒙時代の産物であり、ロココの時代は戦争ですら情念から切りはなされ、幾何学ゲームのように戦われた時代なのである。三島は当分ロココでいた。『美徳のよろめき』は姦通する人妻のロココ風な風景であり、それかあらぬか、この小説の装幀はロココ調である。

しかし一度昼をすぎればだんだん暗くなるにきまっている。三島がはっきり明るい時代を総括してみようとしたのが『鏡子の家』なのであり、その時間の設定が昭和二十九年なのは、三島が反省してみて自分が明るさに飽いてきたと自覚しはじめたのが『潮騒』直後だったことを示すにほかならない。

今や三島の明晰な目はふくろうの眼にだんだん似てくる。暗い方がよく見えてくるのである。

それは巫者(ふしゃ)の眼であり、視霊者の目でもある。そのことを自覚したかしないか、三島は鏡子のことを「巫女的な女性」とオビの中で言っているのである。

明るさや明晰を求め、理知を信頼するのが正常世界の原理であるならば、暗さを志向するのはオカルトの原理である（拙著「文科の時代」参照）。すると『潮騒』以後の三島にはオカルト志向があったと言ってよいだろうか。然り、三島は明確なオカルト転換をしたのである。

7

昭和三十一年に『中央公論』新人賞小説選考委員となった三島はその第一回当選作品として深沢七郎の『楢山節考』を推薦した。この小説は「時代」に対する痛烈なアンチテーゼであった。その前の年に出た石原慎太郎の『太陽の季節』が芥川賞を受け、「太陽族」なる言葉が流行し、映画にも「太陽族もの」といわれる種類のものが生まれたぐらいであった。いわば日本中が明るい時代のアメリカのように明るく太陽に照らされた感じで、『潮騒』の海の光よりも更に太陽の光は強くなった感じである。

しかし二年前に『潮騒』で日光に飽き始めていた三島の目は、ふくろうが森の暗い所にひかれるように、棄老という暗い時代の日本の最も暗い部分に牽かれたのである。みんなが太陽の下で裸体の美を示しているような時に、『楢山節考』に出てくるおりん婆さんは、老人になっても歯が丈夫なのを恥じ、わざわざ石にぶっつけてそれを欠き、これで年寄りらしいいい顔になったと安心するのだ。これから三島が受けたショックは深く、彼の白昼忌避の心のかたむきに拍車をかけることになった。これが二年後に『鏡子の家』で戦後を総括させる有力な要因になったことは確かである。

『鏡子の家』は面白い小説である。第一部にノーマルな人間として登場する四人の男は「巨きな壁に鼻をつきつけて」いると感じた時に、

「俺はその壁をぶち割ってやるんだ」と大学でボクシングをやっている峻吉は拳を握って思っていたし、

「僕はその壁を鏡に変えてしまうだろう」と、美貌で貧弱な体の持ち主であった下っぱ新劇俳優の収は怠惰な気持ちで思っていたし、

「僕はとにかくその壁に描くんだ。壁が風景や花々の壁面に変ってしまえば」と画家の夏雄は熱烈に考えていたし、

「俺はその壁になるんだ。俺がその壁自体に化けてしまうことだ」とエリート・サラリーマンの清一郎は考えていた。そしてこの四人の男は二年後にはそれぞれ戦後の啓蒙時代の明るさから退場して行くのである。男たちが退場したあとも、変らずに平和のうちにふやけてき

た啓蒙時代をエンジョイし続けるのは光子とか民子とかいう戦後ずっと下半身がしまらなくなってしまった中年の女たちだけだった。

ストイックなボクシング選手だった峻吉は、プロに転向して間もなくチャンピオンになったが二十二歳で戦死した兄だけを羨んでいた。そしてつまらない喧嘩のために拳が使えなくなると、右翼運動に加わり憲法の改正を期する尽忠会の制服を着ることになる。

収はベッドの上で女に抑えこまれて擽（くす）ぐられ、身悶えしてわめいても、その女の熱い重い体を撥ね返す力もない弱虫の痩せっぽちであったが、ボデービルを始める。そして微妙な確実さで増してくる筋肉、すこしずつ空気を自分の輪郭の周囲に押しのけてくる筋肉に陶酔するが、そのうち醜い高利貸の女にそれを切らせることにより一層の陶酔を感じ、精神の傷をみせびらかす文学青年共に自分の肉体の傷を見せて誇りたい気持ちにまでなる。そしてその大切な筋肉が年とらない一番美しい時にその女と心中してしまう。

画家の夏雄は豊かな家庭で過保護に育てられ、行儀のよい青年であり、すばらしい目を持っていた。彼の目はただ見てしまうのであり、いつも好餌を探して、好きなものを一瞬ものがさずに見てしまうのであった。その夏雄は富士の樹海を写生している時に、目の前の風景が潮の引くように見えない領界に退（しりぞ）いてゆき、その後に真の無が残るという神秘体験を持つ。理知は澄みすぎるほど澄み、意識は明らかすぎるほど明らかなのに目の前では異変が起ったのである。かくて彼は平田篤胤を読む神がかった神秘家になる。

財閥系の大商事会社の社長となる人の娘と結婚し「壁」になる道を驀進している清一郎は、アメリカや日本の経済が空前の大繁栄を続け、破滅に関する何の兆候も見られないという正にそのことが、世界の崩壊の、まぎれもない前兆であると実感していた。

われわれはこの四人の青年の中に三島の分身を認めることは容易である。事実この中にこそその後の三島の行動のすべての要素があると言ってよい。しかもこの四人の心の中に起っていることは彼等の周囲の最も近くにいる人たちにも察知されないでいるのである。明るい日の下で、この四人の男の心の中に起っていることだけが当人以外の人の目から隠されているのである。正常の目から隠されていることをオカルトという。オカルトというのは元来、ラテン語の「隠す」を意味する動詞オクレレの過去分詞であることは「オカルトについて」（拙著『文科の時代』）でものべた通りだ。『鏡子の家』の中に自分のあらゆるものを投げこんでしまい、空っぽになった三島を再び充填（じゅうてん）して行くのは正にこのオカルトの原理なのである。

『鏡子の家』以後の三島の言動には、時間と共にクレシェンドして行く奇矯なところがあり、みんなを当惑させた。殊に明るいところでしか見えぬ小鳥の眼を持った知的な評論家を当惑させた。「三島の文学は認めるが、〈楯の会〉なんかのことはよくわからない」という批評家の話を聞いた時、三島は「つまり、何もわからないっていうことじゃないか」と答えたという。批評家たちは明るい所にいたのに、三島を動かしている原理はオカルトである。明るい所から暗い所を見ても何もわからないにきまっているではないか。さすが鏡子だけは、自分たちの周囲の男たちが変な工合になっているのを見て「怖くなった」（新潮文庫三八三ページ）のである。

8

「動乱はもはや理性的な話し合いで解決され、あらゆる人が平和と理性の勝利を信じ、ふたたび権威が回復し、戦う前にゆるし合う風潮が生れ……どの家でも贅沢な犬を飼いだし、貯金が危険な投機に代り、数十年後の退職金の多寡が青年の話題になり、……こうしておだやかに春光が充ちて、桜が満開で……」

というのが三島が清一郎の目を通して見た泰平の日本であった。このような平和日本は大正教養主義の洗礼を受けて育った世代が、老人支配の日本において知的指導層を占めているために生じたと彼は考えた。こういう開明派、啓蒙派の象徴として三島は故小泉信三博士の名前をあげているのは注目に値する。小泉博士の明快な思考、健全な常識は万人の認めるところであり、これは福沢諭吉以来の開明派の主流であった。それは七生報国の楠木正成を権助呼ばわりしてはばからない近代精神の流れである。

一方左翼の方では大内兵衛博士がこの開明派に屈すると三島は考えていた。そしてこういう近代主義者たちに共通するのは無意識な朱子学的伝統であると彼は断じている。ここで三島が朱子学的と言うのは認識至上主義、主知主義のことである。認識とか主知は、いずれも「明るい世界」を志向し、そこにのみ成立するものである。

それに反して『鏡子の家』の翌年に出した『憂国』以来、ぐんぐん三島を牽きつけて行ったのは陽明学的なるものであった。陽明学についてはそれが一体何であるか、いろいろ議論のあるところであろう。三島裁判の櫛淵裁判長も「三島は陽明学を曲解している」と断じたそうだ。しかしわれわれに興味があるのは三島自身が陽明学をどう考えていたかである。彼は例の明快な語調でそれを「黒い秘教」と規定した。「黒い秘教」という語を英訳すれば、オカルティズムずばりそのものである。

「革命の哲学としての陽明学」は生前の三島が口述したものであり、しかもほとんど最後の論文であるという点において彼の最後の頃の心境を覗く上で最も重要な文献であるが、そこには秘教的陽明学と秘教的国学が彼の行動の動機となっていることが示されている。この段階において三島のオカルト志向は蔽(おお)うべくもなく顕著であった。王陽明自身がその学問の出発点に神秘体験を置いていることを三島は見落さない。そして日本における陽明学の果敢なる実行者であった大塩平八郎が、陽明学の先輩中江藤樹の遺跡を訪れた帰り道に強烈な神秘体験に襲われたことに鋭い興味を示し、そのことを詳しくのべている。ということは三島自身、神秘体験に参加しつつあったからだ。そして「十七、八の死が惜しければ、三十の死も惜し……浦島・武内も今は死人なり」という吉田松陰の激語をも、彼は王陽明の帰太虚の説から理解している。そして更に驚くべきことには、西郷隆盛の死に方という、ここ百年近く日本人を悩ませてきた問題をも、三島はオカルト体験からユニークな解釈をして見せているのだ。これは見のがすわけにいかない。

西郷が若い時、僧月照と共に薩摩の海に舟を浮べた時、月照が示した和歌に同感して直ちに彼と共に相擁して海に身を投じた。この時の波風立たぬ月夜の静かな海で西郷は神秘体験を得たのであろうと三島は推測して、琵琶湖で大塩平八郎が得た神秘体験を照応させている。そして次のような重大な発言を続けているのだ。

「西郷隆盛も亦、このとき不覚にも死をまぬがれた神秘な体験を長く胸中に温めていたのであろう。そのとき、かれがかいま見た太虚が、のちの西南の役のようなほとんど無償の行動を促す遠い原動力になっていたとも思われる。そこに人間の心理の不思議があり、人間の行動の動機の不思議がある」と。

これは三島自身の無償の行動の動機の不思議を語って余すところがない。三島の行動の不可解なことはみんなが知っている。その動機の不可解さを、三島はそれに先行する自分の神秘な体験に求めてくれとここで言っているのだ。ではその彼の神秘な体験とは何であったか。

9

今年の夏は日本でエクソシストが大評判であった。私は去年の夏、この問題についてあるアメリカ人のカトリック神父と話し合った時、彼が真顔になって言った次の言葉に深い印象をうけた。

「あのリーガンという女の子がウイジャ・ボード遊びをしていた時に悪魔が彼女に憑いたのです。悪魔の噂をしても悪魔が出る（Talk of the Devil, and he will appear）というのに、悪霊相手の遊びなどしては絶対いけないのです。」

ウイジャ・ボードというのは西洋のコックリさんみたいなものである。これは悪霊を呼び出す一種の遊びで、チェスタトンなども子供の頃よくやったと言っている。しかし神や悪魔や霊の不滅を信じる正統的宗教の立場からは、そういうものにちょっかいを出してはいけないのである。

『憂国』以来、軍人の死を描いたり、その映画などに出演して、日の当らない方、当らない方へと進んで行った三島は、『英霊の声』において遂に神秘体験をしてしまった。こういうことは近親者に一番よくわかる。

「……四十三年ごろ公威（三島の本名）の文学作品から何となく不安を感じるようになりました。そして『英霊の声』あたりから公威がだんだん文学からはなれてゆくのが判ってきました。公威は処女作以来、発表する前に必ず私（三島の母）に原稿を見せるのがならわしでしたが、『英霊の声』の原稿を見せに来たときのことです。『夜中にこれを書いていると二・二六事件の兵士の肉声が書斎に聞こえてきて、筆が自分でも恐ろしくなるように大変な早さで滑っていって、止めようと思っても止まらないんだ』と言うのです。何とないかねてからの不安が何とない危険感へと移って参りました。」（平岡梓『伜・三島由紀夫』二一〇ページ。母親倭文恵（しずえ）さんの言葉）

ここで英霊の肉声が聞こえてくるような気がしたのでなく、聞こえてくるというところに留意してほしい。これは神秘体験の表白である。そして三島が外面的に勇ましいことをやればやるほど、その「後姿にだんだん寂しげな色が漂（ただよ）って来るのがわかりました」（『同書』二四ページ）というのも母親である。こういうことは親しいからといって友人などにはなかなかわからないもので、血を分けた近親者の目にのみに映ることがよくあるものだ。

同じ友人でもこういうことがよくわかる人が例外的にある。それは明るい啓蒙の立場を捨てて、暗い原理によって生きている種類の人である。あるいは一休禅師のような修行をつんだ人である。この点において丸山明宏氏の発言は特別の価値がある。彼はオカルトの世界に浸っていたから、三島のほかの友人たちに見えないものが見えた。

「ある日拙宅で開いたパーティでのこと、一隅で伜をかこんで十数人がいたそうですが、その中の丸山明宏さんが突然、『三島さんの背中のところに変な人影が見える、二・二六事件の関係者らしい』と言い出しました。伜がからかい半分にその関係者の名前を片ッ端から十数人あげて、『この男か、この男か』とやつぎばやに尋ねても、『違う、違う』という返事です。そのうちに『磯部浅一』の名前をあげると、丸山明宏さんは『それだ！』と答えたので、瞬間、伜の顔色がサッと変って青ざめたそうで、これを見ていた連中が口を揃えてこの事実を肯定し、みんなが何とも言えない気持であったと、二、三日たってその中の数人が僕に話してくれました」（『同書』二四六ページ）

三島や森田青年は死んでからもまたどこかで会えると確信していた。そういう確信がなければ、ああいう死に方をするわけはない。だから『豊饒の海』の転生の物語も単なる文学的技巧でないと知るべきである。『浜松中納言物語』の作者と言われる菅原孝標（たかすえ）の娘が、十一世紀頃の仏教思想によって転生を信じた以上の確信をもって転生を信ずるに至っていた、と思うべきである。ただ三島は転生するにしても唐の国の皇子などに生まれ変る気はなかった。武士として死に、武士として生まれ変わり、天皇の軍隊があるような世に再びめぐり会うことこそ心からなる願いであった。そこで鉢巻には「七生報国」と楠本正成のモットーを書くのだ。正成も犬死とも見える死に方をするために湊川の戦に行くのだが、その精神は数百年後に維新の原理としてよみがえったではないか。それは乃木大将の死以来、インテリのタブーになったが、また二、三百年後に復活しないとは誰が断言しえようか、という気持だったのだろう。事実、母親には「自分のやることは百年、二百年後にはじめてわかってもらえる」と言っていたという。

三島の死について『週刊現代・増刊』（一九七〇年十二月十二日号）のアンケートに答え、三島の作品は一冊も読んだことはないが神秘体験を持つらしい岡潔博士は「夕立のさわやかさ」を感じ、自民党内閣と社会党の双方に関係する「近代主義者」大内兵衛博士は、「キチガイはどこにもおるもんだよ。あんなあらわれ方をするキチガイは日本だけのもんだろうが」と答えた。

同じ老人学者でも神秘体験の有る無しでこうも評価が違うのである。それはオカルト的要素を含む事件の場合、いつの世でもそうしたものであって、今更評価が両極端に分れたことについて驚くことはないであろう。

かくて戦後、最も輝かしい知性と豊かな教養を示した文学者三島由紀夫は、普通の意味での教養をほとんど持たなかった山口二矢少年と同じく、「七生報国」と「天皇陛下万歳」を最後の文字として幽界に去ったのであった。啓蒙主義者はキチガイと嗤（わら）うべく、霊の不滅を信ずる者は瞑目して鎮魂の祈りを捧ぐべし。

小佐野賢治考

1

満州国が作られた翌年の昭和八年、東京の本郷一丁目にあった小さい自動車部品店に、山梨県の田舎から、十六歳の少年が店員として住み込むことになった。仕事が仕事だから油まみれになってこき使われたに違いない。当時のこととて盆暮のほかはろくに休日もなかったことであろう。

「住み込み小僧」と言えば当時はもっとも恵まれない子供の落ち着く先であった。今はやりの言葉で言えば「社会の底辺」である。

同じころ、この小僧が住み込んでいた店から、歩いて十分そこそこのところに、伯爵堀田正恒の宏壮な邸宅があった。堀田家は代々大名である。そこのおやしきに、絵に画いたように美しい、本物のお姫様がいた。油まみれの小僧と、大名屋敷のお姫様といえば、底辺と頂点の違いである。

この両者を結びつけるためには通俗小説家の空想が必要である。そんな筋の小説を読まされれば、まともな大人ならば「馬鹿馬鹿しい」と言って、その本を抛り出すであろう。ところが陳腐な言い廻しになるが「事実は小説よりも奇なり」ということになった。

それから十七年後、この自動車部品店の小僧は闇成金となり、「学習院の生んだ戦後最高の美女」に成長したお姫様と日本工業倶楽部で結婚式を挙げたのである。十七年という時間は平和の時代なら大した長い期間ではない。しかし昭和八年から昭和二十五年までの十七年間は、日本が未曾有の大戦争に突入し敗れるという、激動というも愚かな天下大乱の時代であった。そしてこの大乱の時代に例の小僧は一般の庶民なみに徴兵され、シナ大陸に出征し、負傷して内地送還になった。そして――ここからただの庶民とは大いに違うところだが――巧妙な立ち廻りによって大富豪になった。一方、旧大名華族は敗戦と共に没落した。かくして十七年前には夢にも考えられない二人の間に縁が結ばれたのである。

この話を聞く側には二つの対照的な反応が見られるはずである。一つはこの出世談に多少の嫉妬心はこめながらも感嘆して「偉えもんだ」と言う人たちである。まあ、たいていの庶民はこの部類に入ると思う。これに反して、このような闇成金が旧エスタブリッシュメントの美女と結婚するまでにその地歩を固めて、新しいエスタブリッシュメントとして成立して行くプロセスを許し難き犯罪行為として非難する人たちである。この代表的なものとして『日本の黒幕――小佐野賢治の巻』（新日本出版社・現執筆時点で三巻――以下『小佐野賢治』とよぶことにする――）をまとめた「赤旗」特捜班をあげることができよう。

感嘆するにせよ、憎悪するにせよ、小佐野氏の軌跡は、戦中・戦後の日本の社会の腐敗の質を考えるに当ってまことに恰好（かっこう）な素材を提供してくれる。この素材を通じて、戦中の腐敗と、戦後の腐敗の違いを知り、将来に起りうる腐敗の種類をもある程度予見できるであろう。ここで用いる資料は、前記の「赤旗」特捜班によるものだけと言ってよい。それは容易に誰にでも手に入るまとまったものとしては、ほとんど唯一のものである、という単純な理由によるのみであって他意はない。

2

小佐野氏はまず社会犠牲者としてこの人の世に出、戦争犠牲者として人生を再びはじめる。田舎の貧農に生まれ、中学に入れなかったことは将来も社会の下積みになることに予定されているということだと言ってもよい時代であった。戦前の「中学」は実に明快な「階級」であって、中学を出ていれば会社でも役所でもホワイト・カラーであり、軍隊でも容易に将校になる道が開けていた。つまり中学とは、それに入らなかった人と劃然（かくぜん）と区別するところであったのである。このあたりの感じはますますわからなくなってきているが、田中美知太郎先生は『時代と私』（文勢春秋社）において次のように回想しておられる。

「泥酔や刃傷沙汰、各種犯罪や懲役、その他の事が別種の善良さと混在してゐる世界、さういふ社会とはやはり河をへだてて別に住んでゐるといふこと、それがつまり中学へ進学できるといふことの意味なのだ」（同書一一三―四ページ）

田中先生の本はすぐれて知的な本であるが、このあたりは非常に抒情的になっている。そのことは私にも追体験できる。中学に入ることは周囲の遊び友だちの世界から切り離されることなのであった。中学に入った当時、先生たちは口を開くと「諸子は社会の中堅になるのだ」と言い聞かせてくれたものである。「諸子」にしろ「中堅」にしろ、田舎の小学校では聞いたこともない言葉であった。それは「お前たちは単なる庶民ではないのだぞ」、ということらしかったが、そのことは今年の夏、田舎に帰った時、同窓会に出席してみても実感できた。市役所、地方銀行、大商店主、医師、寺の住職、それに共産党の市議に至るまで、旧制中学の同窓生である。おそらく官界における東大法学部みたいなものが、どこの田舎の小都市においてもあって、それが「旧制中学」というものだと考えてよいのではないかと思う。

旧制中学を出ないで日本の社会に出るということは、東大を出ないで役人になるのと本質的に似ていることだとすると、戦前に小学校しか出ないで社会に出た人たちを、少し誇張して言うならば社会犠牲者と呼べるのではなかろうか。戦前の中学を出た者は、その意味では絶対にプロレタリアートでもないし、労働者でもないし、農民でも庶民でもない。「小佐野氏は社会犠牲者として人生に出た」というのもこうした視点からである。同様にして田中角栄氏も人生のスタートを切った。

戦前は何と言っても下積みの人間につらい社会であった。戦争がはじまると小佐野氏は北支派遣軍の一兵卒として連れ出され、徐州作戦、漢口作戦と広いシナ大陸を歩きまわらせられた挙句、貫通銃創を受けて右下肢挫骨折にて野戦病院に入院することになった。この負傷は一月半ぐらいで全快して退院したが、今度は急性気管支炎で再び野戦病院に入院した。その後、慢性胸膜炎で広島陸軍病院に送り還され、それから更に、方々の陸軍病院をまわされた後に昭和十四年の九月に退院除隊になっている。戦傷者であり戦病者である。除隊の時の階級が上等兵ということは、戦場では二等兵か一等兵だったということで、「葉書一枚」で召集された軍隊の底辺の兵隊だったことになる。その上、負傷し、病気になったのだから、まごうかたなき戦争犠牲者である。

小佐野氏は「軍隊を除隊になったのは右足の貫通銃創によるものだ」と言っているそうである。しかし「赤旗」特捜班は「兵籍簿」を調べた結果、慢性胸膜炎で療養生活したことを発見し、「こうした入院生活の実態をかくして〈前線での名誉の負傷〉を売り物に軍へ食いこんでいった」と非難している。また作家・故梶山季之氏は「……若い白衣の天使と人目を忍んだり、軍医どのにゴマをすっていたら、いつのまにか除隊となり、それでも上等兵にしてくれた」と書いている。いずれも何か小佐野氏の戦傷・戦病が悪いこと、ずるいことをしたみたいな口調である。

おそらく「赤旗」特捜班の人たちは「戦争を知らぬ子供たち」なのではないだろうか。全く自由を奪われた一兵士として、広大な戦場に連れ出されて敵弾に当って右足が折れて、戦場の病院に入れられる。それがなおったら「胸の病気」になって再び戦場の病院に入れられる。野戦病院では軍医は将校であり、その下の看護卒もしばしば下士官である。入院している病人の兵士よりは「兵隊の位」がずっと上なので、平和な時代に普通の病院に入る患者とはまるで立場が違うのだ。金を払って入る場合でも、医者や看護婦には遠慮し、気を使うものなのに、野戦病院では医者も看護卒も「上官」なのである。しかも敵地の真中である。そこで傷つき、病んだ一兵卒に何のズルをする余地があろうか。山本七平氏も戦場の兵士には「勝ち負け」はなく、「生きたか死んだか怪我したか」しかないと言う。

戦場の怪我は死に直結するおそれがあるし、野戦病院の応急手術には麻酔を使うことは普通ないことである。小佐野氏はそういうところで負傷した。

その後の戦病も気管支から肺にかけての慢性の呼吸器病、つまり「胸の病気」である。これがいかに軍隊で嫌がられたかは同じ山本七平氏も書いておられるが、それは民間においても同じだった。戦前の呼吸器病、つまり肺病は不治の病気とされ、みんなに嫌われていたのである。小佐野氏は実戦に参加し、負傷し、肺病になって内地に送られてきた。他の多くの兵士にくらべれば「幸運」だったと言えるかも知れない。しかし戦後の平和の中で暮してきた者が、「戦病」で除隊になったのを、「戦傷」で除隊になったと小佐野氏が嘘をついていると非難口調で告発するのはいささか非人情である。小佐野氏にしてみれば、「肺病で除隊になった」と言いたくなかったのだろう。その肺病も戦傷の後に戦場で起ったものだからまずは延長上にあると言えるであろう。いずれにせよ小佐野氏は戦争犠牲者として人生の再スタートをせざるをえなかった。この戦争を起したことに対して小佐野氏が何らの責任もないことは明白である。

3

この小佐野氏は昭和十六年の四月、前に小僧をやっていた頃の経験にもとづくものか、小さい自動車部品会社を実弟と一緒にはじめる。二十四歳の時である。昭和十四年九月に除隊して以来、約一年半のブランクがあるが、おそらく自宅で静養するか、うんと楽な仕事をしていたのではないかと思われる。戦前の肺病患者だった人なら、治癒したと言われて除隊になってからでも、相当の間はぶらぶらと静養するであろう。この間に小佐野氏は時局を見ていた。そして軍需関係の仕事が先き行きの見込みが多いと思ったのかどうかはその時点ではわからない。しかし戦前に自動車部品屋にいたことは幸運であった。彼がこの仕事をはじめてから数カ月後に日本は大戦争に突入し、少しでも軍需に関係したところは大いにもうかることになるからである。

軍需関係の仕事にたずさわった時、「名誉の負傷兵」であり、「白衣の兵士」であった小佐野氏は、当然、軍の受けがよかったと思われる。そして支配者である軍から見ればおそろしく役に立つ人物であることを証明したに違いない。軍というのは「商人」を軽蔑し、「商行為」になじまない集団である。しかし農民一揆程度の小集団行為ならいざしらず、数百万の陸海軍を動員して、近代的総力戦をやる場合には莫大な物資の調達が必要である。どうしても調達の上手な商的才覚のある人間が出てこなければならない。海軍航空本部のお偉方から見ると、中学校も出ずに、戦傷・戦病の体験者であって、ひどく気の付く有能な小佐野という青年は重宝であったろう。と言っても小佐野氏は、当時無数にいた軍需関係業者の一人にすぎないのである。しかも小口の方であった。

こうした軍需産業に喰いこんで行った小佐野氏を「赤旗」特捜班は「死の商人」と規定し

ているが、これは正しくなかろう。「死の商人」というのは武器を売るために、戦争が起きるように仕掛けをする商人というのが元来の意味である。派生的な意味では武器を大量販売する商人である。しかし小佐野氏は戦を起こすことには何の関係もなかった。また武器製造業者として人生の経歴(カリア)を考えていたのでもない。自動車部品を扱う小企業をやっていたところ、偉い人たちが戦争をはじめてくれたのである。そしてその戦争は国家総力戦であったから、みんながかかわり合いを持っていた。小佐野氏が当時置かれた立場を「死の商人」と規定しうるならば、戦力増強のため働いた人々はすべて「死の○○」となる。たとえば「死の農民」とか「死の工員」とかである。「死の学生」というものもあったことになろう。

それでは小佐野氏の本当の役割は何であったか、と言えば巨大なる組織的腐敗構造の中の微生物、かなり活溌な微生物であったにすぎない。しからばこの「巨大なる組織的腐敗」とは何か。それは逆説(パラドクス)になるが、「清潔」と「正義」を占有していた軍事政権である。

昭和七年に井上準之助、団琢磨といった財界の巨頭が暗殺されたのが具体的なはじまりであった。同じ年に起った五・一五事件は「上(かみ)に傲(おご)る権門」と「富を誇る財閥」を「廓清(かくせい)の血」で清めて、「革新の機(とき)到りぬ」と叫んだのである。これが二・二六事件に続き、同じ年に陸海軍大臣現役制が復活し、政権を立てるも倒すも軍部の腹づもり一つという状況が現出したことは、誰でも知っていることだが、何度くり返して指摘しておいてもよい教訓である。考えてみれば、昭和七年以前に暗殺された首相も、原敬にしろ、浜口雄幸にしろ、みな政党政治家であった。政党は必然的に金の寄付を受けなければならない。これを腐敗と断じたのが青年将校であり、またそれに乗ずる右翼民間団体であった。そして腐敗の根源である政党解消こそ正義の行く末であった。かくして紀元二千六百年を祝った昭和十五年には政友会も民政党も解党した。党のない議会は議会でなく、行政府の単なる賛成機関にすぎない。かくして「臨時軍事費の時代」が開かれたのである。

戦後にはなくなったが、明治憲法下の予算制度においては、経常部と臨時部が分かれていた。経常費とは当然のこととして、予見できる経費であるから、その額の変動は大きくない。これに反して臨時費は、性質上予見できない費用であって、額も大きく変動も激しい。特に戦争ともなれば全く予見できない事件の連続であるから、臨時費が国家予算の大きな分野を占めてくる。しかも国を挙げての大戦争ともなれば、予算の大半は臨時軍事費になってしまう。予算の総体をチェックするはずの議会はすでに機能していないし、予算の内容をチェックするはずの会計検査も、ことが軍事となれば容易に立ち入ることはできない。つまり軍が自由に使いうるどんぶり勘定みたいなつかみ金だった。それぞれの担当に当っている中佐クラスの人の切る伝票一つでいくらでも支出できたものだという。小佐野氏の関係したのはこの臨時軍事費なのである。

しかしここでも臨時軍事費の時代を開いたのは小佐野氏でないことを認めなければならない。腐敗した政党政治を廓清し、革新し、清潔を売り物にした軍事政権がはじめたことなのである。私はかつて「腐敗」の概念を二分して、個人的腐敗と組織的腐敗にしたことがある（拙著『腐敗の時代』文藝春秋社）。田沼意次とか、ウォルポールとか、戦前の政党政治家のように金権政治を行った者たちを「個人的腐敗」と呼ぶことにし、臨時軍事費時代の日本の政府や、ヒトラーのナチス政権のように、国全体の組織がおかしくなったのに、批判の道が閉ざされているような状態を「組織的腐敗」と呼ぶのである。

小佐野氏が腐敗したというよりは、軍事政権という組織的腐敗がそこにあった。そして軍需産業に関係した者たちはみんな景気がよかった。小佐野氏はその中でも小物たった。大企業となれば更に桁（けた）はずれによかったのである。

4

敗戦が来た。ヤミ屋の時代が来た。それまでの体制にのっかってきただけの人はすべて没落した。立派な人も悪い奴もみんな平等に没落した。この時代のことを三島由紀夫はこう叙述している。

「いづれにしろ、彼らの少年期にはこんな壁はすつかり瓦解して、明るい外光のうちに、どこまでも瓦礫がつづいてゐたのである。日は瓦礫の地平線から昇り、そこへ沈んだ。ガラス瓶のかけらをかがやかせる日毎の日の出は、おちちらばった無数の断片に美を与へた……」（『鏡子の家』第一部）

これは戦災で焼っ原になった風景であると同時に、心象風景でもあった。身分とか地位とか、いままでの社会の「壁」がすっかりなくなった感じなのである。この風景の中で活潑に動き、富を蓄積して行ったのはヤミ屋である。軍の保有物資は山分けされた。それを分配する機構は壊れ、しかもそのままアメリカ軍に引き渡すのはもったいないという発想だったから、つてのある人間はみんな山分けしたのである。小佐野氏は軍との関係もよく、物資の取扱いに熟達していたから、特に有利な分け前にありついたということは大いにありうる。しかしそれを腐敗とは誰も言えないであろう。物資担当の軍人が私有したならば、多少は腐敗の概念で責めることができる。しかし小佐野氏は軍人でなかったから、担当官から自由処分を許可されたに違いないのである。その担当官がやけっぱちになって不当許可をやったのかも知れないが、それは小佐野氏の責任ではなかろう。

あのヤミの時代に、本当に清潔に生きたとすればどうなったか、と言えば山口判事の如く栄養失調で死んだはずである。われわれが生きていたことは、多かれ少なかれヤミの恩恵に与（あずか）ったということにほかならない。ヤミで大もうけした人間に対して嫉妬を感じ、「けしからん」と言うことはできる。しかし根本的に悪かったのは、配給という国家の制度では明白に生きられないという事態だったので、それはそういう体制を作った軍事政権や新官僚の責任であって、ヤミ屋の責任ではない。

これに関しては余暇開発センターが行った面白い世論調査がある。「戦後、食べるのに困った時代に、ヤミ米を食べずに飢え死にした裁判官がいたが、法を守る立場にある人間としてりっぱだと思う」というステイトメントに対して、

賛成　三一・四パーセント
どちらとも言えない　四一・三パーセント
反対　二七・三パーセント

という回答がよせられている。別の言葉で言えばそういう時代には司法官でもヤミをしてよいとはっきり考えている日本人が二七・三パーセントあり、まあやむをえないだろうという人が四一・三パーセント、つまり、司法官に対してすらヤミを許容する人は六八・六パーセントいるということである。残りの三一・四パーセントにしろ、司法官がヤミをしないで餓死する態度が立派だと感心しているのであって、絶対にヤミをやってはいけないと言ってい

るのではない。司法官に対してすらこのように許容的に考えざるをえなかった時代なのである。そうした時に、一般人で、しかも商人ならばヤミをせざるをえない。商人は扱う品物がヤミ以外はほとんどないのだから、すぐれた商才をもち、しかも「配給所」という特権を与えられなかった小佐野氏が、大いにヤミをやったところで腐敗したとは言えないであろう。

戦争直後の小佐野氏のやったことで特にめざましいのはホテルの買収である。たとえば故根津嘉一郎（東武鉄道会長）から熱海ホテルを三百二十万円で、故五島慶太（東急会長）から強羅ホテルを五百五十万円で、精養軒から山中湖ホテルを九十万円で買収するといった工合に、終戦から半年の間に小佐野氏が手に入れたホテルや不動産はざっと一千万円で、今の物価に換算すると約三十億円になるという。ではなぜこんなにホテル買いをやったか、と言えばやはり先見の明があったからであろう。進駐軍がくれば必ずホテルを必要とすることを察したらしいのである。小佐野氏のようなハンディキャップをもって育った人間は権力に接触するしか繁栄に至る道がない。戦前にアメリカとかイギリスに留学した人間ならば、外国に知人がいたりしてうまい手づるもあろう。しかし彼にはそんな道は一切ふさがれている。ホテルに注目したのは明察と言わなければならないであろう。しかもこの買収は、新円切り換えによる闇金封鎖からの打撃からのがれるという恩恵をもたらしたのである。

ホテル買収の時点で新円切り換えがあることをいちはやく予知したということではあるまいが、結果的にはそうなった。インフレの昂進するのを見こした投資という気持ちがあったものと思われるが、彼のホテルはインフレ・ヘッジ以外の余禄をふんだんにもたらしたことになる。彼はまだ二十八歳の独身の青年であった。

もちろんこれに対して非難はある。「日本国民の多くが食物と職を求め、すきっ腹をかかえて歩き回っていたさなか——敗戦の惨禍をよそに、うなるような札束をかかえて」(『小佐野賢治』第一巻・二一ページ)いたというようなのが典型的なものであろう。ところが私はこの時の彼の行為をせめる気にならないのだ。その理由は二つある。

まず第一に「日本国民の多くが食物と職を求め、すきっ腹をかかえて歩き回っていたさなか」にも、日本の人口構成の半分以上も占めていた農村・漁村では数千万の人間が文字通り鼓腹撃壌(こふくげきじょう)のすばらしい日々を送っていたからである。農民は「尺祝い」というのをやっていたところも多いという。都会から買い出しに来た戦災者などにヤミ米を売り、その百円札(今で言えば一万円札に相当すると言えようか)が一尺になるたびにドンチャンさわぎで祝ったというのである。

米を買うには金だけでは足りない。金のほかに物まで必要だった。戦争で家族を失い、職を失った人々は、文字通り着ていたものまではがれて米やイモを手に入れたのである。中には立派な農民もいたろうが、その率はどのくらいであったかは、買い出しに行ったことのある人々に聞いてみるがよい。天下の通宝だけでは通用しないのだからひどい。かくして私も子供の時から聞きなれた蓄音機もレコードも、そのすべてを米のために失った。私の家は地方都市であり、父母の実家はいずれも農家であって、農村へのコネは十分すぎるぐらいあっても、農家の機嫌をとるためにはそんなことさえしなければならなかったのだから、戦災を受けた上に、近くの農家にコネのなかった大都会の人たちは何十倍もひどい目にあったはずである。

こんな時代に小佐野氏は、紙の札でホテルを買ったのである。直接には誰にも迷惑をかけていない。追剥ぎ同様の農家がいくらでもあった時代に、天下の通宝でホテルを買った人間をせめる気には少しもならないのである。

小佐野氏のホテル買収を非難する気にならないもう一つの理由は、彼が買わなかったならば誰が買ったか、ということを考えてしまうからである。小佐野氏が買わなければ必ず買ったに違いないのは終戦特権階級である。

日本の法律をも日本の警察をもほとんど無視して、半ば大っぴらにヤミの出来る数十万の人がいた。それは終戦当時在住していた朝鮮人とシナ人である。当時は、占領者のアメリカ人でも被占領者の日本人でもないという意味で、この人たちを第三国人と新聞やラジオは呼んでいた。彼らは戦前・戦中は被差別者として気の毒な生活を送っていた者が多かったが、日本の敗戦を境にして一転して逆被差別者、つまり特権者になったのである。戦争直後の日本人の生活はヤミ・マーケットなしには成立しなかったが、このヤミ・マーケットはこの人なしには成立しなかったといってよい。彼らのみんなが成金になったわけではあるまいが、非常に多くの人が、少くとも一時は小成金や大成金になって、普通の日本人より豊かであったことは確かである。

銀座をはじめとして日本の目抜きの場所の地主に日本人がいなくなるのではないか、とささやかれていた時代である。先にあげたホテルを、小佐野氏が買わなかったら、こうした新特権階級の誰かが買ったと考えてよい。この点において小佐野氏は民族資本のチャンピオンだったと言えるかも知れない。

5

「終戦直後の神奈川県下では、米軍が上陸するというだけで恐怖感にかられ、家ぐるみで疎開した日本人も多かった。ところが小佐野という人は、この時期にいち早く米軍に接近したのです。戦前は日本の軍部にゴマをすって取り入ってしこたまもうけ、戦後はさっさと米軍という支配権力にクラがえする。それが小佐野という人ですよ……〝死の商人〟に祖国はない、というわけです」(『小佐野賢治』第一巻・一〇七ページ)

戦後小佐野氏が米軍に近づいたことを非難しているわけだが、こんな非難をする資格のある人は誰だろう、ということになる。「鬼畜米英」が一朝にして「アメリカ様」になったのが敗戦直後の風景だった。ほとんどすべての日本人がアメリカに接近を求めたのである。共産党すらアメリカ軍を解放者と見なしていたことは記憶している人も多いと思う。小佐野氏は普通の人より、ちょっと早かったのであるが、それは商人として自慢になることであれ、決して非難の対象になることではあるまい。特攻隊に加わっていた人さえアメリカ軍に近づいたり、アメリカ文学などの研究をはじめた時代であるから、小佐野氏が米軍の調達屋になっても少しもおかしくないし、このことを「死の商人には祖国はない」と言ったら、「日本軍人には祖国はない」と言えるであろう。また挺身隊に入っていた娘がアメリカ留学したら「日本娘には祖国はない」ということになる。いずれにせよ、旧日本軍の調達屋が、米軍の調達屋になっても少しもおかしくない。

しかしここで小佐野氏はやりすぎたらしい。同業者などのやっかみによる密告――当時アメリカ軍に同胞を密告する日本人の実に多かったことは一つの不愉快な驚異である――されたらしく、米第八軍政部によって小佐野氏は逮捕される。そして昭和二十三年、小佐野氏は米軍当局によって起訴された。その理由は三つばかりある。その一つは強羅ホテルの従業員の給料三十四万円を私用に流用したこと。第二は強羅ホテル近くで、進駐軍用に供与されたガソリン二一〇ガロンを私用に流用したこと。第三は小佐野氏の従業員が米軍将校に贈物をしたことを知りながらも、それを知らないと偽証したこと、などである。どうも今から見ると大した罪でもないようであるが、重労働一年、罰金七万四千二百五十円（今の金なら約千五百万円ぐらいという）という実刑が下されている。しかし実質は重労働ではなくて、横浜刑務所内の図書室に配属されて囚人の図書の貸し出しという一番楽な仕事をあてがわれたという。

告発された罪が大したものでないところから見ると、有罪になったとしてもそのくらいの罰でも重すぎるという感じがする。当時は洋モクを持っていてもMPなどに捕まる危険のある時代だったから、今よりも罰が重かったのかも知れない。

ところがこの事件には裏があるのだという。小佐野氏の本当の罪は米国調達物資の大量横流しにあるという説である。当時の「朝日新聞」によると（『小佐野賢治』第一巻・一二三ページに引用）、総額三千万円にのぼる不正取引があったことになっている。しかも米軍各地区隊長の公文書を偽造して買い付けたのだというから占領下においては重大な犯罪である。しかるにこれが米軍の告訴状にあげられていないのはどうしたことであろうか。

　第一の解釈は、検事がしらべてみたところ、そういう事実がなかったことがわかった、という場合である。第二の解釈は、小佐野氏は米軍将校を巧みに買収していたので、下手にすると米軍の恥をさらすことになるので、その点は不問に付し、些細なことについての偽証という全くの微罪を取りあげた、というのである。そしてこの第二の解釈の方が巷間に流布しているのであるが、それがおそらくは真相であろう。

　しかし正式の裁判でそう決まったのなら、そう受け取るのが法治国家の常道でもあり、被告への礼儀であるから、これ以上のことは何も言えない。しかし万一、巷間の噂が真相だとしても、腐敗していたのは米軍である。小佐野氏は無力な被占領国の一商人にすぎない。戦時中の日本軍と軍需業者との関係の延長みたいなものである。いずれにせよ小佐野氏は権力とつき合うのがうまく、仲間の嫉妬を買うに十分であったらしい。

「小佐野、獄に入るのニュースは、小佐野の悪事を知る人びとのあいだに、一服の清涼剤として迎えられました。当時、部品業界では、親しい業界人があつまって《これであの悪玉もおしまいさ》と一献(いっこん)くみ交した、というエピソードすら残っています」（上掲書一六一ページ）

　つまり同業者が、小佐野氏が捕まっていい気持ちだというので祝杯を挙げたのである。小佐野氏という男がいなければ、この人たちにその仕事がまわって行ったことであろう。小佐野氏と競争関係にあったということ自体、祝杯を挙げた連中も同種の仕事をしていたことを暗示するので、あまり気色(きしょく)のいい話ではない。いずれにせよ、占領下という乱世においても、小佐野氏はまことに有能であった、ということの証明になるであろう。

6

サンフランシスコ講和会議後、日本は一貫して保守党の天下であった。そして小佐野氏の富は猛烈にふくれ上り、その資産は五千億円から二兆円の間になるだろうと言われている。アメリカ式で言えば一ビリオン・ドルから十ビリオン・ドルの資産家ということになる。つまりミリオネア（百万ドル長者）でなく、ビリオネア（十億ドル長者）である。そしてこの富を築き上げるには、田中角栄氏とのコンビが大いに役立ったという一般に行われている推測はおそらく正しいであろう。この二人を引き合わせたのは正木亮弁護士だったという。その当時、田中氏は二十八歳、小佐野氏は二十九歳、二人とも野心に溢れた青年であった。

それに二人とも不思議なくらい経歴が似ている。田舎の貧しい農家に生まれて中学に進まず、一兵卒として徴兵されて戦傷・戦病で除隊になり、事業によって戦中・戦後の時期に成功し、同じ頃に投獄された経験がある。しいて二人の違いを求めれば女に関する嗜好であろう。田中氏は家康型の下方志向、小佐野氏は秀吉型の上方志向といえそうである。

この二人の協力は素朴に見れば麗しい協力であり、立身出世物語である。疑惑を以て見ればダーティ・ビジネスのパートナーと言うことになろう。戦前の日本の政党には、三井とか三菱のバックがあったというが、田中氏はエスタブリッシュメントへ喰い込む足がかりが弱かった。そこで小佐野氏は田中氏によって必要とされる。また逆に、仕事の大きくなった小佐野氏は、政界での協力者を必要とし、ここに「刎頸(ふんけい)の交わり」が生ずる。この二人の協力がどこまで合法のワク内にあったか、どのくらい法を犯していたかは素人にはわからない。それは司法の範囲のことであるから、「有罪」になればその有罪を信じ、「無罪」となればその無罪を信ずるより仕方がないのである。しかし少くとも法とすれすれのところで協力したことが何度かあったに違いない、というのがたいていの人の感じ方である。

私は山本夏彦氏の次の言葉に賛成する。

「こんにち一代で名をなし、また産をなす人ならただ者ではない。よくない人にきまっている。人はよいことばかりして出世はできない。出世しない人だって、悪いことをしているのだもの、どうして出世した人が悪事を働かぬことがあろうか……」（『変痴気論』毎日新聞社・二七八ページ）

田中・小佐野コンビの汚職と言えば、きまって持ち出されるのが旧虎ノ門公園跡国有地払い下げ問題である。虎ノ門公園は本来都民のものに違いないから、これを小佐野氏に払い下げるのは怪しからん話だと思っていた。しかしこの事件の経緯を少しくわしく見るとそれほど単純ではない。小佐野氏が手に入れる前に、ニューエンパイヤモーターという会社がすでにこの公園に居すわって、その使用権みたいなものを既成事実をふまえて握ってしまっていたのである。小佐野氏はこの会社を乗取るわけであるが、この経過は極めて巧妙な商略というべきもののようである。

小佐野氏が乗取らなければ、別の会社が居すわっていたわけで、都民から見れば実害の違いはあまりなかったと言えよう。このプロセスに田中氏がどのような役割を果したのかわからないが、われわれは裁判所の裁定を認めるより仕方がない。これをタネに小佐野氏をゆすろうとした故田中彰治は恐喝で「有罪」になっているから、われわれが司法を信ずる限り、小佐野氏はシロであったということになる。

しかし田中・小佐野のコンビは、国有地の払い下げ問題に対してはもっと注意深くあるべきだったろう。何しろ土地は日本では宝石以上の貴重品である。いくら合法的な払い下げでも、現職の政府・与党の有力者が参加すれば、人々は当然「怪しい」と思う。政治家が「怪しげな取引者（シェイディ・デーラー）」というイメージを与えるのは何といってもよくないのである。しかし小佐野氏として見れば法律のスレスレのところまでやる権利は商人としてあったわけであるから、裁判が有罪としないものをわれわれがはたから非難してもはじまらない。いったいに公共財産の取り扱いは難しいものである。

都心の上等地に建っている都民住宅に、家賃数百円で二十年近くも住んでから、更にその土地を安く払い下げよ、という運動をする人もあるという。そういうところに住んでいる個人は、住宅難からまぬがれて生活した上に、巨大な財産をただ同様で手に入れることになるわけだが、そういう特典を一部の市民に与えてよいのかどうか、というのは多分に問題である。同じことは大きな土地を会社に払い下げる場合にも当てはまるわけだが、そこには事前にルールがはっきり定まっていないと、腐敗とも汚職とも容易に断じ難いわけである。

しかしみんなの欲しがるもので、供給量がきまっているものに手を出してもうけようとしたことは危険なことであった。戦後の成功者の典型には松下幸之助氏がいるわけだが、彼は最近「新国土創成論」をぶっている。

土地が足りないのが日本における諸悪の根源なのであるという洞察にもとづき、百年、二百年の長期にわたる国民の協同目標として、四国ぐらいの島を創成しようじゃないか、という雄大な提案である。この提案自体には批判がある人もあろうが、国有地の払い下げでもうけようというのとは相当考え方が違うようである。この違いによって、商人松下幸之助は今や「国民の師」という風格を示してきたし、商人小佐野賢治は「黒幕」あるいは「政商」として世の指弾を受けている。土地の恨みはこわいのだ。

7

最近の「ニューズウィーク」（一九七六年八月二日号・三八－四〇ページ）は現在アメリカの最も金持ちな男を五人あげている。以前はロックフェラー、フォード、モーガン、ポール・ゲティ、ハワード・ヒューズなど有名な金持ちが多かったが、現在のアメリカの最大の富豪たちは、一人をのぞけば少しも有名でない。その有名な一人というのはメロン財閥のポール・メロンだが、彼はもうこれ以上もうける気は全然なくて、いかに寄付するかを工夫している毎日だという。大学や博物館に寄付した金がすでに二千億円を超えているというから、まずは文句のつけようのない富豪らしい生活ぶりである。

ほかの四人のうち最も金持ちと考えられるのはドナルド・キース・ルードウィッグである。徒手空拳からはじめて五十隻以上のタンカーを持ち、ブラジルで林業、牧畜業、鉱業を行い、一連の豪華ホテルを所有している。次はジョン・ドナルド・マッカーサーで、保険屋から身を起してフロリダに広大な土地を持ち、ホテルも持っている。次はマクドナルド・ハンバーガー・チェインのレイ・クロックであるが、彼もカリフォルニアに広大な土地を持ち、シカゴでマンションを経営している。最後はレナード・スターンで、ペットとその関連用品でもうけたのだが、本当に大を成したのはニューヨーク近郊での土地開発である。

このように見てくると、今日のアメリカの大金持ちは、昔のように鉄、鉄道、銀行、石油などでもうけたのではなく、舟やハンバーグやペットや保険という日常的なもので出発している。そして共通に不動産で大をなし、ホテルやマンションを持っている。この見地から見ると、小佐野氏の出発も似てないこともない。自動車部品から出発して、土地で飛躍し、ホテル網を持ちはじめているからだ。ロッキード関係で最近のアメリカの週刊誌に出た小佐野氏の写真には「ホテルマン・オサノ」としてある。国際的には彼はホテル王として知られているということになるのだろう。ハワイのホテルや、カリフォルニアのシェラトン系のホテルを買ったということは、丁度今のアメリカの新富豪のイメージにぴったりであって、小佐野氏のカンのよさを示すものである。

これらのホテルを買収するに要した金はどうして彼の手に集中したかは不明である。しかしここでどうしても「集中されたる金の偉力」というものを考えざるをえない。「貧」という字は「貝（金、財産）を分ける」と書くが、これは財産分与の愚を教えたものだといわれている。また愚かな人間を「たわけ者」というが、これは子供が可愛いからと言って財産（田）を分けてしまった者、つまり「田分け者（たわけもの）」だという民間語源説がある。こうした語源の言語学的妥当性はしばらく措くとして、金というものは、ある程度まとまっていないと力にならない。百億円の金は力であるが、それを一万人が百万円ずつもっていたのではどういうことにもならないということである。

つまり一人で百億円もっておれば外国のホテルを買収できるが、百万円ずつを一万人が持っているのでは、その人と家族が外国旅行してくればすべて消える。ところが小佐野氏の手には百億円の何十倍かが集中した。かくして彼には日本人としてはおそらくはじめて、アメリカのホテルを買収する力が生ずることになった。

どうしてこのような集中が生じたか。これを次のように説明する人もいる。

「なんらかの理由で左前になった企業をねらい、とくにその顧客筋と不動産に目をつけて、札束で横っつらを張るように二束三文で乗っ取る。そして、労せずに他人の汗の成果を手中におさめ、ふとってゆく……あの人（小佐野）は東京大洋商会の買収でそのウマ味を知ったんだよ」（『小佐野賢治』上巻・五五ページ）

この東京大洋商会の買収はすでに戦時中に起ったものだと言う。ここで面白いのは「札束で横っつらを張る」という表現である。小佐野氏は軍隊において、文字通り横っつらを張られてきたのである。しかも古靴で作った皮のスリッパなどで横っつらを張られてきたのであるから、札束で横っつらを張ることを悪いことだと考えなかったであろう。また札束でなら横っつらを張られたいものだ、という人が大部分であろう。戦時中は多くの企業が統廃合せしめられ、先祖伝来の店を失った人間は数え切れない。この時、この計画を進めた新官僚という名の社会主義経済官僚たちは、決して札束で横っつらを張ってくれなかったのである。札束で横っつらを張って殺人を委託するというようなことなら話は別だが、左前になった会社を札束で横っつらを張って買収するのなら、立派な取引きというべきであろう。小佐野氏は同じように札束で横っつらを張りながら、ハワイやカリフォルニアのホテルを買っていったのである。それをけしからんという嫉妬深い人のいることはわかるが、同時に小佐野氏という有能な日本の個人に金が集中して力が生じ、ヒルトンが世界中にホテル網を持ってアメリカン・ウェイ・オブ・ライフの一つの基準を示したように、小佐野氏が世界中に日本人所有のホテル網を持つようになったのは喜ばしいことであると考えてやる同胞が少しはいてもよいであろう。

先にあげた「ニューズウィーク」では新しい大金持ちについての特集を次のような言葉で結んでいる。

「……この人たちは、ファイトと運さえあれば、貧乏な少年でもまだ金持ちになれるという、アメリカ人の根強い信念の正しいことを証明したのである」と。

ここには金持ちになった人間に対する皮肉とか嫉妬が少しもない。だから普通の人間は、一市民として移民しなければならないとしたらどの国を択ぶか、と言った場合、たいていアメリカを択ぶのであって、統制計画経済の社会主義国を口でたたえている人も、そこで実際に労働者になることは決して望まないのである。そういうところには「政治的発言権のまったくない権力をもたない大衆と、全政治権力を独占する党幹部と高級官僚のごくわずかの上層部の人たち」（オタ・シク『新しい経済社会への提言』篠田雄次郎訳・日本経営出版会・二〇八ページ）しかいないのであって、一般庶民は完全に疎外されているからである。しかもこの上層部は今や「世襲化」しているとのことであり、もはや民衆の割りこむすき間はない。アメリカはこの点、富への道は依然として万人に開かれており、小佐野氏のような外人さえそこに参加できるのである。

敗戦と共に、日本からは統制経済が消えて大体アメリカ型の社会になった。そこでニュー・リッチが生じ、小佐野氏はその中の最もめざましい一人であった。致富への途上においては、山本夏彦氏の言う意味での「悪い事」をいっぱいしてきたにちがいない。しかしそれが度をこす、つまり法に触れない限りは許容されるのである。つまり自由社会の法律の性格そのものが「何々すべからず」という禁止のワクなので、そのワクの中では自由に創意を働かしてもよい。それに反して中央集権的社会主義社会においては「何々せよ」との命令形が法の根本なので、それは国民にノルマを割り当てるというようなことにも現われている。こうした自由社会で小佐野氏がめざましく成功したとすれば、「すべからず」というワクの中で巧妙なプレイを演じたことになる。

今、彼のこのプレイはフェアでなかったのではないか、ということに疑惑が持たれているわけであるが、その際、一番問題になるのは、彼のアンフェアなプレイを故意に見落したアンパイアは誰か、ということである。もしアンパイアがプレイヤーから賄賂(わいろ)を取ってルール違反を見すごしたとすれば、腐敗はそこにあったことになる。もしこの事実がつきとめられるならばアンパイアは処罰されねばならず、プレイヤーは競技場から退場を命ぜられても仕方がない。

8

「《ロッキード事件解明に政治生命を賭けている》といわれてスポットライトを浴びている三木首相が、検察を中心にした官僚プロジェクトの操り人形のように思えるのだが、読みすぎというものだろうか。今、新聞、テレビは検察の健闘に惜しみない拍手を送り、国中があげて検察の応援団と化したように見えるが、そんな現象に、わたしは肌寒さ、いや、もっと強い危惧を覚える。わたしは、このところ原子力発電、食糧などの取材で霞ヶ関界隈を歩きまわっているが、いずれの分野でも国家主導というか、官僚主導の傾向が顕著である。こうした現象は偶然のものではないだろう。わたしは、早晩日本は官僚指導型社会に傾斜していくのではないかと予測し、大いなる危惧を覚えている……わたしたち国民は、完全に客席に押し込められ、舞台へ上る道を閉され、官僚主導でくりひろげられる結構な舞台を見ているだけの存在になるのではないか、と慄然とした思いになる……」（田原総一朗「誰が田中角栄を切り捨てたか」『中央公論』一九七六年九月号・一〇五ページ）

田原氏は取材のためいろいろな官僚と接触されたらしいが、その官僚たちが、「田中を切り捨てる」と語っていた時期に、田中角栄氏自身は、自分に司直の手が及ぶとは全く思っていなかったらしいのである。私にも似たようなことがあった。さすがに逮捕の日などは言わなかったが、確実に本命直撃のことを伝えてくれる人がいた。私のように極端に世間の狭い人間にも伝わっていることが、もし与党の実力者の前首相とその周囲の人にも伝わらなかったとすれば、日本の政党政治家というのは驚くほど官僚から浮き上ったものではないか。

日本の官僚、特に検察は日本の政治に深い失望感をもっているらしい。だから「法に照らして告発する」ということ以上に、国家の粛正ということに正義の熱情をもっているらしいのである。検察の厳正さはこれを讃え、そういう司直の手を持っていることを国民として幸いに思うべきであろう。

しかし過去の記憶は正義の検察官が政党をつぶすこともあることを教えてくれるから、使命に燃えた司法の話を聞くと嬉しくなると同時にひやりとするのである。

東京市の砂利疑獄、満鉄事件、大連取引所事件の一連の汚職事件の調査を指揮した検事総長平沼騏一郎が、後に枢密院議長となって「国家総動員法」の成立を助け、後に首相になった時は、国民精神総動員運動の強化の必要を感じ、内閣に新たに官民合同の国民精神総動員委員会を置いたのである。官と民が直接一致してしまえば政党などは不要になる。果せるかな翌年には政友会も民政党も解党することになった。そのニュースを小佐野氏は陸軍病院で聞いていたことになる。

かくて話は完全なワン・サイクルということになるのだが、今の検察が平沼時代のような国家主義を持っているとは思わないが、そのようになりうる可能性は常にあるのである。戦後は検察ファッショということのないように、指揮権が法相に与えられているが、実際には使えない方に世論は動いている。

「腐敗」という概念をもう一度考えなおしておかないと、政党関係の汚職は根絶したが、臨時軍事費は野放図もなくばらまかれたという過去の不幸な時代に相当する事態も生じかねないのである。個人的腐敗の時代が終って、再び組織的腐敗の時代がはじまろうとしているのだろうか。

「……彼女は一方、こんな生活がこれ以上つづきさうもない予感がしてゐる。時たま鏡子は大袈裟(おおげさ)に、一つの時代が終つたと考へることがある。終る筈(はず)のない一つの時代が。学校にゐたころ、休暇の終るときにはこんな気持がした。充ち足りた休暇の終りといふものがあらう筈はない。それは必ず挫折と尽きせぬ不満の裡(うち)に終る。――再び真面目(まじめ)な時代が来る。大真面目の、優等生たちの、点取虫たちの陰惨な時代……」（三島由紀夫『鏡子の家』第二部）

三島が自分の頭が空っぽになって何も残っていないというほど全力投球したこの小説は、結局一つの予言の書だったのではないか。壁のない廃墟の時代に大なる富をなした田中角栄、小佐野賢治、松下幸之助、井植歳男などなどの人は、みんな中学も出ない人たちであった。しかしそんな時代は近代日本史上の夏休みみたいなものなのかも知れない。休みには終りがくるのである。真面目な秀才の時代がくるのである。

そして官僚になることが何より素敵な時代がくるのである。若い者たちはすでに風知草のようにそれを知っている。

近年の国家公務員の試験の人気を思いたまえ。進学塾の熱狂的な繁栄と、そこに行く子供たちの諦念を見たまえ。彼らは予知しているのである。

官脈に乗るより他に自分の未来はないのだと。税金を納める人間より税金から給料をもらう人間の方が偉いことは、旧幕時代の年貢を納める者と取る者との関係を見ればよくわかると承知しているのである。

では次の時代に官脈に連なりそこねた人間はどうするか。

小佐野氏の如く生きるのがよいのである。

組織的腐敗の時代は万事が官僚的に硬直しているはずだから、そこで頭を低くして小まめに働いて、多少軽蔑されながらも重宝な男であることを証明すれば、ひそやかな富への道は開かれるであろう。

そして子供を塾に入れ、家庭教師をつけ、尻をひっぱたいて秀才にし、官僚になるのを見守るという楽しみを持つのである。子供が駄目だったら孫に期待をかけるのである。

II

文科の時代 日本民族の可能性

1

今年（昭和四十八年）の入学試験の第二次試験で、つまり面接試験で今までになかったことを経験した。それは新卒の男子高校生で、成績Aクラスの者が何人もいたことである。これは局外者にはピンとこないかも知れないので一寸説明しておこう。

私のいる大学は私立で、所属は文学部の英文科である。ここでは毎年、男女合計約百名の新入生を取る。女子学生の場合はほぼ毎年同じタイプの高校生が入ってくる。つまり学業成績A段階、英語評点5という、一口でいえばトップクラスの女子高校生だけがはいってくると言ってよい。しかも新卒である。

ところが男子の方はすこぶるバライェティに富んでいる。さすがに英語のできない者はいないが、高校で満遍なく各科目で5段階や4段階を取ろうと努力した跡がない。「好きな学科にエネルギーを集中しました」というタイプである。したがって高校の綜合評点は5にならない。それから一浪が多い。新卒の時は国立大学を狙ったが果さず、浪人時代に英語を勉強しているうち、文学部に来る腹がきまったという者がかなりいる。受験参考書そっちのけでホイジンガーを読んできた、などというサムライもいる。

簡単に言えばこうなる。女子学生は高校のトップクラスがまっしぐらに文学部にくるケースが多いのに反し、男子はそうでない。きらいな科目はやらない者とか、文科にくる決心をするのに一年かけたという連中である。これが例年のパタンであった。だから今年の面接試験で内申書を見ている時、「男子、新卒、評点5」などというのが何人かいるのに気付いてハッとしたわけである。もちろん一羽の燕は夏を作らない。しかし何羽も来たとなると季節が変ってきたと考えてもよいのではないか。

それで今、一つ思い出したことがある。それは何年か前にある女子大学で英会話を教えた頃の体験である。ある時私は「将来のあなたの夫の職業としては何がよいですか」と聞いた。こんなことは日本語ではテレくさくてあまり言えたものでないが、英会話の授業ともなれば平気である。答える方の女子大生も、日本語でなら遠慮があるだろうが英語だとずっと率直になる。

そうして聞いたところその理想の職業が、どれもこれも「エンジニア」なのである。それはまことに高度成長時代の若い日本女性にふさわしい未来像であった。そしてその頃私のいる大学も理工学部を作ったが、その給与ベースは文学部の教員の二倍なんだということが囁(ささや)かれていた。理工学部は国富を作るが文学部はそうでないという発想だったのであろう。まことに日本は（そしておそらくよその国も）上下こぞってテクノロジーの進歩を謳歌(おうか)していた。

しかし今から考えるとこの頃はすでに技術文明のかげりが出はじめていたのである。カーソン女史の「沈黙の春(サイレント・スプリング)」の紹介記事をタイムで読んだのもやはりその頃ではなかったかと思う。理工学部は国富にはなったかも知れないが、それは校富にならず校負になった。それは数十億の予算を片っぱしから喰い潰す怪物であった。ところが無用な学問をやっている人間の集まりであるはずの文学部にはそういう無駄や浪費がなく、かえって校富に貢献していたのだから妙な話である。理事者もようやくそれに気付いたと見えて、文学部のための研究室をようやく最後に建ててくれたのである。

これは小さな一私立大学での小さな出来事であるが、私には何だか象徴的なことのように思われてならないのだ。有益であるはずの学問がおそろしく有害で、無益だったはずの学問がかえって有益だったというようなことは、今、世界的、あるいは全人類的規模で起ってきているのではないかと思われるからである。陳腐な話になるが、核爆発や環境汚染は、相当鈍感な人にも科学や技術の進歩は人類の破滅に連なりかねないという実感を与えてきている。それは丁度、わが大学の理事者にも理工学部の発展は大学の破滅に連なりうることが実感されはじめたように。

エジソンやライト兄弟の昔からアメリカ人は機械が好きで、技術を重んじた。今でもアメリカでは地下に主人の工作室、つまり「デン」を持つ家庭が少なくない。そしてマサチューセッツ工科大学（ＭＩＴ）がアメリカの技術文明のメッカである。もし現代の技術文明の危機が感じられるとすればその先端であるこのあたりが最も強く感じているはずである。ここではどうなっているだろうか。

「数年前までここの学生たちが芸術や音楽を見ること、あたかも飲酒や女の子にさわることの如きものがあった」とジョン・パトリック氏は言う（『タイム』一九七三年二月二十六日号）。それは楽しいけれども学問の場では余計者といった感じであった。ところが最近ではすっかり変って、音楽の先生の数も倍増だし、文学関係のクラスは溢れるばかりで、コースによっては五年間に学生数が十倍になったものもいくつかあるらしい。ＭＩＴの学生がオーケストラをやったり、絵画展をやったり、自作の詩を読み合うサークルを作るということは少し前のこの学校を知っている人には奇異に感じられるであろう。変容はすでに先端で起りはじめているのだ。

文学や芸術をビールを飲むことや女の子にさわることと同列ぐらいに見下していたテクノロジーの使徒たちが、どうして技術万能観を捨てはじめたのか。断片的にはいろいろなところで言われていることであるが、まとめて見ると次のようなことになると思う。

第一にはハイゼンベルクの不確定性原理か、いわばボクシングのボデー・ブローの如くにゆっくりではあるが確実に効いてきたことである。量子力学的に言ってミクロの世界の研究には理論的に限界があることを彼が証明してからもう四十五、六年経つ。物理学の進歩の限界を指摘したような彼の理論はアインシュタインですらも納得できないところであった。アインシュタインの後半生が奇妙に不毛なのは、不確定性原理を破る理論を考え出そうとしてついにやりそこねたことによるという説さえある。このように新しい発見が次から次へと出て来る時代に、半世紀も揺がないという原理はやはり原理の名にふさわしいと言わなければなるまい。

このハイゼンベルクが最近また、現在ある以上の大きいサイクロトロンを作ることに反対して話題になっている。ハイゼンベルクがより大きい、より高価な原子核破壊装置を作ることに反対している主要な理由がまた面白いのだ。自然科学者がその良心から原子核破壊の研究に反対したり、その軍事的応用に反対するのなら、別に新しいことでもないし、その理由は科学的でない。しかしハイゼンベルクが反対する理由は純粋に科学的なのである。つまりこれ以上いくら装置に金をかけたところで、ミクロの物理学の実験的研究では進歩する余地がないから無駄だと言うのである。

今から二百五十年前、近代自然科学の祖とも言うべきアイザック・ニュートンは、「自分の知っていることは、海岸の砂粒を拾い上げているようなもので未知の世界が大海のように広がっている」と言ったそうである。パスカルも、「知識は球のようなものである。球体が大きくなるにつれて未知との接点が多くなる」と言った。いずれも「知るべきことはうんとある」という実感をよくあらわしている。しかし現代の最高の物理学者のハイゼンベルクは言う。「もう知ることはほとんど残っていない」と。何という変りようであろう。確かに自然科学は先が見えてきたようだ。

2

ハイゼンベルクの言うことは理論的だから、一般の人間は無関心でおれるし、応用化学や工学畑の人もあまり気にしないで、より大きな機械や、より精巧な機械を開発し続けて行ける。事実、不確定性原理が出たことにはおかまいなしに、その後約半世紀間、テクノロジーが進歩に進歩を重ねたことはわれわれもよく知っているところである。しかしこの面でも進歩の限界がずらりと一面に現われてきた。そのいくつかをあげてみよう。

巨大技術に対するドラマティックな否定は、技術先進国で先ず最初になされた。超音速旅客機の開発計画中止がそれである。もしアメリカに作る気があれば、アメリカこそ第一の開発国になるべき技術の蓄積と経済力を持っている国である。そのアメリカが――あの「世界一」の好きなアメリカが――その公害を考えると大型の超音速機は飛ばすわけには行かないという判断を下さざるを得なかったことは、人類の文明史の転換点として特筆大書されるべき事件であろう。アメリカほどの洞察力のなかったイギリスとフランスはコンコルドを開発してはみたものの、買い手が見付からず弱っている。

私の高校の時の物理の先生は、戦時中、飛行機の製作に関係しておられた。それでよく「航空機こそ工学の粋、原子核こそ物理の粋だ。その両方の研究が停止せしめられている日本の状況は（当時の日本は占領下にあって、サイクロトロンは海に沈められ、航空機の研究は停止状況にあった）悲劇的だ。日本の工業は将来、東南アジアに自転車を輸出するぐらいの程度にとどまるのではないか」などと言っておられたものである。それで私の同級生で、元来理科志望だったのにやめた者がかなりいる。日本はその後の状況の変化で、原子物理も飛行機も研究されるようになったが、今度は世界的な規模で技術の頭打ちが生じてきたわけで、今の世界の状況はある意味で米軍による占領初期時代の日本に似ていると言えるだろう。

頭打ちは飛行機だけでなくもっといろいろの分野に出てきそうである。たとえば日本が世界に誇る造船の分野でもそうだ。現在最大のタンカーは四十数万トンらしい。おそらく技術的には百万トンのタンカーだって造れるであろう。しかし世間が造らせてくれるかどうかが問題である。

あまり大きくないタンカーが沈んだだけでイギリス南部の海岸が壊滅的な打撃を受けたことがあった。百万トンだったらどうなるか。考えただけでも寒気がする。いわんや今のタンカーのスピードを三十ノット、四十ノットと上げることは技術的に可能になったとしても、世界が許さなくなるのではないだろうか。

化学でも頭打ちが見える。化学の枠は火薬、毒ガス、肥料などであった。殺人兵器としての化学はやり手もあまり出ないだろうし、抑制も極めて強い。肥料はどうか。最近新聞か雑誌で、「変な化学肥料を使った野菜を喰べるぐらいなら人糞を使ったものの方がよい。蛔虫などは化学肥料の体内残溜にくらべれば少しもこわくない」と言っている人の話を読んだ。一般人の意識はここまで来たのか、と感慨無量である。

進歩が無条件に歓迎されそうな分野に医学がある。しかしこれも大変疑問だと思う。たとえばこれ以上医学が進んで人工臓器などがふんだんに使われるようになったらどうだろうか。金持ちや権力者は不死に近くなり、庶民だけが死ぬことになる。「死」だけは万人に平等だと思ったのに、これまで差別をつけられてはたまらないというのがみんなの実感ではないだろうか。

では平等の精神にかえって、国庫負担でみんなに人工臓器をつけてやったらどうか。それこそスウィフトの『ガリヴァー旅行記』に出てくるストラルドブラグの老人たちみたいになるであろう。この国の老人は不死であるが、不老ではないので、精神的にも肉体的にも醜悪な人間の集団ということになって、一種の地獄である。医学の窮極目的は人の寿命をのばすことだと信じられてきたが、それも大抵のところでやめてもらわないと大変なことになりそうなのだ。もっともヘイフリックの有名な発見によれば人間の細胞は五十回ぐらい分裂するともうしなくなるとのことである。そうとすれば寿命の限界も見えているわけだ。

老人医学に限らず、医学はこれ以上進歩する必要があるのかどうかと考える時もある。現在の医学の知識や薬学の成果はすばらしい。にもかかわらずわれわれが医者に不満を感ずるのは、ヘボ医者が多いだけの話なのではあるまいか。現在の最高の医学をマスターした良心的名医に診ていただければそれで大抵は満足行くものだと思う。医学が進んでも医者や設備が駄目なら駄目である。医学を進めるよりも、もっとよい医者を、よい病院を、というのがみんなの願いになるはずだ。よい医者、よい看護婦、よい病院で手厚い取扱いを受けて七十歳で死ぬ方が、人工臓器だらけの体で百五十歳まで生きるよりましであろう。そして人間はやはり死んだ方がよいので、医学はなるべく幸福で、他人に迷惑にならない死に方の役に立つための学問であると定義し直される日が遠からず来るに違いない。

ハイゼンベルクや超音速旅客機計画中止とならんで、あるいはそれ以上にアメリカ人の工学熱を冷やしたのはアポロ計画の終了である。人間を月に送り込んだというのは疑いもなく、人類の歴史の中でも最も画期的な事件の一つであることに間違いはない。しかし第一回目の成功以来、みんなの関心は急速に冷却して行った。アポロ計画が全人類的壮挙であることはアメリカ人ならずとも誰でも知っている。しかし私の知っているアメリカ人の多くは意外に冷淡であった。第一回目の頃、私はアメリカにいたのであるが、大学ではやや保守色の強い教授の中にも、「あんなことに使う莫大なお金を福祉のために使ったらよいのに」という人がいた。リベラルな人、黒人運動関係者ともなれば、むしろ反感を示す人だって少なくなかった。

それに宇宙計画縮小に伴い、理学博士の失業者がぞろぞろ出て来た。「学位を持っているタクシーの運転手も少なくない」などという噂もながれた。その噂が満更嘘でもないらしいということは一昨年（昭和四十六年）の夏に妙なところで証明された。西ドイツのハンブルク市当局が、理数系統の高校・中学（ギムナジウム）の教員不足に対処するためにアメリカで教員募集をした。すると百人前後採用する予定だったらしいが、あっという間に五倍もの応募者がやってきたのである。その応募者というのは、いずれもアメリカの大学で教えていた人たちである。その人たちが給料の安い外国の中等教員に志願するというのは、そのままアメリカにおれば失業することが目に見えているからである。

誰だって失業者になる可能性の高い職業にはつきたくない。博士になっても職がない人が目につくような分野に青年は押しかけるわけがない。理工系の卒業生は俄然、落ちた偶像になった。日本でもオーバー・ドクターの問題がチラホラ出てきている。そして近いうちに急増の可能性がある。大工の弟子が足りないのに、理学博士の就職口がないというのは今までの通念にはない。しかし工学博士が余っているのに看護婦不足が深刻という時代は日本でもすぐ目の前に来ているのではないだろうか。

アポロの投げかけた影響は高級技術者の失業という珍現象だけではない。「宇宙船地球号」(Spaceship Earth)というイメージを万人に定着せしめたことである。インド・ヨーロッパ民族が黒海の北のドニエプル河の中流あたりから四方に向って移動しはじめたのは紀元前五、六千年といわれるが、それ以来、この高度に運動性に富んだ民族は東進してインド、イランの諸民族を、北進してスラブ諸民族を、西進してゲルマン、ケルトの諸民族を、南進してギリシャ、ラテンの諸民族を形成するようになった。そしてついに大西洋を渡って新大陸を征服するに至ったのであるが、この数千年の間を通じての彼らの根本原理は「地理的拡散はよいことだ」ということであった。ロシヤのシベリヤ征服もアメリカの西部開拓も同じことである。そして宇宙から地球を最初に見た経験者が、ガガーリンというスラブ人とシェパードというゲルマン系アメリカ人であったことも偶然でないだろう。いずれもインド・ヨーロッパ人なのである。

ところがこの二人をはじめとする宇宙飛行士が「地球は一種の宇宙船のように見えた」という実感を持って地上に帰ってきた。これは数千年間の拡大一本の歴史を持つインド・ヨーロッパ人の発想とは百八十度違うものである。大西部が尽きてもまだ太平洋やハワイがあった。しかし今、地球を一種の宇宙船と表象してしまえば、この地球上での拡散は絶体絶命拒否されなければならないことになる。宇宙船の中での争いが、乗組員全部にとって致命的であることは誰にでもよくわかることだ。

人類全員が宇宙船地球号の乗組員であるという表象が一般化した時、この地球上での「悪事」も宇宙船の中で何をやったら一番不都合か、という類比（アナロジー）で判断されるようになった。宇宙船の中で最も不都合なことは、宇宙船そのものを危険にすること、宇宙船の中を汚染することであろう。宇宙船の狭い部屋でみんながくつろいでいる時、腸内異常醗酵によるガスを出したらどうなるか。急いで窓をあけるわけには行かないのだ。その迷惑に相当するものが、この地球上の工場の煙突から出される煙である。というような受け取り方を人々がしはじめたのである。環境汚染に対する反対運動がアポロ以降、特に激しくなったのは、何と言っても、地球についてのイメージが宇宙船となったことに大きな理由があると思う。

3

自然科学や工学はこれからもまだ発展を続けるであろう。しかし今までの発展とは質の違ったものにならざるをえまい。もうシンはとまったのだ。碁で言えば大体の布石が決まって、劫争いかダメを詰める段階にそろそろはいってきているのではないかと思う。大プロジェクトではなく、むしろメインテナンスの要素が強くなろう。もちろん現在の自然科学の水準を維持するだけでもずい分の努力がいる。しかし何と言ってもガリレオ、ニュートンで始った時代がそのコースを終えようとしていることは確かである。

これはまた経済とも大きな関係がある。というのは高度成長というのは技術革新の波に乗ったものだからである。もちろん新しい技術はこれからも出るであろうが、大工場を続々と新しく作り出すようなものは稀になろう。これは投資すべき対象がなかなか見付からなくなるということである。アメリカではすでにその徴候が現われてきているのではないかと思われる。相次ぐニクソン大統領の景気振興策のおかげで、アメリカ経済の景気は非常によいと言うのに、株価はあまりパッとしない。これは巨額の投資を消化するような新鋭大工場などがあまり作られていないからではないだろうか。

また二、三日前の新聞によると、欧州共同体委員会は、ＥＣ各国が優先的に実施すべき重要な労働政策として「流れ作業方式」の全廃を提案したとのことである。この生産方式こそとりもなおさず「現代」だったわけで、チャップリンのモダン・タイムスの「モダン」の意味もそれを指していた。具体的にいつから廃止になるかは不明のようだが、ＥＣの社会政策担当者は、三年以内に実現すべきだし、それは可能であると言っているという。

どうもわれわれは科学の進歩が停滞し、地理的拡大が終止し、生産に強力な歯止めをかけなければならない時代に生きることになるらしい。事実アメリカの学生たちはこの事態に対してすでに明白な反応を示している。前にあげたＭＩＴの例のほかにも顕著な傾向が二つばかり目につく。

その第一は「大学に行ったってしようがないや」という若者の増加である。アメリカは大学進学率世界最高で更に増加すると思われていた。しかし頭打ちは四、五年前からはじまっていて、この三年間に約百二十の小さい大学がすでに潰れている。更にこれから数年間のうちに二百五十以上潰れる可能性があると言われている。科学や技術に頭打ちの徴候が見えた以上、学問の進歩に追いつくことはそれほど大切に思われないと直観してしまうヤングの数はこれ以上増加すると見なければならない。第二は学問の府にオカルティズムが流行していることである。アメリカの大学生と麻薬の話は既に言い古されているが、近頃ではそれに淫祠邪教の類を加えなければならない。錬金術が化学になり、占星術が天文学になったのが近代の始まりだったはずなのに、それが逆もどりしてしまったのである。しかも大学で。今のべたように大学は学生集めに狂奔しなければならないので、何はともあれ学生の好きな講義を提供するということになる。かくして伝統ある大学で魔女や幽霊に関する講座が続々と出現してきたわけである。孔子は「ソノ鬼ニ非ズシテコレヲ祭ルハ諂ウナリ」と言ったが、アメリカの諸大学は諂っているわけになろう。

欧州から新大陸へ、東海岸から西部へと発展一路でやってきたアメリカ人には発展を停めた状況で生きる生き方がまだわからないのではないかと思う。アメリカの大学を覆う奇妙な、あるいは無気味な静けさの中で、呪術が流行しているというのも一種の不適応を示すものではないだろうか。昔から停滞状況に長くいた民族は数多い。アフリカの土人だとかヒマラヤ山中の小部族とかがそれである。しかしこういう人たちの生き方をアメリカ人が参考にしたり真似したりすればおかしなものになろう。呪術の世界こそこれら未開人の生き方だったのだが、それに飛びこもうとしているアメリカの青少年を見ると、むしろいたいたしく思われてならない。

では呪術世界にのめりこむことなしに、停滞の世界に生きる手本はあるのか、と言えば私はあえて日本がそうであったと答えたい。織田信長は長篠の戦場に三千人の銃手を集中したというが、このほかにも信長には七千人の銃手がいた。これはどの鉄砲を一戦場に集めることは当時のヨーロッパでもあまりなかったことである。その後家康が大阪城を攻めた時は大砲を用いている。つまり十七世紀初頭には、日本の軍備はほぼ欧州なみであったと言ってよかろう。その日本が断乎として鎖国をして武器の製造も改良も、また海外進出もやめてしまったのである。こういう体験を持った国はほかにないだろう。鎖国中の日本は島国で、気にくわないからよそに行くというわけにはいかなかった点において、正に宇宙船地球号的だったわけである。

更に付け加えて言えば、平安朝に日本が遣唐使をやめた時も、その発想は徳川時代の鎖国と一脈通うところがあった。外的発展をやめて内的な充実を目ざすということがそれである。平安文化は武士という領土拡大エネルギーの集団の擡頭(たいとう)で終りをつげ、江戸時代は黒船という領土拡大と知識拡大勢力の使徒の到来で終りをつげた。

しかし現代は知識的にも、領土的にも拡大不能の時代に入ったわけである。この人類史上の未曽有の転換期に当ってわれわれは、自発的にその拡大をとめ、高度の文化と長期の平和時代を作ってみせたことのあるわれわれの祖先の知恵の本質を考えてみるべきだと思うのである。平安朝や江戸時代のアラをさがせばいくらでもあろう（どの時代だってそうだ）。しかしその長所はやはり世界史的に見ても一きわ輝いている。そしてその長所は人間のエネルギーを文科的（文化的とあえて言わない）なことに使うことを発見したことであると思う。それはどういうことだったか。

4

「詩を作るより田を作れ」と言う諺がある。これは高度成長時代的なスローガンである。しかし今では作ることを怖れなければならない時代である。平安朝は明らかに「田を作るよりも詩を作れ」であった。和歌の出来工合が一生をかけた大事であった。壬生（みぶ）忠見が歌合で平兼盛に敗けたのを口惜しがって病死したと伝えられる。勅撰集に自分の和歌を入れてもらうことが、今の世の中で言えば文学賞か学士院賞をもらうぐらいの重さを持っていた。あるいはそれ以上だったかも知れない。自分の歌を入れてくれなかったのを恨んで撰者に幽霊になって出た、などというのはままある話であった。

支配階級が詩作にこのぐらい夢中になれば世は泰平である。政治も人道的になる。平安時代には政治上の争いによる死刑がなかった期間が何百年間かあるそうだが、西欧では何時それと同じ状態が達成されたか見るがよい。また武士の支配、つまり軍事政権下の徳川時代でも、実質は文治になっていた。当時の警察官である御用聞きたちは、原則として犯人や容疑者を捕縛したのである。相手が武器を持っていても生かして捕えるという原則に忠実であった。文明開化の欧米では今でも容疑者が抵抗すれば簡単に射殺する（浅間山荘事件の警察は江戸の捕物のよき伝統を世界に示した）。また徳川時代は死刑を決定することについては驚くほど慎重であった。京都の町人の死刑を、江戸の老中が気にしている例などもあるし、代官所でも死刑を自己の裁量でやることはほとんど不可能であった。武士の体制ですらこのようになったのは、彼らが学んだのが文科的なことであったからである。そして彼らは物質的には何も生産しなかった。

江戸の学問について目ざましいことは、漢詩を作ることであった。吉川幸次郎博士は江戸の漢学者が漢詩をよくしたのに反し、今日の外国文学者がそうでないことを指摘しておられる。事実その通りなのであるが、これには別の状況が加わったと見るべきである。つまり当時は日本に来ていた漢籍の数は有限であり、秀才の弟子は比較的若いうちに、先生の読んだものをあらかた読んでしまうのであった。先生としては教えるテキストがなくなる（今日の外国文学科には絶対ないことだ）。それで詩作をさせる。外国語で詩を作ることはほとんど無限の知的・情的エネルギーを吸収する。だから先生は安心であった。つまり旧幕の学問においては、知識の拡大によっては師としてとどまりえず、永く弟子に仰ぎ見られるためにはどうしても詩文の才がなければならなかった。「江戸時代の学者は漢詩を作れた」、というよりは、漢詩を作れる人しか師でありえなかったという方が適切だ。そして詩作の原理は拡大の原理ではない。深化と内向の原理である。

天下の秀才たちが外国語で詩を作り文を作ることに頭脳エネルギーを使い切る——何ともったいないことであろう、というのは産業の高度成長期的な発想である。人間の知的エネルギーを公害を出す生産に向わしめず、また麻薬や淫祠邪教にふけらしめず、しかも人間本来の創造への意欲の満足と内なる充実感を与える点で、詩作にまさるものはないのである。ヘボ詩でもヘボ俳句でもかまわない。発行部数を競うためでないのだから。江戸のインテリは念入りに文学書を読み、友だちに見せる漢詩を作っていたので平和が保てたのである。そして日本の自然はいつまでも美しかったのである。

和歌にしろ漢詩にしろ、あるいは連歌にしろ俳句にしろ、人を美に対して敏感にする。しかも拡大を断念したかわりに精緻の美が求められる。目に見えるものでは光琳派の絵や蒔絵、刀のこしらえや鐔（つば）の彫刻などに現われている。最近、光琳展がアメリカで大評判だったのも、光琳の美、つまり拡大ではない。精緻と集中の美がわかるアメリカ人が増えたということである。美の重要な条件として「手のこんだ」という要素が加わってきつつあるようだ。

この見地から見ると、一般に評判の悪い本歌取りの和歌の面白さが俄然輝きを増してくる。最初から本歌を知っている人に、巧妙な本歌取りの歌を示すというのは文学的教養の極致といってよい。しかしそれが成立するためには、作者にも読者にも途方もない文学的教養がなければならないのである。近代の忙しい学者はそこの遊びがわからず、本歌取りは独創性なしとして低く見ることになりやすい。しかし一々独創的な歌を作るというのは生産の原理であって、文学を生きる原理ではないのだ。

そもそも詩や和歌を作って一々、「これは俺の独創だ」などと言っているのはケチな精神と言うべきものであろう。文学作品における独創をやかましく言い出したのは西洋ではロマンチシズム以降、つまり産業革命がそろそろ出てきた頃からである。それは生産と拡大の原理である。わが平安朝の人たちはそんなケチなことを気にしなかった。本歌取りを楽しんだのである。それは享楽の原理である。個性の抑制で成り立つ連歌が日本で出てきたのも、独創を過剰に重んずるという拡大原理が入りこんできていなかったからであろう。

文学は美のほかに、男女の愛を意識の中心にすえる。平安時代の人たちを見ると、美と愛以外は念頭になかったように思われることさえある。そして人間の諸活動のうち、文学と恋愛ほど男女が同権になれるものは少ないであろう。今日のウーマン・リブの闘女たちが、社会組織が男に都合よくできていると主張しているのも無理はない。拡大の原理でやって来た今までの社会は何といっても男が中心であった。ところが非拡大の時代には、比較的、女も出てくる幕があった。たとえば和泉式部はそれほど身分は高くない家に生まれ、それほど身分の高くない男と結婚して離婚した女性である。彼女の歌が勅撰集に二百三十八首も入れられているということは――関白太政大臣として政治上の権力者であり、書道に秀(ひい)で、また和歌にもすぐれ、その奨励に力をそそいだ藤原忠通でも七十首ぐらいしか入っていない――当時のインテリの間で、文学の名誉に関しては性の差別をしていなかったことを如実に示している。そのような社会であればこそ紫式部が生まれ、清少納言が出てきたのであろう。こんな社会がどこか日本以外に存在したことがあるであろうか。文学の伝統の長いお隣のシナですらも女性の作家をあげることができるだろうか。小説そのものすら紫式部より数百年おくれて出ている。女性の地位が高いという西欧ですらも、女性で普通の文学史に出てくるような小説を書いたのは十八世紀のジェーン・オースチンあたりからではないだろうか。

徳川時代のような武士の時代でも、文人の仲間では自由恋愛が誕生してきており、女性の参加も相当でていた。頼山陽に艶聞が多いのもそうした背景によるからである。国学の方では宣長には相当の女弟子がいた。幕府の体制があのまま続いても、文学をやっている人間を中心として近代的な男女関係が次第に普及して行ったであろう。

その意味では平安朝の夫婦生活は未来暗示的ですらある。夫と妻は別居していたというが、これは男女がいつまでも婚約時代みたいな新鮮な気持でいる一つの工夫であるかも知れない。男も女も相手を「当然のもの」と見なし切れないということは、常に相手を意識することである。つまり本当の意味で尊重しているということだ。相手を夫として、妻として当然視できないのだから、電話とか、手紙とか、和歌だとかで、絶えず愛情の伝達がなされることであろう。お互に魅力的であることに努めるために、莫大な精神的、感情的なエネルギーが消耗されるであろう。それが拡大や物質的生産にならないところがよい。個々の人の感性は磨かれ、情感は深くなるであろうが、こういう方面に人間のエネルギーの多くが向けられている限り宇宙船地球号は安泰である。昨晩、知人のピアノ演奏会に行った。そして音楽家は羨しいと思った。

自分の作った音は人を一瞬恍惚とさせるが、あとは永遠に虚空に消えて行く。何とすがすがしいことであろうか。文学的活動は音楽ほどではない。しかし文学がいくら盛んであった時代も、日本列島の汚染とは関係なかったからまずはよいとしよう。

その前日は国民祝日で晴天。日本列島はどこも大変な人ごみであったろう。休日とレジャーが増えれば増えるほど日本の自然は危ない。というのは今日はレジャー自体が拡大原理にもとづいたものが多いからである。われわれはレジャーにすら非拡大的な原理を取り入れなければなるまい。沈潜の原理を、また非生産の原理を。今日においては同じレジャーでも、ドライブよりは将棋や碁や三味線の方がモラルが高いのである。

後に残らないものに精神的エネルギーを集中することを仮りに文科的原理と呼びたい。それはそのあとに生産物を残す理工的原理と反対のものである。そしてあらゆる科学的分野に限界が見え、地球も危ないものになった時、そこに生きる原理は文科的原理であるが、そのいくつかを日本人の先祖たちが実践して見せてくれたことに対して誇りを持ちたいと思う。

こんなことを考えていたら、家内が「T子さんがまた御妊娠らしいわよ」と言いに来た。T子さんは音楽大学出身である。そして東京にある国立大学の理工系の教授の息子で、同じく東京の国立大学の理工系を出て、東証一部上場株である一流会社に勤務している有望なエンジニアと何年か前に結婚した。池田内閣の時代だったと思う。御当人はその頃大変とくいそうであった。エンジニアの背中から後光がさしていたような時代であったし、彼氏の毛なみもコースもエリートのそれであった。ところが二年ばかりして離婚した。理由は「こんな退屈で面白くない人と一生いることはできそうにない」ということであった。その後、T子さんは私立大学の文学部を出た男と再婚をしたが、その時、知人たちは「金を鉛と交換したのではないか」と危惧したものである。しかし今度はうまくやっており、子供もできて、幸福そうに太ってきていると思ったら、二度目の妊娠だという。これはたまたま、私の周囲に偶然起ったことで、それ自体には何の意味もないことである。

もちろん理工系の人にも退屈でない人も多くいる。しかしT子さんのことは単発的な出来事だけとも言い切れないような気がするのだ。というのは、今どきの女子大生に、「あなたの将来の夫の職業としては何がよいですか」と聞いても、ひと頃のように「エンジニア」という返事が、打てば響くように返ってくることはもうなくなっているのだから。

思えば日本の公害防止運動が、市民運動として一挙に広がったのは田子の浦のヘドロ問題からであった。「田子の浦ゆ　うちいでて見ればま白にぞ　ふじの高嶺に雪はふりける」と、万葉の昔から日本人はくり返しくり返しこの和歌を読み継いできた。さればこそ、この土地のヘドロが問題になった時、日本中がそれまでなかった反応を示したのである。これは和歌の徳というものであろう。ヘドロが問題になった場所がほかの土地であったら、日本の公害防止運動はもう数年間遅れたと思うし、国民的合意がこんなに簡単にえられたかどうか疑わしい。日本人の産業高度成長時代に対する反省が、万葉集と関係があったことこそ、新しい時代の瑞祥(ずいしょう)と考える。それは詩神がまだ日本人の大部分に生きていたことを示しており、二十世紀末以降に予想される「文科の時代」に対するわが民族のもつ独特の可能性と適応性を示しているからである。

腐敗の効用 ある時代への葬送曲として

1

『ガリヴァー旅行記』の著者スウィフトは絶えず英語に腹を立てていた。もちろん英語は彼の母国語であり、それを使って明断的確な文章を書くことにかけては彼は当代きっての名手であり、世人も彼を評して文章の天才としていた。しかしスウィフトはその英語が気に喰わないのである。

「英語にはいつも母音をちょん切って単語を短くする傾向があるが(例えばcould notをcouldn'tとするとか)、これなどは北方民族の野蛮性に落ちこむ傾向にほかならないのだ。もっとも北方の蛮族というのはわれわれの先祖のことだから、美点はあるにはあるけれども、元来わが国民の性(さが)は卑しいのである」

もっともスウィフトは一生、何に対しても腹を立てていたのだから、英語に腹を立てたぐらいでは驚くに当らないともいえよう。しかし英語に腹を立てたり、またその現状を憂えていたのはスウィフトばかりではなかった。彼の同時代、あるいはその前の時代の人たちは、ドライデンにしろ、イヴリンにしろ、デフォーにしろ、アジソンにしろ、スティールにしろ、ポープにしろ、みんな英語を何とかしないことにはいけないと思っていた。

当時の教養人、詩人、作家の中で、英語の早急な改革の必要を説かなかった人は稀なので、むしろ英語の現状を是認する人を見付けるのが困難である。

ではなぜそういう事態になったか、といえば、十五世紀以降の英語の変化が甚だしかったからである。フランシス・ベーコンのような大哲学者も、自分の著作を英語で書き残して置くことに大きな不安を感じ、ラテン語訳を作らせたのであった。ちなみにこのラテン語の訳者の一人がトマス・ホッブスで、この翻訳をやったおかげで生計の糧を得たほかに、ベーコンの思想に通暁する機縁を得、後には『レヴァイアサン』を書くようなすぐれた哲学者に成長するようになったのだから、翻訳というアルバイトを軽蔑してはいけないという一つの例になるであろう。

近世初頭に見られた英語の流動性は確かにひどく、英語で物を書くことは砂上に文字を書くようなものだから「時」という潮に洗われると何も残らなくなるのではないか、という不安を物書きに与えたのであって、岩の如くしっかりしたラテン語に刻んでおく、というベーコン流の発想には根拠があるように思われたのであった。

スウィフトはじめ、十七世紀から十八世紀初頭にかけての英国の識者たちが英語の実情にいらいらしたもう一つの直接の理由は、隣国フランスと、フランス語との対比があまりにも対照的だったからである。

十七世紀のはじめ頃に設立されたアカデミー・フランセーズは、フランス語の整備に着々と成果を上げ、それによって作られた辞書は、万人を承服させるだけの権威があったし、ルイ十四世の宮廷は、マナーにおいてヨーロッパの規準であったのみならず、そこでは完璧で標準的なフランス語が語られていた。

それに反して英国はまことに情けないありさまであった。クロムウェルのピューリタン革命は、一国の文化と言語の中心となるべき宮廷を断絶せしめたのである。彼の死後に王政復古が起ってチャールズ二世が即位したが、フランスで成長したこの国王は、イギリス人というよりはフランス人であった。その息子のジェイムズ二世は追放され、いわゆる名誉革命が起ったが、その結果イギリスの王位についたのはオランダ人のウィリアムであり、その次に王位についたアン女王の夫はデンマークの王子である。

そのアン女王の子供がみな夭折(ようせつ)し、次に王位についたのはドイツ人のジョージ一世であるが、この王も、その数多い愛妾たちも、ドイツからついてきた。彼の家臣も英語は話せなかった。

フランス文化の中心としてのルイ十四世の王朝にくらべると、イギリスの王朝は文化的に何と貧寒としていたことであろう。その王たちは英語さえもろくに話せない。これでは英語が蕪雑（ぶざつ）であっても仕方がないのではないか。そこでせめて英語がこれ以上ひどくならぬよう、フランスの真似をして、国語の規制と改良のためのアカデミーを作ろうというのが、十七世紀の中期以降イギリスの識者の悲願みたいなものになるのである。そして先ず国語に規準を与えるものとしてよい辞書がなければならない。

流砂の如き英語を、しっかりとした大地のようにするには、アカデミー・フランセーズのような、国家の威光を背景にした、権威のある英語辞書の必要がみんなに痛感され、それを求める声はイギリス国中に満ちたといってよい。国語のためのイングリッシュ・アカデミーの設立と、それによる英語辞書の編纂は天下の要望であったのである。

ところがイギリスではどちらも実現しないでおわった。英語アカデミーの設立案はいつの間にか忘れられ、辞書の方はサムュエル・ジョンソンという一私人と民間出版社によって、商業ベースで作られたのである。スウィフトが激しく英語弾劾をし、英語アカデミー設立要求のパンフレットを出した一七一二年から、ジョンソンの辞書が出た一七五五年の間に、英国人の英語に対する考え方の上に何か重要なことが起ったのである。そしてその変化の謎を解く鍵は、ロバート・ウォルポールという、一般の人にはなじみのうすい一政治家にあった、というのが私の考えである。

2

「首相（プライム・ミニスター）」という名称が正式に用いられたのはエドワード七世の一九〇五年（明治三十八年）であるから、日本で首相の肩書が用いられたのよりも十数年は遅いことになる、といったら「そんなことはあるまい」といわれそうである。責任内閣の発生地のイギリスがそんなに最近まで首相なしにいたわけはなかろう、というのが常識である。しかしイギリスにおいては、そういう常識が通用しないことがある。日本の大学の英文科を出て、最初の英文学の文部留学生になった夏目漱石が張り切ってオクスフォード大学に行って見たら、まだ英文学の講義が無いのを知って愕然としたということもあるのだから。

しかしオクスフォード大学に英文科や英文学講座がないのとは関係なく、イギリスにおいて英文学そのものや、その研究が盛んであったことについては問題がない。それと同様に、「首相」という肩書やら機能やらが正式に認められたのは二十世紀であったにせよ、その実質が誕生したのは十八世紀の前半であり、最初にその実質上の首相になったのがロバート・ウォルポールであった。もっとも当時、「プライム・ミニスター」という英語はウォルポールに対する甚（はなは）だしい悪口として用いられたのであり、ウォルポールはこう呼ばれることをひどく嫌い、また立腹もしたのである。彼は自分を「首席小臣（ファースト・ミニスター）」といっていた。

ミニスターは普通「大臣」と訳されるが、これは語源を考えれば誤訳である。ミニスターのミニは、ミニスカートのミニ、ミニマムのミニで「小さい」という意味であり、ひょっとしたら漢字の「微」と同根であるかも知れない。だからミニスターは直訳すれば「小者（こもの）」、「小臣」、「微臣」とするのがよく、別の英語でいえばサーバントである。事実、ウォルポールがミニスターになった時も、同僚のミニスターたちは、自分たちを「国王の寵臣」としか考えておらず、ウォルポールが首席ミニスターであることを、国王の寵を一人占めにする者として嫉妬していたのであるから、今日の平大臣が首相に対して抱く考え方とはだいぶ異っている。

ともあれこの最初の首相となったロバート・ウォルポールは、ノーフォーク州の富裕な地主の家に、十九人の兄弟姉妹の三男として生まれ、イートンからケンブリッジへと進んだが、二人の兄が死亡したため、中退して家業につくことになった。そうして後のジョージ・ワシントンがそうであったように、大きな財産の管理をやっているうちに、経済の実際に通じてくるのである。そして父の後をついでホイッグ党の下院議員になってからも、財政の実務にたけていることがみんなの注目を集めはじめた。彼は議員になっても、本当は自分の田舎にいて、狩猟をすることを好んでいたが、党の方でなかなかそうして置いてくれないほど、なくてはならぬ人物になっていた。彼が三十歳前後のことである。

こうするうちに、いや応なしに彼の財政的手腕を証明する事件が生じた。南海泡沫事件(サウス・シー・バブル)がそれである。

南海会社(サウス・シー・カンパニー)は一七一一年に南米貿易のために設立されたものであるが、この会社が当時問題となっていた国債を全部引き受けるという減債基金案を出した。これがうまく行けば大いにもうかるはずであった。それでこの会社の株は大量に宮廷や議員に譲渡されたが、これが投機熱を一挙にあおったのである。株価は暴騰を続け、天まで昇るようであった。株式投機の好きだった皇太子妃キャロラインは、経済に明るいという評判の高いウォルポールに相談を求め、その的確な指南に、すっかり彼の贔屓(ひいき)になってしまう。つまりウォルポールは次の国王のいわば大奥の絶対の信任をえたことになる。それに彼は後になってからこそ太って足もふくれて来たが、当時は狩猟で鍛えた文字通りのスポーツマンで、背も高く、ハンサムで、男性的魅力の点からも申し分がなかった。

もちろんウォルポールは皇太子妃にいくら好かれても、それでいい気になるようなことはない。国中が株式高騰で浮かれ騒いでいる時も、冷静に売り抜けるチャンスを狙っていた。そしてしこたま買いこんだ南海会社の株をすっかり売り払って、何と千パーセントの利益を上げたのである。

そして成功した株式投資家がよくやるように、宏壮な邸宅を建て、当時の金で一〇万ポンドといわれる絵画の蒐集をやった。しかしながら、公式にはウォルポールは南海会社の国債引受案は財政的にも法律的にも欠陥が多いとして激しく反対し、その案が議会を通過してからも、それを批判する文書を出版してその悲劇的結末を予言したのである。

そして彼の予言通りのことが起った。一八二〇年のはじめ頃に一二一・五ポンドであったその株は、七月には一〇〇〇ポンドの高値を抜き、そして八月には一三五ポンドに暴落したのである。

数千の富裕な階級のイギリス人が破産し、国民は政府を非難した。政府の首脳格であったスタンホープはこれに関係していなかったが、上院で一身上の釈明をしているうちに卒中を起して倒れた。財政の最高責任者であったサンダーランド伯ことチャールズ・スペンサーは、それに少しばかり関係があったから、その没落は決定的であった。大臣級の人物の多くは深みにはまりこんでいた。買収されていた者も少なくなかった。かくして南海の泡沫がパチンとはじけた時、英国の政界には戦後の公職追放令があった後の日本の政界のような空白が生じた。誰がみても、この破局を収拾できるのは当時四十四歳のウォルポールしかいなかった。

3

南海泡沫事件の起った年、ウォルポールはサンダーランド伯に要職につく誘いを受けていたが、それを断わり、地位は低いが、収入のよい軍事費支出長官に満足し、サンダーランドの財政政策を批判しながら、株ではしこたまもうけ、暴落がはじまりかけた夏頃には田舎に引っこんで、昼は狩をし、夜は酒を飲んで愉快に暮らしていたのである。世人はみんなウォルポールの明察を羨んだ。英語のできないジョージ一世はラテン語でいった。

「ウォルポールなら石を金に換えることができるだろう。彼を呼んでこの破局を収拾させろ」と。

ウォルポールはかくして歳入歳出管理長官（チャンセラー・オブ・エクスチェカー）と大蔵総裁（ファースト・ロード・オブ・トレジャリー）に任ぜられた。今の英語では、チャンセラー・オブ・エクスチェカーは大蔵大臣と訳し、ファースト・ロード・オブ・トレジャリーの大蔵委員会議長は首相が勤めることになっている。いまやウォルポールは、現在の制度でいえば大蔵大臣を兼任する首相になったといってよい。そして彼はこの地位に約二十二年間とどまることになるのだ。

ウォルポールは彼の前任者たちとちがって貴族ではない（辞任してからは伯爵に叙せられ

るが）。従って彼の立場は下院の支持によってのみ保たれることを知っていた。事実、首相になった翌年、国王は南海泡沫事件の収拾の功によって、彼の長男を貴族にしたが、ウォルポール自身は、その栄誉を受けることを固辞しているのである。つまり下院第一主義の原則をはじめて明白に打ち出すのである。

家柄中心の上院から、政治の比重を下院に移し、長期の政権を担当したということは、とりもなおさず、ウォルポールが新しい議会操縦法を編み出したことを意味した。そしてその新議会操縦法のコツは「買収」であった。ウォルポールは「すべての人間はそれぞれの値段を持っている」

（Every man has his price）といったといって世人の非難を受けた。しかしハーヴェイの『回想録』によれば、「あの連中はすべて値段を持っている」（All those men have their price）といったのだそうである。そして「あの連中」というのは、ホイッグ党内の「若い愛国者たち」（boy patriots）のことであった。

ウォルポールのホイッグ党内にはウイリアム・ピットとかジョージ・グレンヴィルなどという若い野心家たちがいて、常に「愛国」を口にしてウォルポールの事なかれ主義的な政策を批判し、足をひっぱった。この「愛国」という言葉を「正義」という言葉に置きかえたら、今日のわれわれにはもっとピンとくるかも知れない。ともかくウォルポールはこの正義を口にするうるさい党内の連中を黙らせるために金を使った。

官職を与えて黙らせるのはそれまでもあったことであるが、ウォルポールは現ナマをよく使った。そしてそれはよく利いたのである（買収のきかなかった偉大な例外はピットである）。ウォルポールの頭の中には、それぞれの連中を黙らせるための値段表ができていたらしい。その値段表に応じた支払をして、議会に臨んで自己の欲する法案を通過させた。丁度、株主総会の前に有能な総務部長が総会屋に話をつけておくあのやり方のように。

したがってウォルポールが買収したのは自党内の反対派であって、野党のトーリー党員の買収はほとんどやっていない。ハノーヴァ王朝を実現させたのはホイッグ党であるから、与党は安泰である。野党が政権を担当することは、当時にあっては王朝を換え、カトリックのジェイムズ三世を迎えることになるから、革命にひとしい大変革を起すことを意味した。国民の大部分はそのような大変革を欲してはいないのだから、野党のトーリー党は政権担当能力がないし、その可能性もなかったのである。

そういう状況の下では、与党そのものの内紛の方が問題になるのはいつの時代でも同じであろう。だからマコーレーはウォルポールの統治が買収によるものであったことを指摘しながらも、当時としてはそれ以外に統治の道がなかったことを認めている。

4

「彼〔ウォルポール〕は立派な商人がその事務を片づけて行くように、その日その日の国政を処理して行った。彼は極めて巧妙に国政を運用して行ったので、一見、何事をもなしていないかの如き観を与えた。が、その実、すべてをなしているのだった」

とアンドレ・モロワはウォルポールを評価したが、その通りなのであった。一七二三年、国王が大陸に旅行し、ウォルポールが一切の政治を取り仕切っていた時、あまりにも世の中が泰平で事がなかったので、彼は義弟のタウンシェンドにこう自慢している。「今はどこでも三分五厘五毛の金利で金を借りることができる」と。

世の中の安定を、金利の安定で表現するところが、またそうできるところが彼の強味であった。私はウォルポールの統治を考える時に、よく連想するのは、『パーキンソンの成功法則』（原文はIn-laws and Outlaws）である。パーキンソンは「能力の本質」というものを次のようにいっている。

「……しばしば気付かれずにすぎてしまうというのが能力の本質だ。多くの人間は、複雑な組織が円滑に運行し、その生産が着実に高まり、その社員が満足し、経費が切り下げられるということは全くあたりまえだと考えている。だが、あたりまえのことなど何ひとつない。それはちょうど刈り込んで、雑草をひいて、害虫をのぞいた芝生のように自然にみえるが、そんな芝生がひとりでに出来るものではない。それは積極的な努力、絶えざる注意の結果生まれる。雑草も害虫も自分から出ていってくれはしない……」（福島正光氏訳）

　これは会社の経営についていっているのであるが、スムーズな国家の運営も同じようなものであろう。パーキンソンはそういう「能力」が仕事をしている様子を、ユーモラスな会話で描いているが、そのイメージをウォルポールの国事処理に重ねてみるとよくわかるような気がする。

「クラブトゥリイ君をどうしたもんでしょうか。やつはぶつぶつ文句ばっかりいってるんですが」

「それはやつの仕事が少いからだよ。来週は運搬局にまわしてやろう」

「コニーはしょっちゅう身体の調子が悪いんです。クビにしましょうか」

「いかんな、あの娘の悩みは、ボーイフレンドのスティーブがPRの講習に行っているからなんだよ。十日もたてば帰ってくるからね」

「第七工場の解体検査をするあいだ、ブラッキーの班をどうしたらいいでしょうか」

「第三工場で一週間、メインテナンスの作業をさせて、そのあと三日間、休暇をやりたまえ」

「サム・デッドウィードがもとの仕事に帰りたいといってます。もうすぐあきができると聞いたもんですからね」

「十月には空くことになっているが、サムはどうかね。いかんな。やつはフリッタリング・アンド・マドル化学工場に仕事があるといってやりたまえ」

「トム・ワームリーから採用願が出ています。やつはずっと梱包倉庫で働いていたんですが」

「だめだ」

「ベッドロックおやじが、ふさぎの虫に取っつかれているんです」

「ということは僕も聞いている。アトランテック・シティ会議のグループ代表として派遣してやろう」

「フィル・フィヴァリッシュが昇格を要求しています」

「昇格はだめだね。だが明日十時に私のオフィスに来るようにいってくれ」

「泥棒に七八〇ドルもっていかれました。庶務の金庫からです」

「ドアと外部の門を全部閉めろ。保安係主任に三分以内に重役室で会いたいと伝えてくれ」

「すみませんが、気分が悪いので」

「これを飲みたまえ。十分間横になってから帰るんだね、あしたその分を埋め合わせしたまえ」

「辞表を出したいんですが」
「受けとるわけにはいかんね。明日は休み給え。週末にはゴルフをやるんだね。月曜日の九時半にまた会おう」

といった調子なのが、「能力」が仕事をしているところである。別にとりたてて立派なことをしたわけでもないが、まずいことは起らない。事故もなくストライキもない。こうしたことについては、この工場長は特に名声を得ないであろう。しかしこういう工場長が二十年もこうした調子でやって行けば、その会社は幸いなるかな、である。ウォルポールのやり方もそれだった。彼には歴史に残るような武功などは何一つない。それは当然である。彼が注意深く避けようとしたことの第一は戦争だったのだから。彼に内乱を鎮定する功績などはなかった。彼がやったことは内乱など起らぬようにさばくことだったのだから。では一体彼は何をやったのか。

ウォルポールは一生、ノーフォーク訛りのとれない英語で、馬鹿笑いしながら、しばしば下品な表現をまじえながら話をした。スウィフトは彼を評して、「宮廷に女郎屋の会話を持ちこんだ」といっている。そしてあろうことか、あるまいことか、皇后の肩などポンと叩くこともあって、上品な宮廷人の眉をひそめさせた。しかしやんごとなき女王などは、こうした種類の話を聞く機会はほかにないものだから、彼の話はかえって「女王の趣味に合った」などといわれている。いつも陽気で、客好きで、気前がよいから、友人の間に人気があったことは当然である。

趣味は建築と不動産を買うことである。方々に豪荘な邸を持った。ロンドンだけにもいくつかある。そして彼の居るところはいつもお客が雲の如く集った。猟が好きで方々の邸に猟犬の群れがいた。そして猟のために毎週、水曜日と土曜日も休日にしたが、イギリスの議会の休日の制度は彼に負っているといわれる。本妻は大貿易商の娘で、祖父はロンドン市長だった人である。贅沢で浪費家で社交好きであった。彼の妾はアイルランド生れの頭のよい美人で、ウォルポールは週末を彼女のところですごすのが常であった。もっとも本妻の死後は、彼女と正式に結婚し、私生児の娘にも、後に伯爵令嬢の待遇を受ける許可を国王から得てやった。もっともこの待遇事件には国中が憤慨したが、それは彼が首相をしりぞいてからの話である。そして元来は妾であった後妻が死ぬと、ウォルポール自身がガックリきているのだから、本当に愛していたのであろう。ちなみにその私生児だった娘はチャーチル家の一族と結婚している。

こんなことをしながら、ウォルポールは税金を下げた。特に地租を下げた。消費税を合理化しようとしたが、反対が大きいと見るとひっこめた。アメリカに税金をかけるという案にも反対した。「植民地の繁栄と便宜を考えてやることが母国の繁栄になる」というのが彼の考え方である。当時の人は戦争が好きであったが、彼の商業的センスからいえば戦争ほど無駄なことはなかった。彼は自由貿易論者だから、通商に差支えのあることには反対である。

それに彼は人殺しが嫌いだった。好戦論者たちに向って、「去年一年、ヨーロッパ大陸では戦場で五万人が死んでおりますが、イギリス人はその中に一人もおりませんでしたぞ」といって自慢したくらいである。最後には内閣の内外の圧力で、全くしぶしぶとスペインと戦争することになったが、それは全く彼が予測したように困難なことになって、好戦論者も今さらながら彼の洞察に驚くのである。しかし彼は自分だけが反対した戦争の責任を負う羽目になるのだから、首相というのも辛い仕事である。

もう一つウォルポールの特色は、復讐心とか執念深さがなかったことである。例の南海泡沫事件の後でも、前の内閣の要員たちのため彼は徹底的に弁護にまわった。彼はサンダーランド伯を嫌いだったのに弁護してやったのは、まことにフェアな態度というべきであったが、世人は、これを汚職だと批判した。またトーリー党のボリングブロークは、ハノーヴァ王朝に反対したのであるから、政変後は死刑になってもおかしくないところであった。事実、ボリングブロークはそれを怖れて大陸に一時は逃げているのである。しかしそのボリングブロークを自邸に招いているのはウォルポールである。政権が変っても、その政治的責任者の首がとばないという風習はこの頃から確立してくる。

ウォルポールは正義をふり廻さない。彼の関心は国際的平和と国内的繁栄のみである。前の政権担当者の首を斬っても何のたしにもならない。そんなことは政治と正義を取りちがえている人間のやることだと思っていた。そのおかげで、彼が失脚した後も、汚職関係をしらべろ、という声はあったが、ウォルポールを死刑にせよ、などという反対派はどこにもいなかった。平和的政権授受の慣行が、正義を口にすることの嫌いな人間によって確立されたのは、多分に皮肉なことである。かくしてウォルポールは政権を退くと共に、初代オーフォード伯爵に任ぜられて年金四〇〇〇ポンドを与えられ、そのロンドンの邸宅は、依然として千客万来のめでたい状態であった。

5

ドクター・ジョンソンが彼の画期的な『英語辞典』（一七五五）の中で、英語を規制しようという意図をはっきり否定しているのはその影響力からいっても甚だ注目すべき事件であった。彼はスウィフトの主張するように、国立の英語アカデミーを作って英語を整理しようとしたり、統制したりすることは「英国人の自由の精神」(the spirit of English liberty) に反するからといって反対する。そしてスウィフトの論文を「つまらぬ論文」(petty trerty treatise) として一蹴している。そしてフランス人がアカデミーを作ったのは、むしろその国民に自由の精神が不足し、専制君主に支配させておく国柄の故であるといった趣旨のことをのべているのは面白い。つまりスウィフトの頃は国語政策に関してはフランスが手本であり、フランス語やフランス文化が英国のそれより優れていると感じられていたのに、ジョンソンの時代にはもはやそう感じられていないのだ。いな、ジョンソンだって若い頃は英語を固定させることが必要だと考え、アカデミー・フランセーズのような機関を否定はしていなかったのである。

ではスウィフトのような考え方が支配的だった一七一〇年代と、ジョンソンの考え方が支配的になる一七五〇年代以降の間に何かあったのであろうか。もちろんウォルポールの長期金権政治があったのである。そしてこの期間に、イギリス人の対仏劣等感は、対仏優越感に変ったのである。

それではウォルポールは英国人の英語や文化に対する自信を昂揚させるために何をやったのであろうか。もちろん何もやらなかったのである。そのかわり、彼は英国人に平和と、比類なき繁栄の時代を与え、国内政治から復讐性と残忍性をなくしたのであった。外交方針としては自国を拘束するような条約はなるべく結ばない方針を堅持し、大陸の事件には介入せず、フランスとの協調を根幹とした。もちろん英仏が結ばれている限り、当時の英国は全く安泰だったのである。それにウォルポールは、議会の演説においても、国民に対しては計画とか綱領といった調子の高いものを示したことは一度もなく、彼の話し方からは修辞学的要素が脱落していた。

ある人の評によれば、それは常に「会計事務所の会話みたいであった」のである。外交や経済についてすらも計画を嫌ったウォルポールが、英語を統制する計画を立てるための国立アカデミーの案などに耳を傾けるはずはない。かくしてアン女王の時代には設立一歩手前まで行った英語アカデミー案は、ウォルポールの時代には歯牙にもかけられぬ戯言(たわごと)として扱われた。そしてウォルポールがその長い統治をやめた時、イギリスはフランスとその文化に対して劣等感を抱くには、あまりにも富裕に、あまりにも強大になっていたのである。

6

貧乏国が金持な国の文物・制度に劣等感を持ち、その真似をしなければならぬと思いこむことはよくある例だし、それは人間の性(さが)というものかも知れない。明治の頃に欧米を見てその富強に圧倒された日本人の中からは、日本語を廃止して英語にしてしまえ、という主張を抱く文部大臣すら出た。しかもそういう国語廃止論者が、売国奴などではなく、愛国の念に燃えるあまりそう主張していたということが重要な点である。日本語のように厄介で非論理的な言葉を用いているから、能率的で合理的な言語を持つ欧米に負けた、であるから、国語を変えてでも欧米の富強に追いつこうというのであった。愛国の念からくるあせりであったのである。

似たようなことは敗戦後の日本にも起った。アメリカの圧倒的な物量と優秀な機械の前に呆然とした日本人の中には、徹底的な国語改革を説く人が出てきた。日本語のような不便なものを使っていたのではアメリカと競争にならないと考えられたからである。ローマ字論者や、仮名文字論者や漢字制限論者の主張の背景には、森有礼以来の、欧米の富強に対する劣等感がひそんでいたといってよいであろう。

しかし今ではこれらの主張に迫力がなくなった。日本は何しろＧＮＰでは米ソという超大国をのぞけば世界一なのである。今どきＧＮＰを自慢すれば時代錯誤と嗤(わら)われることは百も承知であるが、これが日本人の意識を根柢から変えてしまったことは間違いないことなのだ。戦前のイギリスの富裕を知っている人なら、今の日本がイギリスよりもはるかにＧＮＰが大きく、一人当りの平均収入でも劣らないということを考えると、めくるめくような感慨に襲われるし、それを当然として育った若者たちは、古い世代のようにヨーロッパをあがめはしない。そしてごく軽い気持ちでヨーロッパに遊びにいく。一世代前なら財閥の子弟でもそう簡単にはいけなかったのに。こうした富裕な状況が、日本人の創意と工夫によって産み出された以上、日本人を非能率だとか非合理だとか言って批判したり、日本人はいつまでも貧乏だと嘆いたりして、しかもその原因は非能率で不合理な日本語にあるなどといっても、およそはじまらない話になっている。若い世代は欧米を手本だとは考えなくなっているどころか、英米人の方でももう少し日本語を学ぶべきだと考え始めてきている。

ウォルポールの時代は、正にこの「富裕」に対する自覚がイギリスにおいて澎湃（ほうはい）として自覚的に生じて来た時代であった。何しろヨーロッパの国々は絶えず戦争をしたり、その準備をしたりして莫大な金を使い続けている。その頃の戦争は傭兵を使うから金を喰うことおびただしい。イギリスもウォルポール以前は、イスパニヤ継承戦争などに関係して大陸出兵をやっていたが、ウォルポールは圧倒的に長い間、イギリスに軍事費を使わせなかったのである。その莫大な金はそっくりそのままイギリスの経済的強大さに変形したのだった。

ジョンソンが「フランスの真似などして国立の機関による国語整理などということをやる必要はない」と嘯（うそぶ）くことができたのは、当時のイギリス人の間に何となく滲透してきていた「フランスなにするものぞ、ルイ王朝が何だ」という感情を踏まえた上での話であった。ジョンソンはジョンソン大博士などといわれているが、市井の学者であって大学教授ではない。象牙の塔などに引きこもっていないでロンドンのコーヒー・ハウスで気焔を上げていたのであるから、底から盛り上がるようなロンドン市民の「富裕」の力を感じ、それがまた彼の考え方になったのであろう。彼はトーリー党であって、ホイッグ党のウォルポールとは考え方が違うはずであるが、そんなことは問題でない。とにかくイギリスの富裕はフランスのそれをはるかに越えてきていることは明らかだったのだから、イギリス人たるものは、党派に関係なく、フランスの文物・制度をあこがれなくなったのである。むしろフランスをはじめとする他の諸国の方が、畏敬の念をもってイギリスの文物・制度を研究したいと思いはじめてきたのであった。

イギリスの議会制度は大陸の政治学者たちには羨望すべき驚異となっていたし、そのおかげもあって、ホイッグ党の哲学者ジョン・ロックは全欧的な尊敬を集めていた。フランス人アンドレ・モロワは十八世紀の前半を概括して、「この時代ほどイギリスがヨーロッパにおいて広汎な威信を示したことはかつてなかった」と書いているが、もちろん、この威信の多くは、対外的な威信を示す気などのなかったウォルポールに負うものであった。

「富裕」によってこのような変化の起ることは、われわれも身近に体験していることだ。先にあげた例などもそうだが、「近頃アメリカ式の経営学書がちっとも売れなくなった」という某社の出版部長の言葉にも端的に示されている。それどころか日本式経営の方が、かの権威あるハーバード・ビジネス・スクールの研究テーマになっているそうだ。こういう変化は、「英語アカデミーを作れ」といっていた議論が、気がついてみたら、「フランスみたいなものを作るな」という世論に変っていたのと同じことだといってよかろう。

7

このウォルポールは結局失脚した。理由は簡単である。人間は「平和」と「富裕」を長期にわたってエンジョイすることに慣れていないし、それに飽きるものだからである。イギリス人は富裕からくる自信と、平和からくる退屈の両方を感じ始めていた。その自信を外的に示し、退屈をふっとばす一番いい方法は戦争である。戦争には何しろ「愛国」という錦の御旗がつく時代であったのだから、さすがのウォルポールもこうした愛国者と称する主戦論者を抑えかねたのである。

しかし当時の人がウォルポールに向けた非難の理由は、彼の平和主義でもなければ、経済的繁栄主義でもなく、「腐敗(コラプション)」ということであった。国王ジョージ二世はウォルポールがひどい目にあわないようにと、気だてがよく寛大なバース伯ことウイリアム・パルトニイを後継首班に任じたが、それでもウォルポールの「黒い霧」を追及しようという「正義の士」が出てきた。リメリック卿はウォルポールが政権を担当していた過去二十年間の金脈を洗うことを動議したのである。しかしこの動議は二票差で却下された。すると彼は二週間後に、「過去十年間の金脈を洗え」という動議を再び提出した。今度は動議が七票差をもって通過し、二十一人より成る秘密委員会がウォルポールの過去十年の金脈を洗うことになった。この二十一人のメンバーのうち十九人までがウォルポールの政敵である。弾劾項目の第一は選挙における買収問題であり、第二はジャマイカ植民地開発に関する不正契約問題であり、第三は機密費の着服及び不当流用問題であった。どの一つを取っても重大な嫌疑である。

そしてその調査の結果、第一の点に関しては田舎町の人事問題にすぎなかったことがわかり、第二の点に関しては正当契約であることが明らかにされた。公金着服に関しては全くその証拠がないことがわかった。一番問題になった機密費の不当流用に関しても、ウォルポールが一年に使った金額は約七万九〇〇〇ポンドであり、これはその前の時代よりも少なく、しかも大陸の秘密情報収集については彼の前任者より、はるかに効果的にやっていたのだから、金の使い方がまずかったとはいえない。ただ御用新聞の補助に年間五〇〇〇ポンドを支出していたこと、時に票集めのための現金支出があったことが発見された。しかしウォルポールに必ずしも好意的でない論者も、彼の内閣に組織的な腐敗はなかったことを認めており、それどころか権力の座に長くあった者にしては、最も腐敗の少ない政治家であったというのが現在の定説である。

事実、ウォルポールが死んで見ると、個人的負債は実に四万ポンドにのぼっていた。つまり豪奢とも見えた彼の生活も、本当は戦前の日本の井戸塀代議士の生活みたいなところがあったわけである。しかし腐敗と汚職という評判はウォルポールを首相の座から追うに十分であった。もっとも正式の弾劾の方は、調べてみたら大したことなし、というので打ち切られたのであったが。

ウォルポールが政権を去って見ると、彼が怖れて避けようとしたことが次々に起ってきてイギリス人の胆を冷やした。まずウォルポールの死んだ年には、「われこそはイギリス王朝の正統なり」とチャールズ・エドワードがスコットランドに上陸し、スチュワート家に忠誠なスコットランド高地地方の軍の支持を得て、エディンバラを占領し、そのまま南下してダービーにまで至ったのである。正に南北朝になるところであったが、やっとのことでこれを鎮定することを得たのであった。

一方、海外の情勢もいっぺんにイギリスに悪くなった。ウォルポールの親仏政策が捨てられ、イギリスはフランスと争わねばならなかった。インドではカルカッタのイギリス守備軍が潰滅し、北アメリカで破れ、地中海ではミノルカ島がフランスの手に落ちた。さらに大陸ではイギリス王朝の本家のハノーヴァがフランスに占領されるという工合である。それどころか、フランス軍のイギリス上陸の危険さえ現実の問題となってきた。

イギリスが救われたのは、この時たまたま北ドイツのプロイセンにフリートリッヒという戦争の天才が出てきたからである。

彼は小国ながら信じられぬ程の頑強さをもってフランス、オーストリア、ロシアの三帝国を相手に戦い続けた。

ピットはこのフリートリッヒに金を送ってやることにより、完全にフランスの主勢力を大陸の戦場に釘付けにできることを発見したのである。もちろんフリートリッヒに送られたイギリスからの巨額の金は、ウォルポールの平和時代に蓄積されたものであったことはいうまでもない。

8

歴史が繰返すことはありえぬことだ。しかし歴史のパターンは絶えず繰返される。だからこそ古人も歴史を「鑑（かがみ）」という意味深い言葉で呼んだのであろう。そして最近の日本の政権交替劇を見て、今、私の脳裡に浮ぶのは十八世紀のイギリスのことなのである。

講和条約が発効したのは昭和二十七年である。そして今は昭和四十九年だ。第一次吉田内閣から、超短命であった第二次田中内閣までほぼ二十二年である。その間、政権は一貫して保守党の手にあった（片山社会党内閣はまだ日本が占領下にあった時である）。その間、吉田、鳩山、石橋、岸、池田、佐藤、田中という七人の首相が政権を握っていたが、根本的には同一性格の内閣である。そしてこの政権はほぼウォルポール内閣と同じ期間、同じ政策を取り、同じ評判を得てきた。

つまりこの二十二年間、日本は対米協調にもとづく平和政策と、高度成長政策を二本の柱としてやってきた。そして絶えず腐敗と汚職の評判を取り続けてきた。そして日本の「富裕」は欧米先進諸国を驚かせ、また日本人に「欧米何するものぞ」というような自信を与えはじめてきている。そしてこの平和と繁栄の日本にどうしようもない不満が充満しているのだ。丁度、ウォルポール内閣の末期と同じではないか。

客観的には平和と繁栄そのものであった一七四〇年頃のイギリス人が、どうして政治にあれほど不満を抱いたのか今から見たら不思議なように、後世の人も、現在の日本の青年の不満度が七三・五％と世界最高であることに首をひねるかも知れない。ちなみに社会生活に対する他の国の不満度はアメリカ二五・七％、イギリス二〇・九％、西独三四％、フランス一三・七%、インド一六・二%、フィリピン三四・一%とのことである。日本人の不満度がずばぬけて高いのだ。

そしてこのパーセンテージを、第二次大戦後の戦争回数が日本はゼロであり、兵役適齢者に対する軍人の比率も世界の最低国の一つであり(ソ連の1/7、アメリカの1/6、フランスの1/5、西ドイツの1/4、イタリアの1/4、イギリスの1/3、中国の1/2)、一人当りの国防支出費もアメリカの1/15、ソ連の1/5、イギリスの1/5弱、西ドイツの1/5弱、フランスの1/5弱、イタリアの1/2強にすぎぬことを考え合わせると、感慨無量といったものではないか。正に平和と繁栄の故に不満を起した二百三十五年前のイギリス人とそっくりである。

9

話は少し飛ぶが、今から二十年ほど前、私が留学していたドイツの大学町で日本の浮世絵の展覧会があった。その町の金持でコレクターがいたのである。その展覧会の開催記念講演会があって、ボンから何とかいう教授が来て浮世絵の話をするのを聞きに行った。そのドイツ人の教授は「十八世紀後半に市民社会が存在したのは西欧と日本だけであり、その市民社会がこの美事な浮世絵を産み出したのである」というようなことをいってくれたので、大いに愉快だったことを記憶している。ところで十八世紀後半といわれてもピンとこないので、浮世絵の黄金時代は徳川時代のいつ頃かと思い、自分の宿に帰って調べてみた。そして春信、春章、歌麿などは、すべて田沼時代という、極めて評判の悪い時代に活躍していることを発見した。そして「なるほど、浮世絵みたいな本来淫蕩なものは、腐敗と堕落の時代に、ぼうふらでも湧くように出てくるのだな」

と合点し、そのあたりのことを知らず、無闇に浮世絵を珍重する外人は、わかっちゃいないんだな、とも思った。

ところがそのうち変なことがあったのである。私がその頃もっぱら研究していたのはイギリスやドイツにおけるそれぞれの国の国学史であったが、当然、異国にあってよその国の国学史を研究しておれば、自分の国の国学史も気になる。そして江戸時代の国学研究が、その頃のイギリスやドイツの国学研究にくらべて、意識においても方法においてもむしろ進んでいたことを発見して大いに満足であった。本居宣長が『古事記』を読みほぐしていた頃に、『ベオウルフ』を読めたイギリス人の学者は一人もいなかったのである。

十八世紀にこの古英語最古の文献をはじめて取り扱った古文書学者にウォンリィという人がいるが、まるで読めていないのだ。そこで嬉しくなりながらも、ふと気が付くと、国学は幕府体制にはあまり都合のよくない学問である。では、それがいつ栄えたかをチェックしてみると、浮世絵の栄えた時期と同じなのだ。つまり政治的腐敗の故に、田沼ならぬ泥沼とも呼ばれるあの時なのである。

　これはどうしたことか、と思って少しくわしく見ると、驚いたことには蘭学の金字塔ともいうべき杉田玄白らの『解体新書』や大槻玄沢の『蘭学階梯』が出たのも田沼時代、平賀源内がエレキテルの実験などをやって人を煙に捲いていたのも田沼時代、恋川春町の『金々先生栄華夢』など、いわゆる黄表紙が出はじめたのも田沼時代、川柳こと柄井八右衛門が活躍したのも田沼時代、蜀山人（しょくさんじん）をはじめとして狂歌の隆盛だったのも田沼時代、もっとまじめな所では、塙保己一の『群書類従』が出、心学がひろがり、蕪村が活躍したのも田沼時代である。特に蜀山人は「少年講談」で読んでいたので子供の時から好きな人であった。その講談を通じて私は江戸文化をはじめてのぞいた気がしていたのであり、そしてその時代が好きになっていたのである。その蜀山人の生きていたあの面白い江戸が田沼時代とは気付かないでいたのであった。

　当然新しい疑問が生じてきた。こんなにも江戸文化らしい江戸文化が形成された時期が、どうして腐敗の極に達した泥沼時代などと悪口ばかりいわれるのだろうかと。この時代がそんなに悪い時代なら、次にはどんなすばらしい時代がきたのだろうか。この田沼時代のように見える時代なら、どんなにすばらしい時代になったのか、ちょっと昂奮させるものがあるではないか。そう思って次の時代を見て唖然としたのである。

10

「時艱（ときかん）にして偉人を憶ふ。予（よ）は若（も）し今日の日本に、松平定信ほどの政治家が居たならばと、幾回か追慕し、幾回か嗟嘆（さたん）する……往く所として可ならざるはなく、而（しか）して比較的に功多くして過（あやまち）少き政治家を求めば、何人（なんぴと）も先づ、指を松平定信に屈するの外はあるまい」

と徳富蘇峯は書いた。田沼時代の泥沼的汚職政治を廃して、清潔な政治をほどこした教養ある政治家というのが一般的評価のようである。しかし外国にいて祖国を眺めている日本人としての私には、どうしてもこうした評価が奇妙に思われてならなかった。なるほど松平定信は身分が高い。彼は八代将軍吉宗の孫である。当時第一流の教養人でもある。賄賂政治でない点において清潔な政治家といってよいであろう。国論が乱れすぎるというのでそれを整理しようとしたのは一つの見識であろう。倹約をすすめたのはそれ自体として立派なことである。国防に留意したのもよい。いずれも日本人の好みに合うような政策である。しかし外国に居て母国を見るという視点からすると、日本文化の抑圧者にほかならないように思われた。

　まず彼の氏素姓のよいことであるが、この点に関しては田沼意次はもちろん比較にならない。何しろ彼の父は吉宗がまだ越前にいた頃たった十七石三人扶持だったのだから。しかし身分の高さで人を評価するのはそれこそ時代錯誤的なので、田沼の悪口としては不公平である。ウォルポールだって元来は貴族でなかった。また田沼を無学という批判があるが、それは百八十点以上の著作を残した定信にくらべて学がないだけであって、もちろん彼のような身分の低い者が幕府の中枢の地位に学問なしに昇れるはずはない。ウォルポールも無学という評判であったが、詩人ホープなどをひいきにし、英語のできない国王と数時間にわたってラテン語で料理の話をしているのだからその批評は当らない。田沼もウォルポールも読書人でもなければ著作人でもなく、政治家だったというだけの話である。

　定信の倹約奨励となるとなおさらおかしい。彼が贅沢として非難したことの中には、いろいろ新しい工夫をした品物を作るということがある。創意工夫はいけないというのだ。書物や絵草紙や浮世絵もいけない。高級なお菓子もいけない。女の装身具などに金など使ってはいけない。庶民の女が髪結（かみゆい）を頼んではいけない。髪結を仕事とするものは、着物を縫うとか、もっと役に立つ仕事につかなければならない……という風に際限もなく禁令が続く。

それよりももっと悪質なのは学問の統制である。いわゆる「寛政異学の禁」である。朱子学を正学として、その他の学派の者が藩儒たることを禁じたのだ。しかもこれには大学頭であった錦峯・林信敬ですらも反対であったのである。林家はもとより羅山以来、朱子学を説いてきたわけだが、羅山の学は広大であって、異学を禁ずるようなケチなものではなかった。それどころか、息子の鵞峯に対しては、「若い頃には漢儒を勉強せよ、そして訓詁の基礎ができたら宋儒を読むのがよい」と懇切に教えているのである。信敬が異学を禁ずるのに反対であったのは林家の伝統に忠実であったといってよいであろう。事実、吉宗の頃でも徂徠が大いに用いられていたことはよく知られている通りである。ところが信敬に後を嗣ぐべき子供がなくして死んだところから美濃の岩村城主松平能登守乗蘊の三男熊蔵がその後を継ぐことになった。これが林述斎である。述斎が林家をついだのは林家の意向でなく、将軍家、つまり定信の意志であった。

元来体制の学である儒学の中においてすら異説が禁じられたくらいであるから、戯作者の山東京伝が手鎖五十日の刑に処せられ、その出版元まで罰せられたとしても何もおかしいことはない。もちろん林子平が『海国兵談』でのべた「異国が日本を襲うという可能性がある」などという異見も認容されるはずがない。工藤平助の『赤蝦夷風説考』によって千島やカムチャツカのことやロシア人の動静を知るとすぐに数十名から成る探検隊を出して千島・樺太(からふと)方面を調査せしめた田沼とはまるで反対の発想法なのである。しかし定信は海防を厳重にするのだといって海岸の見廻りをやっているのだからおかしい。

林子平の筆禍問題も定信の国防への関心も識者はみんな知っているのだから矛盾と思われたことであろう。林子平が幽居のうちに死んだその年に、定信の政権が終ったことは何やら因縁めく。どんな理由にせよ、ともかく定信はたった六年間ばかり政権の座にいただけで、三十五歳の働き盛りで退かなければならなくなったのである。何だかんだといわれながら、明和四年、四十九歳で将軍家治の側用人になってから、六十八歳で老中を罷免されるまでの約二十年間、特別に天変地異・飢饉大火の多かった時代を持ちこたえた田沼の政治力とは比較すべくもない。定信の政策のため、世の中は極端に不景気になった上に大量の失業者ができ、言論が不自由で、出世の見込みはなくなり、人世がつまらないものになった。

巷(ちまた)にあふれた失業者たちが喰うに困って無頼の徒となったため、舟手頭の石川大隅守の屋敷の近くにある沼地を一万六千坪ほど埋め立て、「寄場」を作り、失業者を狩り集めてそこで働かせなければならなかった。これが今の石川島のはじまりというが、それは寛政版の強制収容所にほかならない。

何しろ田沼時代には、尾上菊五郎や中村歌右衛門の年俸は五百両、坂東彦三郎や沢村訥升が四百五十両、女形でも岩井紫若は五百両、尾上栄三郎が四百両である。今の物価に換算したら、やはり大俳優、大女優なみの収入であろう。一事が万事で、ここまで来ていた市民生活を、江戸が葦原（あしはら）だった時代にしか通用しないような政策を持ちこんでもダメなことは当然である。簡単にいって定信政権の短命の理由はそこにあった。にもかかわらず、田沼の悪口が多く、定信称賛の声が多く残り、しかも蘇峯のような人までそれに引きずられているのはどうしたわけか。私はまず田沼の悪口をいっている文献を調べて見た。すると悪口の多くが平戸侯松浦静山の『甲子夜話（かっし）』に源を持っていることに気付いた。

しからば松浦静山とは何者ぞ、といえば、田沼に取り入って出世しようとしてしそこねた男である。田沼のやり方としては、有能な人間は、門地や身分におかまいなしにずばずば登用しているのであるから、おそらく田沼は松浦を無能と思って、その希望を容れてやらなかったのである。松浦は歴代の大名、田沼の父はたった六百石。松浦にして見れば「田沼の成上り者めが」と思っていたことであろう。

それに松浦に『甲子夜話』を書くようにすすめたのは、誰あろう例の林述斎である。この本が田沼の悪口で満ちているのは当然のことであろう。それに反して定信は百数十点の自著があり、政治の裏話という形で自己弁護をやっている。『甲子夜話』系統の資料と、定信系の資料を使えば、結論ははじめから明瞭だ。そのことがわからなかったので、外国にいた頃、田沼がけなされ、定信がほめられるのを不思議に思ったのである。

11

定信の「寛政の治」を否定し、田沼時代を肯定したい気持になるのは、もう二つばかりのやや個人的な理由が付く。まず第一に、水野越前守の天保の改革が明らかに定信の真似だからである。

贅沢の禁止、言論・出版・演劇など、すべての文化活動の停止、特に苛酷な言論の弾圧などがそれである。

そしてこの水野の手先となり、町奉行として渡辺登、高野長英、小関三英などの学者たちを死に追いやった鳥井甲斐守は、「寛政異学の禁」の林述斎の次男である。親子ともども言論弾圧に不思議な情熱を持っていた奇妙な例である。

特に鳥井は密偵政治の典型で、このため、西洋のことを知っていた当時の代表的学者たちはほとんど全滅したのである。定信の場合は、彼自身が立派な修養人・教養人であるからまだ救われるところがあったが、定信的政治を、定信の徳なくして行なえばどうなるかのよい手本が、天保の改革であるといってよい。

定信的政治を嫌う第二の理由は、さらに個人的なものである。それは私が小学校の頃、父が警察に呼び出されて、家中の者が心配したことがあった。理由は私の家で売っていた財布に金糸が入っていたので、何とかいう法律に触れるというのである。日華事変の頃に何でもそんな法律があったらしい。

その法律ができる前に仕入れてあったのを売ったので、家の者は警察に呼び出されてから、そんな法律が出ていたことを実感したわけである。

この小さな事件は子供心にもひどく不愉快なものとして感じられた。なお一層悪いことには、そんなことまでして贅沢を禁止した政策の行方は何であったか、といえば、もちろん太平洋戦争であり、原爆であり、敗戦である。

贅沢品を攻撃したり、政治の腐敗を声高に叫ぶ勢力には気を付けろ、と私の個人的体験と、ささやかな歴史的知識はいつも耳もとでささやく。ウォルポール内閣を腐敗しているといって倒したのは、平和に飽きて戦争したくなった連中だった。田沼を腐敗していると弾劾した政権は異学の禁をやった。財閥と結びついている政党政治は腐敗しているといって首相や大臣を暗殺した軍人たちは、国家総動員体制を作り、言論出版等臨時取締令を公布し、「贅沢はやめましょう」といって無茶な戦争に突進していった。もう一つ例を挙げておけば、ヒトラーがワイマール時代に終止符をうつ時も、それを腐敗の時代と規定したはずである。

では軍人内閣は腐敗していなかったか。東条英機自身はワイロを取らなかったであろう。しかし彼にはその必要がなかった。何しろ陸軍には「機密費」という税金から出た厖大なる財源があって、その使途などは一切不明である。杉田有窓子によると、この金は満州事変以前は約二百万円、事変以後は一千万円、日華事変になると数千万円、太平洋戦争の始まる頃にはこの機密費は臨時軍事費となり、正確な金額は不明であるが、二億円ぐらいらしい。太平洋戦争突入前に、今の金でいえば兆の単位になる金が、使途に制限なく会計検査を受けることもなき機密費としてバラまかれていたことになる。

昭和十七年の翼賛選挙には、推薦候補者は一人当り五千円ずつ与えられたというが、これは今の金で二千万円から三千万円に当る。こうして出てきた代議士は、臨時軍事費をもらった代議士ということで、「臨軍代議士」と呼ばれた。もの凄い金権政治である。しかし当時の人は、東条内閣を金権政治と呼ばなかった。個人が着服する分が少なかったからである。しかし金権は金権であり、腐敗の一種であろう。

これを私はかりに組織的腐敗（システマチック・コラプション）と呼ぶことにする。ナチスのやったのもそれである。

ユダヤ人が財産を保持できなくなるような法律を作り、それをナチの上層部が買い叩けるようにした。

これは合法的であり、腐敗とはいわれなかった。

つまりわれわれが「腐敗」といっているのは非組織的腐敗のことである。これを個人的(パーソナル)・腐敗(コラプション)と名付けることにしよう。五・一五事件や二・二六事件などの犠牲になった政治家たちは、それぞれ個人的腐敗のレッテルが貼られていた。しかし死んで見るとたいした財産はなかったようである。個人的腐敗の権化のようにいわれたウォルポールが死後に残したのは、莫大な個人的借金と莫大な国富であったことはすでに見た通りである。田沼は所領も取り上げられ、城もこわされたのだから何も残らない。残ったのはわれわれが今日、江戸文化とか江戸趣味とかいって珍重するものだけであった。

12

「〈個人的〉腐敗という流行語(キャント)がウォルポールを倒したのである」

とエドマンド・バークはいった。

「田沼に対する攻撃の多くは小説(フィクション)であるが、しかし小説(フィクション)は事実(ファクト)よりも有力な武器である」

と竹越與三郎はいった。とにかく〈個人的〉腐敗の呼び声で平和な時代は終わることになっている。後の時代から見ると、その腐敗は大したことはなく、その後に文化と富裕を残した時代が「腐敗の時代だ」という呼び声で終わるのはどうしたことか。それは二十年も平和が続くと飽きられるからだろうと私はいった。ウォルポールも田沼も独立後の自民党内閣もそうだ。勝海舟は人間の評価は十年経つと一変するといったが、平和な政権に人間が我慢できる極限は二十年ぐらいなのかも知れない。

それと同時に、個人的腐敗は甚だしく「嫉妬」を起させ易いものらしいということである。選挙で某候補者が数千万円とか数億とかバラまいたというと、みんな腐敗だといって怒る。それは個人的腐敗だからである。ところが某老女のために、天下の大新聞が好意的な記事を何度も掲げる。社会の公器をこのように特定の個人選挙運動のためにタダで使うのはまごうかたなき腐敗である。しかし人はそれに対して怒らない。何となればそれは組織的腐敗だからである。組織的腐敗は人の嫉妬心を刺戟しないという不思議な性質を持っている。ある大都市の革新市長は仕事の量の大して変らない役所の局長クラスの役付の数を約倍にし、職員の数をも一万五千にも増やしたという。しかし腐敗の声は起らない。厖大な税金がどのように無駄に使われようと、市長の着服分が少なければ問題にならない。組織的腐敗はわれわれに嫉妬を起させにくいのだから。

個人的腐敗よりも組織的腐敗の方が格段に恐ろしいものであることを指摘しているのはパーキンソンぐらいのものであるが、彼の意見を教える大学などはないであろう。大学では組織的腐敗の技術に偉そうな学問の名前をつけて教える。

だから若い者たちは組織的腐敗の技術にしばしば「正義」の名前をつけて理解したりする。陸軍機密費による翼賛選挙をも、当時の日本人の大部分は好意をもって眺め、支持し、政党政治の個人的腐敗をなくす正義だと信じていたのである。

思えばわれわれも随分長い間、個人的腐敗政治の中に生きてきたものである。戦前、細江逸記という英語の先生は、ある田舎の中学にたまたま『オックスフォード大辞典』(十三巻、十万円位)があるのでそこに赴任したという。そういう話を聞いてその向学心に感服したものであったが、

現在、私のゼミナールに出ている大学院の学生の大ていは自分でその大辞典を持っている。世界中で『オックスフォード大辞典』を私有している英文科の学生ばかり集っている国などは日本以外にないであろうが、これこそ、講和条約発効後の個人的腐敗時代の二十年が産み出した富裕と文化なんだと、私は身近に感じる。

しかしどこを振り向いても「政治が腐敗している」という声が聞え、「正義の士」や「正義の婦」の声がますます高くなってきているようだ。昔、子供の時、運動会の騎馬戦で、「邪はそれ正に勝ち難く」という歌を歌ったものだったが、それが耳の奥で鳴る。個人的腐

敗は邪である。正義には勝てないだろう。田沼時代がもう十年続いたらどんなに素晴しかったことだろう、などと空想するのは怪しからんといわれるに違いない。戦前のテロがなく、個人的腐敗の政党政治が続き、国民は正義に鈍感になって大東亜建設などという理想を持たず、欧州の大戦に便乗してしこたまもうけ続けたらよかったのに、などと当時いったらひどい目にあったろう。

しかしどう考えても、あの当時の青年将校に正義感が欠けてさえいてくれたら、政党も財閥も大いに腐敗し続けたろうが、日本は敗戦を知らず、一般の人々も快適に腐敗の生活をおくることが出来、ビルマやフィリピンのジャングルの中で文字通り腐敗して蛆に喰われてしまうということもなかったであろう。

しかし日本人には、田沼を嫌い、定信の登場に喝采し、家斉に飽きて水野忠邦の登場を歓迎し、政党政治を軽蔑して清潔・武断の軍人政治を喜んだという前歴がある。そろそろ正義と情潔、つまり組織的腐敗が優勢になる頃だ。それが時の勢いというものかも知れぬ。しかしあえてここに松平定信時代に出た二つの狂歌を引用しておきたいと思うのである。

白河の（定信は白河城主）清きに魚も棲みかねて元の濁りの田沼恋しき

ゆがんだる杓子は物（者）を掬う（救う）なり直な連木（すりこぎ）の下をつぶする

甲殻類の研究

1

「百人の乳幼児をほぼ理想的に哺育するのに、看護婦は何人ぐらい必要か」

こんな質問を婦長クラスの看護婦さんたちの集りでもち出したことがある。だいたい二十人から三十人は必要だろうということであった。交替要員とか、事務関係とかをいれると、大ざっぱに言って、乳幼児三人を育てるのに、一人の成人が必要ということになる。

なぜこんなことを聞いたか、と言えば、たまたま、公立の保育所の拡充を訴えて当選した女性議員の記事を読んだばかりだったからである。「働く婦人に公立保育所を」というスローガンは成功だったらしい。

このスローガンを読んだ時、私はちょっとひっかかった。というのは「働く婦人」という言葉が怪しげだったからである。「働く婦人」とは何だろうか。「外で働かなければ経済的に家庭維持のできない主婦」というのなら意味は明瞭である。貧しい家庭、不幸な家庭というのがあって、乳幼児がいるのに働きに出なければならない母親があるだろう。そういう人のために公共の保育所を建てよう、というのなら、政治上の主義主張に関係なくよくわかるし賛成できる。

ところが「働く婦人」の中には、単に外で働きたいと思っているにすぎない婦人も含まれているらしい。結婚して子供が生まれたが、仕事は今まで通り続けたいという婦人もいるし、子供が生まれたら家庭に縛りつけられるような気がして、かえって外に出て働きたくなったという婦人もいるだろう。この場合は別に働かなければ喰えないということではない。そういう女性たちが、育児に手間をかけるより、好きな仕事を外でやって、その報酬の中からベビーシッターなり、保育所なりに支払うぶんには、誰も文句を言わない。しかしこういう婦人たちが自分たちのためにも、公立の無料保育所を要求しはじめるならば話は難しくなる。つまり人生観、あるいは政治上の主義主張がからんでくるからである。

三人の乳幼児を手落ちなく育てるには、一人の大人の手がかかる。一般の家庭でも、近頃の母親は、二人か三人ぐらいを育てている。こういう母親が自分の乳幼児は自分の家庭内で育てた方がよいと思うのは一つの人生観である。職業についていた若い女性がしばしば結婚や出産と共に職場をやめるのはそうした人生観のためであって、企業側からの圧力ばかりではない。「大学卒の女子社員はすぐやめるので困る」などと人事担当者がボヤいている記事を時々見かけるが、やめる女子社員にしてみれば、フルタイムの家庭人となり、フルタイムの母親になろうという一つの人生観にもとづいているわけだから、祝福する以外にしようがない。

　これに反して、いつまでもやめない女子従業員についてボヤく人事担当者の声を聞くこともある。結婚しても、出産してもやめないというのである。そのために仕事に身が入らないと言うのなら話は別だが、ちゃんと支障なく、賃金相当の仕事をしている限り、文句を言うのは筋が通らない。家庭にいて子供の世話をした方がよいというのも一つの人生観なら、育児は誰かにあずけてでも仕事をした方がよいというのも一つの人生観だからである。それぞれの個人にまかせておいてよいことだ。

　ところがまかせておけないことが起りうる。それはこうして働き続けている婦人が、「公立の無料保育所を私たちの子供のために作れ」と言い出した時である。家庭で三人の子供を育てている母親は、そのために仕事を続けていたならば当然もらえる収入を犠牲にしている。「育児というのは母親がやるのが一番よいのだ」という主義によるものである。ところが、「子供は国家が育ててくれるべきものだ」という主義の勤労婦人が、無料保育所を要求したとすれば、その保育所において三人の子供につき一人ぐらいの割合でついている保母さんの給料を、別の主義の家庭からも税金で取り立てることになるからである。

　もし貧しい母子家庭のような場合でなくても、主婦が働きに出たいならば公立の保育園か託児所が無料、あるいはそれに近い値段で引き受けることになったらどうなるか。これは一つの主義の強行であり、家庭で育児に専念する母親の家族はひどいワリを喰うことになる。そして一種の経済的制裁を加えられることになってしまう。

一人の母親が育てる子供は三人ぐらいであるし、また保育所で理想的にやるとすると、結局、一人の看護婦あるいは保母が三人ぐらいの赤ん坊を見ることになるから、国家の総体として見た場合、子供の数と、その世話に従事している女性の数はどっちみち変わらない。しかし大いに変わっているのはその背後にある忠想である。外で労働すること、つまり賃金を得る労働は価値があり、内で子供を育てること、つまり給料のない仕事は無価値であるとする思想が、「働く婦人には公立無料保育所を」というスローガンの背後にあるのだ。この思想がもう一歩進むと、「家庭で自分の子供だけを育てている女性はエゴイストだ」という批判になる。スウェーデンではすでにそうした意見が出ていると聞く。社会主義を押し進めればそこまで行かなければウソである。

戦後はよく「揺り籠から墓場まで」というイギリス労働党のスローガンが理想的な社会の姿として唱えられたものである。その「揺り籠」の方を国家にやってもらおうという動きが、日本では「働く婦人に公立保育所を」という運動になっているわけだ。それどころか近頃では「離婚した母子のために公立アパートを」という運動もあるらしい。もちろん「墓場」に近い方では、老人対策が積極的に進められている。

老齢年金もこの割で増えてゆくと間もなくスウェーデンを追いこすことになるということを最近その方の専門家から聞いた。日本も間違いなく「揺り籠から墓場まで」国家が面倒みてくれることになるらしい。

今までならばこういうことはすべて「家庭」がそれぞれの責任においてやっていたことである。家庭の手に余るところは親戚が受けもった。

家庭も親戚もない時にはじめて「お上（かみ）」が手助けをする建前だった。ところが現在は、家庭や親戚ではなく、すべて国家に面倒みてもらおうという方向に進んで行こうとしているように見える。

それが福祉国家であり、社会主義の理念なのではないだろうか。

「揺り籠から墓場まで、何でもかんでも国家をあてにするという主義は、文字通り国家主義だな」と語呂合わせした途端に、私はムッソリーニが大正十五年の十月二十八日に行った有名な演説の一節を思い出したのである。

「国家の内にすべてがあり、国家の外に何ものもなく、国家に逆らっては何ものもない」

(Tutto nello stato, niente al di fuori dello stato, nulla contro lo stato)

2

社会主義とは結局は国家主義と同じものである。というのは普通の場合、社会と国家は同じものと理解されるからである。

社会福祉は国家福祉である。国家が予算を出し、公務員がその政策を実行するのだから。同じように社会保障は国家保障である。保障してくれるのは漠然とした社会でなく、立法措置をとり、それを行政に移す国家である。従ってムッソリーニの言葉も次のように言い換えることが可能であろう。

「社会の内にすべてがあり、社会の外に何ものもなく、社会に逆らっては何ものもない」と。

「国家」と言うと固く厳めしく聞こえるが、「社会」と言うと柔かく優しく聞こえるから奇妙だ。しかし実質は同じことである。

ファシズムといい、ソーシャリズムといい、コミュニズムといっても、それらはいずれも同類なのである。それはちょうどカニ、エビ、ザリガニといったさまざまの種の差こそあれ、いずれも甲殻類と呼ばれるのと同じである。

この場合の甲殻類に当る共通点は「全体主義（トータリタリアニズム）」ということである。全体（国家と呼ぼうと社会と呼ぼうと）を個人あるいは家庭に対して圧倒的、絶対的に優位に立たせる思想である。

この全体優位思想を最もよく示しているのがファシズムという言葉それ自体である。ファシズムのもとになったイタリア語ファッショは木の枝などを集めた「たば」のことであった。マケドニア、ギリシャ語でバスキオイというのもやはり木の枝などを集めた「たば」のことで、語頭のF音とB音の違いがあるだけだ。この「木のたば」は当然、「団結したもの」を意味するようになった。日本語で言えば「党」とでも「組合」とでも「同盟」とでも訳せるであろう。

イタリアではムッソリーニがファシズムの党を結成するより二十年以上も前から、シシリー島では、社会主義者（共産主義）が町の労働者や村の小作人を煽動して作ったグループをファッシと呼んでいた。

ファッシが最初、シシリー島のマルキストの集団を指すのに用いられたことは興味深い。一方ドイツでは、第一次大戦後に極左集団としてシュパルタクス同盟（ブント）が生じたが、この場合のブントは英語のバンドル（bundle）と同じく「たばねたもの」であり、語源的には英語のバインド（bind）、つまり「結ぶ」と連なっている。そう言えば日本の過激派学生のグループに「ブント」と言うのがあった。

この単語が示すように、ファッショの特色は団結である。だから私は団結をあまり強調する集団を見るとファッショを思い出す。「団結」と書いてある鉢巻をしめ、スクラムを組んでワッショイ、ワッショイやっている光景を前にすると、その「ワッショイ、ワッショイ」が「ファッショ、ファッショ」と聞こえてくるのだ。

言葉を詮索すると、ヒトラーのナチも社会主義である。ナチズムもファシズムと一般に分類されているが、名詮自性(みょうせんじしょう)、ナツィオナル・ゾツィアリスムスが短縮してナチになったものであり、正式の名称は「国家社会主義労働者党(ナツィオナール・ゾツィアリステッシュ・ドイッチェ・アルバイター・パルタイ)」というのである。つまりは社会主義の一種であることを旗印にしているのだ。私もナチスがなぜあれだけドイツ人の支持を得たかを垣間見(かいま)たような気がしたことがある。

それは今から二十年前、つまり戦後十年経ったばかりの頃で、ヒトラーとナチに対して何らの同情論も再評価論もなく、いわんやヒトラー・ブームなどは夢想もされない頃のことであった。

恩師の妹さんの招待を受けて、夏休みの一カ月ばかりをそこの家庭で過した時の話である。この方の主人というのは停年退職した官吏で、先妻の子供が三人いた。そのうちの長男は私よりも十年ぐらい年上で、戦前は工員をしていたが、召集されて西部戦線に出、そこで捕虜になったという経歴の持ち主であった。名前をかりにフリッツとしておこう。このフリッツはギムナジウム（旧制中学か旧制専門学校ぐらいに当る）を出ておらず、職業学校（ヴェルク・シューレ）から工場に入ったので、平均的なドイツ人の工場労働者である。その彼が夕食後にビールなどを飲んで歓談している時など、時々、ヒトラー礼賛をやるのだ。彼の義母は敬虔なカトリックだからそれを非難するような発言をする。しかし、父親の御主人の方は「ヒトラーのことはまあ、やめろ」とは言うが、フリッツの発言内容を否定しているようではなかった。

　フリッツは労働者であるから雄弁ではない。彼がビールに酔うと言い出すことは、「何と言ったって、ヒトラーのおかげで労働者の生活はよくなったんだ」ということに尽きるのである。これはおれが体験したことであるから誰が何と言ったってそうだ、という調子なのであった。

　それについても思い合わされることは、ドイツ参謀本部（大戦後名称は変わった）があれほどヒトラーの政策に反対しながらも、結局は最後まで引きずられてしまったいきさつである。そこに理由はいろいろあるが、兵士たちのヒトラーに対する信頼が揺がなかったために、高級将校だけではどんな正論を吐いても浮き上ってしまうということが見のがしえぬ点である。参謀本部の首脳部たちは、第一次大戦末期における兵士クラスの士気低下でまいった経験を持っていた。しかし第二次大戦においては、ぎりぎりのところまで兵士の間にヒトラー不信がめばえなかった。

この辺の事情は、趣味でドイツ参謀本部の歴史を調べていた頃、特に私の注意をひいたことであった。兵士の多くは労働者階級の出身である。彼らはヒトラーの治下において、自分たちの父親や、自分たち自身の労働条件が著しく改善されたことを体験していたと思われる。インテリならいろいろの本などで読んで雑音がはいるけれども、労働者にとっては体験がすべてであって、それはすぐ素朴な信念に連なる。ヒトラーのおかげで労働者の生活がよくなった。ヒトラーはわれわれの味方であり救世主だ、と思いこんだドイツ人が少なくなかったのであろう。ユダヤ人の粛清は一般の労働者には余り関心がなかったことであったと思う。

考えてみると文化大革命も似たような要素があったのではなかろうか。羅瑞卿とか言う参謀総長が首から札をぶら下げて引き廻されている写真を見た記憶があるが、軍の首脳でも一般国民の信頼という点では毛沢東にかなわない。紅衛兵たちは自分の父母が貧しかったことを知っていたのであろう。とにかくみんなが喰える社会にしてくれたのは偉大なる毛沢東主席なのである。軍の首脳などというテクノクラート的なものは国民の信頼とは関係がない。ヒトラーとドイツ参謀本部との関係を、毛沢東と軍部の間にもあったように見られるし、国民一般との関係も同じ図式にまとめられそうである。紅衛兵の暴力も、ムッソリーニのファシストの用いたテクニックではないか。

3

ドイツのナチは「国家社会主義」であったが、戦前の日本の右翼理論の柱であった北一輝は、自己の社会主義理論を『国体論及び純正社会主義』という本に先ず結晶させた。佐渡島から出京して早稲田大学に聴講生として学んだ北輝次郎（一輝）が、夜を日に継いで読み耽ったのは社会主義理論の翻訳書であった。

そしてわずか二十三歳の時に、『国体論及び純正社会主義』を書き上げたわけであるが、それを読んだ当時の学者や社会主義者は、北の純正社会主義をマルクス主義と思ったらしいのである。福田徳三や堺利彦たちも、北の主張を極左理論として受け取った。河上肇も感動して北の病床を見舞うのである。また矢野竜渓はこれを幸徳秋水が偽名で出したものであろうと推論さえする。

北が自分の社会主義に「純正」という名前を冠したのは、別に「右翼」という意味ではなく「空論ではない実践可能な本物の」という意味だったようである。後に北は『日本改造法案大綱』を書くが、これは具体的な革命論であって皇道派の青年将校のバイブルになった。二・二六事件はこの本を下敷きにして起ったと言ってよく、北も直接行動には参加しなかったが、責任を問われて死刑にされたのである。われわれは銘記しておく必要がある、二・二六事件という日本の悲劇のもとが純正社会主義によって起ったことを。またドイツではヒトラーの国家社会主義によって、ロシアではレーニンのマルクス社会主義によって、イタリアではムッソリーニの国粋社会主義によって国家改造がなされたものであることを。

社会主義というのは極めて容易に正義感と結び付く思想である。北一輝にかぶれた青年将校ならずとも、職業軍人、特に陸軍将校が、社会主義的思考にひかれていたのもよくわかる。石原莞爾将軍は私の郷里出身の軍人であったから、その逸話はいろいろ聞かされていたが、特に田舎の人を感激させた話は次のようなものであった。

入営の日に雨が降ってきた。担当の若い将校はその雨の中で点呼（てんこ）を取り続けていた。その時、石原将軍がやってきて、「馬鹿！　その紋付きは借り物だぞ」とその将校を叱りとばしたというのである。

この話は今の読者には解説が必要であろう。

徴兵制時代のことである。農村の若者は兵隊になるために連隊のあるところに出かける。しかし貧しい農家の若者には着る物がないのだ。しかし兵隊になるのは男子一生の「晴（はれ）」（非日常的）の場と考えられていたから、「褻（け）」（日常的）の着物を着て行くわけにはいかない。そこで村長さんとか、本家とかに行って紋付きを貸してもらうのである。その借り物の紋付きが雨に降られては、その若い貧農があとで返す時にひどく困るだろうというのが石原将軍の洞察であった。当時の東北の農村の貧しさをよく知っていたのである。こういう貧農の子弟を兵士として指揮する立場にあった若い将校たちは、当然のことながら社会あるいは国家の不正義をそこに嗅ぎ取った。「どうして自分たちの部下の家は同じ陛下の赤子（せきし）であるのにこれほど貧しいのか」という疑問に対して、社会主義は十分なる解答を与えてくれるように思われたのである。

石原将軍の満州国の構想には、いろいろの軍事的理由があったに違いないが、一つには、農村の次男、三男坊の救済という意味が含められていたと考えられる。日本の貧民の救済のみならず、朝鮮の貧民の救済の意味も含められていたのであって、満州事変以後は、朝鮮内の反日気分も急に静まったという説を聞いたことがある。

ヒトラーの国家社会主義は生存空間（レーベンス・ラウム）を要求したが、満州国は、日本の純正社会主義の生存空間の要求だったように見える。

4

戦前の日本の革命的行動の場合、「貧農」という要素をどうしても考慮に入れなければならない。

五・一五事件の場合は、計画性が貧弱であり、首謀者のイズムも素朴であった。しかし彼らには団結(ファッショ)があり、革命への激しい意志があった。橘孝三郎の影響が強かったが、橘は元来は社会の現状に不満をおぼえ、マルクス主義にひかれていた人物である。後にトルストイの考えにひかれて農本主義になったが、農本主義はしばしば国家主義に結び付きやすいことは、イタリアのファシスト政権が、ファシズムは農業に対して国民経済の第一の地位を与えるという声明を出していることからも推測がつく。

ムッソリーニ自身、一九二四年の演説で次のようにのべている。

「イタリアの富、国民の安定とその将来は、私の意見によると、イタリア農業の将来に緊密に結び付けられている。この理由から、私はイタリア人、社会問題に関心を持つすべての人、今までの、また将来の立法者が、イタリア農業に関する事項を、最優先にして考慮されることを欲する」と。

橘らの同志が聞いたら躍り上って喜びそうな意見である。資本主義が農村を荒廃させた元凶であり、これを革命的手段によってひっくりかえすことこそ国家（社会）のためになる、というのがその確信であったからである。五・一五事件の参加者に農民出身の軍人及び貧窮農民の子弟が多かったのはこの理由である。そして彼らは何をやったか。選挙によって選ばれた政党の代表者である犬養首相を殺したのである。首相は「話せばわかる」と言ったそうだが、相手は話してもわからぬほど、自分の行動の正義を確信していた連中であった。それから政友会本部を襲った。

治安の中心の警視庁を襲った。資本主義の牙城である日本銀行を襲った。また三菱銀行などもその襲撃目標に入っていたという。また農民決死隊は東京各地の変電所を襲ったが、ここにも、明るい近代のシンボルとしての電気に向けられた農民の暗い怨念が現われているような気がする。

五・一五事件を近頃の現代史家がどのように評価しているか知らない。しかし最も効果的なファシズム的攻撃であったことは確かである。何しろ犬養首相が殺されてから、日本には政党出身の首相がなくなってしまったのだから。多数党をバックにした首相が再び日本に出現するためには、日本は二個の原爆を含む空襲と、二百万を越えるといわれる戦死者を代償として支払わなければならなかったのである。

この五・一五事件の首謀者に対する裁判こそがファシズムに対して、日本人の心情がいかに弱いかを如実に示すことになったのであった。

この事件の首謀者が海軍軍人だったところから、海軍兵学校の同窓生その他から猛烈な助命運動が出、「世論」もまたこれに唱和したのである。山本検察官の法廷における求刑は、当然のことながら死刑であった。

海軍刑法が叛乱罪の首謀者、特に首相を殺した首謀者に対して死刑以外の判決を与えることはどう考えてもありえぬことである。

また裁判官に意見を求められた東郷元帥は、「動機の如何を問わず、法の命ずる所に従って厳罰にすべし」という答えを与えたという。しかし海軍刑法の明文も、国民の偶像崇拝を受けていた東郷元帥も「世論」に敗れたのである。首相殺しの軍人たちは、恩赦などもあって、数年後にはみんなシャバに出てきたのだからただただ恐れ入るより仕方がない。

では海軍刑法と東郷元帥を束(たば)にした「正論」よりも強かった「世論」の論拠は何であったか、と言えば「動機の純粋さ」ということであった。その動機というのは革命的手段による社会的正義の恢復なのである。「貧農が存在するのは何が何でもよくない」という発想の前に、法治国家はすっとんでしまった。

首相を殺しても純粋な動機さえ持っておれば数年の服役でよい、となればわれもわれもと「純粋屋」が出てくるのは理の当然である。二・二六事件はその当然すぎる結果であったことはみんなが知っている。

5

この五・一五事件の首謀者の三上卓が作詞・作曲した「青年日本の歌」というのがある。戦前は中学生などもよく知っていたものであった。

汨羅(べきら)の淵に波騒ぎ
巫山(ふざん)の雲は乱れ飛ぶ
混濁の世に我れ立てば
義憤に燃えて血潮湧く

この「混濁の世」というのは「貧農のある世」であり、「義憤」とは自分の感情は正義にもとづいていると確信していることで、その正義感から血が騒ぐというのである。第二連の、

権門上(けんもんかみ)に傲(おご)れども
国を憂うる誠なし

財閥富を誇れども
社稷を思う心なし

というのは上層階級への嫉妬と怨念である。国家（社会）のことを心配しているのは自分たちだけだという自信と傲りがある。当時の指導者層（権門）が国を憂えないなどということはなかった。それどころか張作霖爆死事件などを起して国に迷惑をかけていたのは若い軍人だったのではないか。財閥も世界的不況の中で何とか貿易を伸ばし、まだ脆弱な日本の産業を守ろうとしていたわけである。三上らの学んだ海軍兵学校を維持し、また青年将校の給料を払う税金の多くはそこから支払われていたし、何よりも軍備の自足自給ができるようになったのは正にその財閥に負う所が少なくなかった。財界人はいくら国を憂えると言っても泥田の中に入って働くわけにはいかぬ。しかし泥田の中で働く貧農から見ると、背広を着た商社員はすべて同胞に対する裏切者のように思えたのだろう。
三上の歌はこのような調子で蜿蜒と十連も続く。その最終連は次のようなものである。

やめよ離騒の一悲曲
悲歌慷慨の日は去りぬ

われらが剣　今こそは
廓清（かくせい）の血に躍るかな

「廓清の血」といっているのは暴力革命のことである。

この「汨羅の淵」からはじまって「離騒」に終る五・一五事件の序曲となったこの「青年日本の歌」は、明示的（エクシプリシットリ）に屈原の楚辞からその霊感を得ていることを示している。

田中角栄前首相が、毛沢東主席を訪問した時に朱子の「楚辞集註」を贈られたことがジャーナリズムで騒がれる以前は、楚辞はそれほど有名な本ではなかった。青年将校三上卓が紀元前三百年頃のシナの古典を読んで革命のヒントを得たとは思われない。おそらく浅見絅斎（けいさい）の『靖献遺言』を読んだものであろう。この本の第一巻が屈原を扱った「離騒懐沙賦」である。

三上はこの原本を読んだわけではなく、おそらく舞田敦あたりの釈義を読んだのだろうと私はひそかに推測している。ここに屈原は不遇な内政一新論者として描かれているのだが、絅斎の筆力のおかげで、屈原の原文を読んだだけでは出てこない革命のエネルギーを読者に与えるものらしいのである。明治維新の志士たちは現在のマルキスト革命論者が「共産党宣言」でも読むような熱っぽさでこれを読み、昭和維新を夢みた三上も同じ熱っぽさでこれを読んで、一挙に実行に出たものであろう。

浅見絅斎は過激派儒者の山崎闇斎に学び、その過激さにおいて師を凌いだ。彼の高弟の一人は師を評してこう言っている。「孔子は『心ノ欲スル所ニ従ッテ矩ヲ踰エズ』といわれたが、わが浅見先生は、『心ノ欲スル所ニ従ッテ矩ヲ踰ユ』であった」と。

彼の『靖献遺言』で感奮せしめられた三上らは「矩ヲ踰エタ」のであった。「矩」とは言うまでもなく法治国家の法である。そして五・一五事件の参加者たちは、革命の捨て石になることで満足し、その後の政権のプログラムなど持ち合わせていなかった。とにかく破壊すれば足りたのである。これが「純粋」と言われた理由ともなったが、この種の「純粋さ」は戦後の極左系の学生によく見られたことである。

第一次安保騒動の頃も「純粋な学生をおこらせた岸内閣が悪い」などと当時の東大総長が言っていたし、十年後の大学紛争があれほど大きくなったのも、「学生側は純粋」という迷信があったため、教授会のまとまりが悪かった大学が多かったことと、当時のジャーナリズムも、五・一五事件の「世論」と同じ筆法だったことによる。有識者の中には、ひたすら破壊を急ぐ学生たちに向って、「破壊してその後のことはどうするつもりなのか」と聞いた人たちもいた。過激派学生たちは、「まず破壊してみるのだ」と答えた。

五・一五のグループから軍部という要因を引いたものだけであることが明らかであろう。「貧農がある以上、何が何でも現体制は悪い」と言われると、戦前の人たちは口をつぐむよりほか仕方がなかった。

戦後はその時々、あるいは各セクトによって、それぞれ「貧農」のところが「安保」だったり、「資本家」だったり、「ヴェトナム戦争」だったり、「差別」だったり、「女性」だったりしているわけである。考え方の根柢は少しも変わっていないのだ。前に引用した三上の歌の単語を二カ所ばかり、同意語で置きかえると今でもそのまま通用する。

体制（権門）上に傲れども
国を憂うる誠なし
財閥富を誇れども
社会（社稷）を思う心なし

そして心情的には浅見絅斎に連なって、おのれの心の欲する所に従って矩(のり)を踰(こ)えることを意に介さない。そしてスクラムを組んで団結(ファッショ)、団結(ファッショ)と叫んでいる。

このように戦前の右翼過激派と戦後の左翼過激派を同じファシズムというカテゴリーに入

れることに対して疑念を持たれる方もおられるであろう。しかし私は最近、そうしてもよいという確証みたいなものを一つ得た。それは今、内ゲバをやり合っているセクトの一方が、他方のことを「右翼」と呼び、「ファシスト」と呼んでいるタテカンを見かけたからである。

普通は極左と見なされているグループが、お互に「右翼ファシスト」と呼び合っているとすれば、やはり彼らはファシストなのである。日本語には「本人（当事者）が言うんだから間違いない」という慣用句があるではないか。

6

戦前の右翼もファシスト、戦後の極左もファシストとすると、これと敵対したのが社会主義、あるいは共産主義ということになる。ムッソリーニも最初は社会党だったが、結局はマルクス主義的社会党を敵とする側にまわった。ヒトラーは共産党をユダヤ人同様、根こそぎやっつけた。日本でも軍部ファシズムは共産党を徹底的に弾圧した。このように見ると、まことにファシズムと共産党、あるいはマルクシズムとは不倶戴天（ふぐたいてん）の仇（かたき）同士のように思われる。この前の戦争はファシズム側、つまり日独伊の枢軸（すうじく）側の敗戦で終り、敗者の側はニュールンベルク及び東京の軍事法廷で裁かれ、人類の敵、戦争の責任者として烙印を押された。

争っていた片方が決定的に悪玉とされれば、それと激しく争っていた側は自動的に善玉とされる。マルクス主義者は「それ見たことか」と喜び、投獄された体験は功一級の金鵄勲章に匹敵した。それ以外の日本人は、特にインテリの多くは、転向しなかったマルキストに劣等感を覚えた。ファシスト的日本の滅亡を予言し、その信念をまげなかったのは共産党のみ、と言われると一言もない風情の人が少なくないようである。

ところが敗戦の年にまだ田舎の中学三年生だった私は戦前の思想状況には少しも関係ない。右翼のことも左翼のことも、戦後になってから本を読んで知ったのである。そして戦後のマルキストの主張していることはおかしいと思っている。その第一の理由は、戦前戦中の日本の体制がファシストのそれであったとしても、日本が敗れたのはソ連軍からでも中共軍からでもなかったということである。アメリカに、そしてアメリカのみにやられたのである。ミドウェイの敗戦までの日本軍の精強さを思い給え。万を数えるゼロ戦や大和・武蔵以下の大艦隊、それに降伏を知らぬ百万の陸軍をアメリカ以外、当時世界のどの国が破りえたであろうか。ソ連の参戦は原爆が落ちてからの話であり、中共軍も局地的に装備不良の守備軍と戦っていたにすぎない。日本のファシズムより強かったのは、資本主義・自由主義の国アメリカであって、決してマルクシズムの国でなかった。

同じことはドイツやイタリアにもあてはまる。西部戦線やアメリカ軍の空襲のないドイツ軍が全力をあげてモスクワに進軍する様子を想像して見ればわかる。

重ねて言うが、ファシズムを倒したのはアメリカなのである。だからファシズムの国家も、アメリカと戦わなかった国は生き残った。フランコのスペインである。あれだけの大戦にまきこまれなかったファシズムもあったのだ。

ムッソリーニのイタリアでも参戦さえしなかったらフランコのスペインなみ、あるいはそれ以上の良好な状態で推移したであろうという観測は荒唐無稽（こうとうむけい）ではないと思う。ファシズムの国が必ずしも好戦国でないことはスペインがよい例である。

第二にマルキストが戦前戦中に投獄されていたことが、今の人々が考えるほど勲章になりうるか否か、ということである。私の近親に戦時中マルクシズムの容疑で二年数カ月間、獄中にいた男がいる。これは完全な冤罪（えんざい）であったのだが、私は彼の獄中の心境に関心があり、いろいろ訊ねたことがあった。その答は、いわゆる思想弾圧を受けた人の獄中記物とはまるで違っていた。

まず「警察はともかく天皇の名の下で行われる裁判が不正でありうるはずがないから冤罪は必ず晴れる」という確信を最後まで持ち続け、結果的にはそうなったことである。もう一つは、獄中にあろうとなかろうと、当時の壮丁は徴兵されたわけであって、陸軍の内務班にくらべて、獄中生活がはるかに悪いということはないことが意識のどこかにあったので、我慢しやすかったという。たとえば鈴木信太郎博士は福岡孝成という教え子について次のように語っておられる。

「卒業するとすぐ兵隊に取られて、満洲事変から支那事変と、七、八年戦争して歩いて、最後にウエワクとかで死んでしまった正義派の純真な青年……」（『全集』第五巻・二八〇ページ）

まことにかわいそうな話である。しかしこのような例は万をもって数えるほどあるのだ。南溟（なんめい）に、またビルマやフィリピンのジャングルに、また大陸の黄土に、またシベリアの凍土に、普通の日本男子は累々と白骨を曝したのである。その間に思想犯は国内に留まっていた。そしてフィリピンあたりに派遣された兵士よりも食い物がよかったことは、戦後、マッカーサーによって自由を与えられると、元気で出てきたことからもわかる。もちろん思想を堅持して投獄されても転向しなかったことは一つの価値でありうる。しかし昭和十二年以来の八年間は、日本の男にとって獄中はもっとも安全地帯であったことも確かである。私の親類の者も、独房の中で読書して出てきた。兵隊になったら絶対与えられぬ自由だったのである。

第三にイタリアにおけるファシストとの抗争や、ドイツにおけるナチスとの抗争があったことは、マルクシズムがナチスやファッショの対蹠点にあったからではなくして、むしろ近親憎悪だったのではないか、という視点の方が戦後三十年も経つと、より真実に近かったように思われてくるのである。この視点を提供してくれたのは、ほかならぬ代々木系と反代々木系の対立である。われわれから見ると、どちらもマルクス主義者の間での本家争いである。スターリンとトロツキーとどちらがマルクスの考えに近いか、などということは、マルクスに生き返ってもらわなければ決着がつくまい。だから実力で争うことになるのだろう。そのうち反代々木系の中でもお互に内ゲバをやり合っているので、なるほど社会主義は闘争の原理なんだなと納得させられる。内ゲバをやり合い、殺すほど相手を憎しみ合っているセクトの、どちら側の主張が天国にいるマルクスの——と言っても彼は唯物論者だったはずだから、彼の信念に従えば死後はどこにも存在しないことになるのだが——意にかなうのか、われわれ局外者にはちっともわからない。

ナチスと共産党の争いはワイマール共和国での大がかりな内ゲバであった。ここでもう一度本誌先号（「歴史と『血の論理』」参照）で用いた比喩を持ち出させてもらうと、それは二種類の甲殻類の闘争であったと思われる。池の中に蟹（かに）とザリガニと鮒（ふな）とを入れてみたまえ。そしてしばらく餌をやらずにおいてみたまえ。先ずザリガニと蟹が争って蟹が喰われるのである。蟹にもいろいろな種類があるからザリガニより強い種類もいるだろうが、田舎にいた頃、私が飼ってみたその辺でつかまえた蟹は、先ず最初にザリガニに喰われて消えてしまった。この意味でザリガニの方が強い。私はザリガニをファシズムに擬し、蟹を共産主義に擬してみたい。第一次大戦後のヨーロッパの諸国のうち、ファシズムと共産主義が争ったところを見るがよい。ドイツでもイタリアでもスペインでも、必ずファシストが勝っており、共産党が喰い殺されているのである。日本も同じパタンであったと考えてよい。同じ甲殻類（社会主義）でも右翼（縦動き）の社会主義であるファシズムが、左翼（横動き）の社会主義よりも強いのだ。

共産主義がロシアで覇権を確立したのは、そこにザリガニがいなかったからである。鮒や雑魚（ざこ）ばかりの所での蟹の王国であった。雑魚は怖いことはない。蟹の王国で怖いのは別の蟹である。大蟹であるスターリンは、自分に危険になりそうな中蟹を片っ端から喰い殺した。蟹による蟹の共喰いのことを政治用語では「粛清」という。その蟹の生き残りのうち、比較的大きいのが共存している現在の状況を政治学者は「トロイカ方式」と名付けるが、文学者は「三匹の蟹」と言うのである。

7

北一輝の「純正社会主義」はしばしば「国家」と「社会」を混同しているとして批判されている。私は前に「国家」と「社会」は結局同じものであると言ったが、それは「結局同じ」なのであって、マルキストとファシストが闘争していた最初の段階においては、かなり明確に区別しうるようである。ここでも例の二種類の甲殻類の比喩をそのまま延長してよい。つまりファシスト・ザリガニは「縦這い」であり、マルキスト・蟹は「横這い」なのである。「縦這い」とは、国家のワクを解消することなく、そこで全体のための社会改造をやることであって、全体の中での階級の調和を説くけれども、その解消を説かない。だいたいファシズムの国家観は多かれ少なかれ国家を一個の有機体と見る国家有機体説なのであるから、有機体の内部において、当然、頭脳の部分になるものも手足の部分になるものもあるとする。

ただ手足が不当にいやしめられたり、傷ついたりしては有機体の存在が危くなるから、権威をもって保護するのである。ファシストの社会主義は国家の中で上下の和を考えるのであるから、発想は「縦這い」と言ってよかろう。

これに対してマルキストの社会主義は、先ず国家の消滅を説き、プロレタリアの国境を越えた横の連帯を説く。つまり発想は「横這い」なのである。マルキストの国家消滅論は私のつたない言葉によるよりも、先号の本誌（『諸君！』一九七六年一月号「日本人と国家」で田中美知太郎先生が的確に要約なされたものを引用させていただく方が読者のためにもわかり易いであろう。

「マルクス主義の階級的世界観というものは、結局現在の国家というものは、ブルジョアの財産を守るために存在しているものである。そして現在の社会というのは、ブルジョアとプロレタリアに分れている。資本家と労働者の違いはどこにあるかというと、生産手段というものを占有しているかどうかによって資本家と労働者は区別されるのだという。現在の国家というものは、その階級分裂を維持するため、一般の貧しい労働者を圧迫するために存在しており、そのために警察というものがある。だから、ひとたび社会主義革命が起って生産手段が公有に移されれば、階級分裂はなくなるから、その結果として階級圧迫の道具としての国家も消滅する——こういうことを考えるわけです」

　これによって蟹の横這い理論の本質は明白であろう。なぜファシストがマルクシズムをあのように徹底的に憎んだか、と言えば、それは国家を否定し、それを解体することを先ず第一の目的としていたからである。国家を解体しないでやる社会主義革命をファシズムと言ってよいであろう。

　したがってザリガニと蟹はやはり違うものだったのである。ところが自然の沼地の法則とは反対に、人手（アメリカ）が加わったために、凶暴なザリガニ国家はイベリア半島を除いて姿を消し、蟹国家が残った。そして残った蟹の方は、自分を助けてくれた人手のあったことを忘れて、ザリガニが自分たちよりも劣悪な体制であるが故に蟹によって滅ぼされたかのように言っているのである。たしかに蟹理論が国境を越えて横に這ってきたことは、近代史のめざましい現象である。

今も丁度、田中清玄氏の「清玄血風録＝赤色太平記」（『現代』一九七六年新年号）を読んだところだが、シベリアから千島や北海道、そして本州へと、モスクワから横に這って来た蟹の様子がよくわかる。日本人にも蟹になった人が多くあったが、シベリアに行った日本蟹は、たいてい後に大蟹に喰われてしまったようである。

8

ザリガニと蟹がそのように違うものであれば、世の中に「蟹好き」が存在する理由もよくわかる。ところがこの蟹が進化のコースを変えたのであった。進化のコースを変えた蟹が何になったか、と言えば化物ザリガニになったのである。

ここで進化論を出すのも場違いではないと思う。というのはナチズムのバイブルである『わが闘争』は通俗ダーウィニズムが発想の土台をなしていると言ってもよい。一般にヒトラーの考え方には、生物学的類比が多いのであるが、それは単なる生物学でなく生物進化論である。また一方、スターリニズムとルイセンコ学説との関係から見てもわかるように、共産主義国は大いに進化論的発想にもとづいている。マルクシズム史観も、ダーウィニズムと重ならなければ、このように普及することは決してなかったであろう。ザリガニ国も蟹国も進化論の法則にのっとっている国だから進化論的説明にまことによくなじむ。

それまでプロレタリア独裁という横這い主義で行こうとしていたロシアに進化論的変異が起き、それが顕著になったのは、ヒトラーの攻撃を受けてからである。スターリングラードの戦いの後に、コミンテルンを解散したのはその一つと言ってよいが、もっと面白いのは、スモレンスク公ミハイル・イラリオノヴィッチ・クツゾフに対する態度である。クツゾフはナポレオンのモスクワ遠征軍を撃滅した名将である。しかしロシア革命の後は、ツァーに仕えて、フランス革命軍を破った貴族として否定的な評価しかされなかった。しかしスターリングラード攻防戦の頃になると、クツゾフは救国の英雄として回顧され、スターリンはこの封建時代の公爵を記念して「クツゾフ勲章」を制定したのである。そしてその後間もなく、スターリン自身が大元帥になった。

年代的に言えば一九四二から四三年あたり、つまり昭和十七、八年頃、ロシアがスターリングラードで死闘し、日本がガダルカナルで死闘していた頃に、蟹ははっきりとザリガニの方へ進化のコースを切り換えたのである。

このようにして蟹からザリガニになった国家は、毛沢東的な言葉で言えば、帝国主義的社会主義国家、あるいは社会主義的帝国主義国家なのである。国家の生存を第一義的に考えた社会主義国家ということで、ナツィオナール・ゾツィアリスムス、つまり一種のナチス国家である。それでも「プロレタリア独裁」というような横這い主義を用いるのだが、しかしそれはもっぱら他国の内政に干渉して自国を利する時にだけ用いられているように見える。

今のソ連が発達した階級社会になっていることは周知の事実である。階層間の移動や流動性は日本やアメリカよりもはるかに少ないらしい。こんどノーベル賞を与えられたがそれをもらうために国外に出ることのできなかったサハロフ博士は、その辺のことを詳しく書いた本を出したそうである。間もなくその翻訳も手にはいるだろうから、それを楽しみにして待っていることにしよう。

何もサハロフ氏の本を見なくても、ソ連が国際的なプロレタリア独裁による国家解消よりも、ソ連の生存圏（レーベンス・ラウム）にはるかに大きな関心を向けていることは、北方領土問題を一つ考えてみてもわかる。あそこの漁場を追われた漁師たち、あるいはよく海上で捕えられている漁師たちは労働階級であり、プロレタリアに属すると言ってよいだろう。しかしソ連は決してその味方ではない。またシナとの国境紛争が問題なのも、プロレタリア独裁よりも、生活圏がモスクワの関心になっているからである。

逆に同じことは北京政府についても言える。昔のシナは中華意識で、その文化の及ぶところが中華であるとして国境についてはは今のようにうるさくなかった。

しかしここにおいても、マルクス主義社会主義は、急速に国家社会主義（ナチス）になっているようである。

そしてプロレタリア独裁よりも、強い国家の建設に重点が移ってしまった。時々、「初心に帰れ」というような運動があるらしい。「文化大革命」はそうしたものとして解釈すべきであろう。しかし進化の軌道はすでにザリガニになったのであるから、国家の利益を最優先にする社会主義国家にますます完全に仕上るであろう。ソ連の国家主義、帝国主義を激しく非難し、またソ連から同じ言葉で非難し返されるのも、両者同じ方向に向っているからと考えてよい。さっきも言ったように、「当人同士が言い合っているのだから間違いない」。

それにつけても面白いのは、アメリカ及び西欧である。西欧で国境争いしている国はない。あのドイツとフランスにさえない。アメリカとカナダの国境線も極めて長大であるが、中ソ国境のような緊張は全くない。それにアメリカは沖縄や小笠原をさっさと日本に返還している。フィリピンも独立させた。

どんなに反アメリカ的な人でも、アメリカが領土的野心から行動しているとは非難できないと思うが、これはアメリカがナチス的思考より最も遠いからである。また西欧から国境問題が消えてきているのもこのためである。西欧やアメリカからはザリガニ類が消えてきているということになろう。

9

蟹が結局、ザリガニに進化するように生物学的法則が決っているとすれば、旧社会が崩壊した時、はじめからザリガニだけが出た方が、面倒がなくてよかったのではないか、と言う考えもあろう。正にその通りである。サハロフ博士によればスターリン時代だけで処刑されたもの、収容所で死亡したものの数は一千万から一千五百万であったと言う。当時の人口割合でほぼ十人に一人になる。

ソルジェニーツィンの推定では、革命後の内乱、飢餓、テロで死んだものは六千六百万になるという（以上の数字は西義之氏『誰がファシストか』二四ページより）。これは蟹の原理で革命をやったから生じた犠牲であった。はじめからザリガニ原理の革命でやればこの千分の一以下の犠牲ですんだであろう。ムッソリーニのザリガニ革命の犠牲者はとるに足りなかったし、ヒトラーのユダヤ人大虐殺でもスターリンのそれより一ケタ数字が少ない。ヒトラーに粛清されたドイツ人の数に限って言えば、これとは比較にならぬほど少ない。同じ嘆きはシナ大陸についても言える。

ここでも千万人以上の同胞殺戮（さつりく）があったと言われるが、どうせザリガニになるなら、蟹を経由しないでザリガニになっていたら、その大量の流血はなくて済んだであろう。

北一輝は、後にシナの革命運動に参加した体験をもとにして『支那革命外史』を書いた。彼の社会主義ははじめからザリガニ型であったから、この本の十六章で、大共和国を作った偉人を並べ立てる。

成吉思汗（ジンギスカン）、窩闊臺汗（オゴタイカン）、忽必烈汗（クビライカン）など、蒙古中世の偉人、特に窩闊臺汗を重んじ、シナは蒙古共和国に手本を求めなければならないという。そしてこれからのシナは軍国主義の大国にならなければならぬ、と熱っぽく説く。しかしこれの邪魔になるのが孔子とその儒教であるからこれをまず一掃しなければならないと言い、ついに「革命家は支那（しな）に於ては太古唯一人の秦始皇帝ありしのみ」と断言する。原水爆を持つ軍事大国になり、孔子を批判した毛沢東は、北一輝の忠告にほとんど一字一句忠実に従ったような外観さえ呈しているのではないか。これはつまり、現在のシナ大陸の政権は、純正社会主義、つまりザリガニ型、ファシズム型の社会主義になってきていることを示すものである。

日本の場合はどうであろうか。戦後間もない頃、火焔瓶闘争や電源爆破をやってまで革命を実現しようとしていた共産党は、まだ蟹型だったと思う。しかし反代々木系ができてからザリガニに進化したようである。この間に、ほとんど流血を見なかったのは、日本型進化というべきもので、日本では甲殻類もロシア産やシナ大陸産のように凶暴でないということになるのだろうか。

蟹型になって、世界同時革命というような横這い理論をふり回している過激派は、結局、代々木系にやられるであろう。

蟹はザリガニにはかなわないのだ。かくして全国の諸大学の自治会が一つ一つ代々木系の手に落ちて行くのは、生物学の示す通りである。

代々木系は、ザリガニ、つまりファシズムになっていると言われたら心外に思うであろう。しかしモスクワやペキンの指令通りになることを拒否した姿は、横這いの拒否ということであって、「縦に這いますよ」ということ、つまりザリガニ宣言なのである。だから近頃の代々木は、公務員（労働者）によく国民に奉仕せよと教え、教員（労働者）にもストライキはよくないと教え、更に「救国」という言葉さえ使う。「国」が出てくる社会志衰はザリガニである。代々木派社会主義の言うことが、近頃、私のような保守的な人間の生活感覚に奇妙によく合うのは、そこに「国家」が重んじられはじめているからである。国民は何と言っても秩序が維持されている国家を望むのであるから、代々木が「天皇を支持する」と宣言し、「天皇と共存する社会主義」を打ち出した時こそが、自民党の最大の危機になるであろう。代々木は甲殻類進化の常道をたどっているというのが私の観察である。「社会主義は結局国家主義」であるという私の意味がおわかり願えたであろうか。

これに反して、「社会主義（蟹）だろうが国家主義（ザリガニ）だろうが、甲殻類になるのはいやだ、魚のように自由になりたい」というのが自由主義である。国家や社会にがんじがらめにされ、保障されると同時に束縛される度合が増すのは、甲殻類化が進むことである。しかし魚類は自由であるが防禦力が小さい。

加えて魚類に比すべき自由主義の社会では、経済に不況の波があったり、勤務先がつぶれたりすることがあろう。

しかし統制経済というあの耐え難く窮屈な殻から出る自由を持とうとするならば、ある程度の危険が個人の側に生じてくることは覚悟しなければならぬのである。


典型的な魚類型国家がアメリカである。だからいろんな甲殻類の国から自由を求めてそこに逃げて行く。しかし魚類の自由を一度知った人で、安全を求めて甲殻類の国家に行こうという人は極端に少ない。日本は憲法からして本来は魚類型なのだが、甲殻類になることを進化だと思いこんでいる人がインテリをはじめとして存在しているのが面白いところである。

日本の代表的な甲殻類の研究者は向坂逸郎先生だが、上之郷利昭氏のルポ（『文藝春秋』一九七五年十二月号）によると、向坂先生の特徴の第一がアメリカ嫌いということだそうである。気に入った帽子でも買おうと思ってメーカーを見たらアメリカ製なのでやめられたという。魚嫌いというのがいるものだ。

その第二がドイツ好みだそうだが、この国からは蟹（マルクス）やザリガニ（ヒトラー）が捕れたのだから、甲殻類学者にはこたえられないのだろう。それに当然、「団結（ファッショ）」好きが向坂先生の第四の特徴としてあげられている。向坂先生の弟さんは貧乏絵かきで、生活のめんどうもみられないので、「組合を作れ」と先生に忠告されたそうだが、貧乏画家たちは団結しないとのことである。

貧乏だろうが金持ちだろうが、芸術家は自由を身上とする魚類なのだから、安全のために甲殻類になれ、と言ったって無理な話だろうと思う。甲殻類学者は、血をわけた兄弟でも、魚類型の人間の心はわからないということであろう。日本人の過半数がまだ魚類であることが私の誇りでもあり、希望でもある。泥の中で陰惨な喰い合いをやる甲殻類の国に進化してもらいたくないものだ。

労働について　乞食と奴隷の間

1

恒例の宮中の新年行事「歌会始の儀」が一月十日午前十時半から皇居宮殿の松の間で行なわれた。今年のお題は「朝」である。新聞で天皇陛下のお歌から順次に拝見してゆく。陛下の新年のお歌は、「ロンドンの　旅思ひつつ　大パンダ　上野の岡に　けふ見つるかな」というので、どうもいただけないとがっかりしていたのであるが、歌会始の「朝」の御製の方は、壮大晴朗な調べで御立派と感心した。こんな風に一つ一つの歌に小生意気な感想をつけながら読んで行ったら、選歌の中にある奈良県の松浦正雄氏の次の一首が目に飛び込んで来て、思わず緊張した。

苗木負ひ　みんな重たく　手をたれて
朝霧深き　林道に入る

これは植林のための苗木をいっぱい背負って、朝の山道を登って行く人たちのイメージである。すぐれた歌として形象されているので、都会に育った人たちは「手をたれて」ということの意味があまりピンとこないであろう。しかしこれは全く大変なことなのである。

この歌を読んだ時、思わずはっとしたのは、「手をたれて」と言う表現があったからであり、それは直ちに自動車の事故で頭を割られて死んだ親戚の農婦のことを私に連想させたからである。彼女は女には稀にみる頑丈な体格の持ち主で、しかも力持ちだったので親戚中で評判であった。私が子供の頃に町から遊びに行くと、時々、砂山にさつま芋とか瓜とか西瓜を取りに連れて行ってくれたものであるが、そういう時、その頃三十歳ぐらいであった彼女は、肥え樽（だる）などを背負っていたものであった。

子供の私には動かすことも出来ないほどの重い樽を背負って砂山を登る彼女を私は何だか偉大な者を見るような目付きで見ていたと思うが、その時の彼女の手は確かに垂れていた。そして頭も垂れていた。

激しい肉体労働が、手や頭を垂れる人間の姿とどうも不可分であるということは、日本のみならず、ヨーロッパにおいてもあてはまるようである。「労働（レイバー）」という単語の語根は印欧祖語において *lā̆b- あるいは *lē̆b- と推定されているが、これには「ゆるんでいる、たれ下っている」という根本義がある。火山からの熔岩が lava と呼ばれるのは、噴火口から「たれ下るように流れてくるもの」だからである（ちなみにb音とv音はよく交替する）。医学用語で「下垂」や「脱垂」を指すのに用いられるラテン語 lapsus が同一語源であったことは素人でも推測がつくであろう。「正道からそれること」や「堕落」「衰退」を示す英語 lapse はこの語形が多少くずれたものにすぎない。

更にこの *lăb- *lĕb- には印欧語でS拡張形があり、*slăb- *slĕb- となるが意味は同じである。そしてこの形から出てきた英語に「睡眠」を意味する誰でも知っている単語 sleep がある。いささか突飛に聞こえるかも知れないが「労働（レイバー）」と「睡眠（スリープ）」は同一語源を有していた。睡眠の場合に、人は「ぐったりと力をぬいている」状態にある。労働の場合も「ぐったりと手をぶら下げ頭をうなだれている」状態にある。少なくとも古代の人はそこに共通要素を認めていたのであった。中央アジアからヨーロッパにかけ居住していたインド・ヨーロッパ民族が、労働する人間を、「頭を垂れ、両手を垂れ、ぐったりとしている」と表象していたことは、当時の文化の本質を示していて面白い。

古代の中央アジアやヨーロッパの文化と言えば、われわれは壮大な石造建築物を連想する。バビロンやエルサレムのような都市、エジプトのピラミッドや宮殿、クレタ島やミケネの遺跡などは、いずれもそこに動員されていた厖大な数の奴隷労働者を想起せしめる。これらの労働者は、おそらく元来は捕虜だったり、被征服民族だったり、罪人であったことであろうが、彼らは、いずれも、頭を深く垂れ、両手を力なく垂れ、大きな石を背負ったり、肩にかけた綱を引っぱっていたのであろう。そういう光景を目の前に浮べると、労働(レイバー)の語源が「ぐったり」とか「ぶら下げる」であったことが実感されるではないか。

これと似たようなことが、漢字の「労」つまり「勞」についても言えそうである。労は「魯刀ノ切」、つまり「ラウ」という発音になるが、これは印欧祖語の *lab- などと関係あったことを暗示するかの如くである。シナ人は元来、黄河上流の西域から東進した民族であり、太古において印欧人とかなりの接触があったことは確実であり、それを示すような単語の数も決して少なくないからである。この「労」と同根と考えられる漢字に「癆(ろう)」があるが、これは体力消耗してぐったりする病気である。日本で「ぶらぶら病(やまい)」と言っていたのがこれである。また「膫(れう)」は牛や豚の腸についた脂のことで、これもぐだっとした感じを現わしている。

ただ「労」の本字の「勞」に「𤇾」があることは、つまり「火」があることは、許慎の「説文解字」以来、多くの学者の頭を悩ましてきた。鋭い洞察力を示す「説文句読」の著者である清の王筠(おういん)も、「字形ハ解スベカラズ」とさじを投げている。しかし日本の加藤常賢博士は、清の徐灝(じょこう)の「説文解字注箋」の説を採択され、「夜なべ仕事」の意味であるとされている。「漢書」の食貨志にも女たちは燈火を節約するために共同で夜なべ仕事をしたと書いているが、一つの燈火のまわりに集って夜なべしている女たちの姿はどうであったろうか。それは頭を垂れていたに違いない。また万里の長城や、煬帝(ようだい)の大運河の工事などに動員された労働者の姿も、古代ペルシャ帝国の奴隷も同じ姿で働いているのが目に浮んでくる。頭を垂れ、手を垂れているその姿が。

これはレイバーという字が十四世紀に最初に英語に入って来た時の意味でもあった。それは「耕作する」という意味であったが。当時の耕作というのが、農奴が綱を肩にかけて牛のように鋤を引くのである。その時も頭は垂れ、手も垂れているのだ。その後、このレイバーにはいろいろな意味が派生し、「耕作する」という意味で使うのは詩に古語として混ぜる時ぐらいのものになっている。一方、現在においてもフランス語やスペイン語やポルトガル語など、ラテン系の諸語においては、ほとんど「耕作」の意味だけに使われるようである。

このように見て来た東西の「労働(レイバー)」のイメージはまことに暗い。苛酷なニュアンスがはっきりしている。もし労働(レイバー)がこうしたイメージでとらえられるとするならば、それは、「そこから逃げだすべき悪」、あるいは、「天の罰」として把握されるであろう。禁断の木の果を喰べたのを怒ったエホバの神はアダムに向って言う。

「なんじのためにこの地はのろわれ、なんじはそこから一生の間、苦労して食を獲なければならぬ。なんじは額に汗してパンを食べ、ついに土になるのだ」と。

またイブにはこう言う。

「なんじの妊娠の苦痛を大いに増してやろう。なんじは苦しんで子を産まねばならぬ。そしてなんじは夫を慕い、夫に支配されるのだ」と。

このように宣告されて二人はすごすごとエデンの園から追い出されていった。これがいわゆる「楽園追放」であるが、古来、画家たちがこのシーンを画題にした時は、頭を垂れ、背を丸めて、へなへなした足どりで去って行く二人をえがく。アダムは労働（レイバー）の、イブも出産（レイバー）の罰を受けたのである。労働も出産も英語で言えば共に labor だ。ユダヤ・キリスト教圏においては、楽園喪失とはとりもなおさず労働をしなければならないということに解釈される。

ユダヤ・キリスト教とは違った古代文明の伝統に居たプラトンも、労働に対して似たようなイメージを持っていたようである。

「しかるに神々は、働くべく生まれてきた人類を憐れんで、その労苦を慰める為に、めぐり来る神々の祭日を制定し、祭りの友としてミューズたち、ミューズの指導者アポロ、およびディオニソスを人類に与えた――彼らが祭りにおいて神々と交わって自分を養い、再びまっすぐに、そして正しく立ち上れるように」と。

ここでも働くべく生まれてきた人類は、頭を垂れ、体をこごめて、手を垂れて労働するものとして表象され、そこから救われるのは、神の祭の時だけだとされる。その時は人はあるべき姿、すなわちまっすぐに立ち上るのである。

つまり、近頃流行の民俗学的用語を用いて言えば、「褻(け)」の時には頭を垂れ、身をこごめて働き、「晴(はれ)」の時には直立するのである。

聖書とプラトンの間の奇妙な類似は一見して明らかである。ユダヤ・キリスト教の方では聖なる日、つまり日曜日などを制定して、労働を厳重に禁止し、目を地上にでなく――つまり頭を垂れないで――天に向けることを教えたのである。また異教圏でもプラトンからの引用が示すように、神々と交わる日には、人は正しく立ったのである。そしてこれがとりもなおさず「晴(はれ)」の意味であった。

日常性とは頭を垂れて労働することであり、祝日だけが超自然との時間的接点として、労働の苛酷な運命が中断される時であった。「閑暇を持て、しかしてわれが神であることを知れ」という詩篇の一節も、閑暇(スコレイ)をあのように重んじたアリストテレスのような古代の哲学者も、意味するところは同じようなものに見えてくる。閑暇こそが人間の最も望ましい状態なのだ、労働は人間の敵であり、労働時間は少ない方がよく、閑暇は多ければ多いほどよいのだという論理的結論に容易に導かれるのである。古典文明が奴隷を前提としていたのは、

「市民」が閑暇を多く持つためにはどうしても必要だったわけで、アリストテレスやプラトンが、首を垂れ、手を垂れて重労働している姿は想像できない。労働は悪であるが必要であるが故にそれを奴隷に押しつけた感じである。

2

労働が必要悪であるという感じ方は十八世紀に再び芽ばえてきた。「労働（レイバー）」という単語が、「社会における物質的必要を満たすために振り向けられる肉体的活動」という意味に最初に用いられたのは、アダム・スミスの『国富論』においてである。

ここには必要悪として労働という考え方が特にはっきり打ち出されているわけではないが、物品の供給の源泉は労働であり、それを特定の階級に割り当てるとすれば、そういう労働を割り当てられた人たちから見れば「悪」として受け取らざるを得なくなるであろう。マルサスになるとこの労働観が更に明確になっている感じがする。

十八世紀末に現われた経済学者の労働観は、産業革命の進行と共に、新しい奴隷階級、つまり近代のプロレタリアの発生と関係し、それが更にマルクシズムに連なることは、今更ここにのべる必要はないであろう。しかしマルクシズムであろうが、修正資本主義であろうが、より大なる閑暇を目標としているのが現状のようである。そしてその根柢にある発想の基盤は、それほど明確に自覚されているとは限らないにせよ、労働は必要悪という見方であると思う。昔のように盆暮れの藪入りよりは、月に二度の定休日の方がよく、それよりは毎週休む方がよく、毎週一回の休暇よりは、週二日の休みがあった方がよく、今では週三日の休みさえささやかれている。

実は昨年の夏頃に、余暇開発センターに招かれて座談会をしたことがあった。その時、そこに出席しておられた通産省の方が、「余暇社会というような考え方はできないでしょうか」と言われたのを聞いてびっくりした。私は政府、特に通産省のような役所は、国民をいかに働かせるかを考えている所だという予断を持っていたのだったから。ところが実際には、通産省は本当に国民の余暇のことを考えていて、余暇中心の未来の社会の構想さえ持っておられるらしいのである。

数年前の私であったら、通産省の方が言われたような「労働の余暇化」の構想に感激して賛成したことであろう。しかし私はこんなことを言わざるをえなかった。

「結局は労働があるからこそ余暇があるので．まず労働ということが確立していなければ、余暇はない。労働は余暇にならないし、また労働時間を減らせばよいというものでもない」と。

もともと私も、休みは多ければ多いほどよい、つまり週一日の休みよりは二日の休みがよく、二日の休みよりは三日の休みがあった方がよいと考えていたのである。つまり何となく労働必要悪説を持っていたのである。

それがどうも間違いであるらしいこと、労働というものをもう一度考え直してみなければならないと思うようになったのは、すでに週三日の休暇を持っている人たちとアメリカで知り合いになって、その実態を直接見聞したからである。

半学期ばかり私が教えていたアメリカの大学は、ニューヨーク郊外と言ってもよいところに位置していた。そしてそこの大学院の夜間部は、全米第一の早さで成長しているということであった。私はこの夜間の大学院の授業をも一つ持たされたのである。学生の顔ぶれはやはり夜間部らしく、昼は社会人という人が多かった。昼はニューヨークの会社や新聞社や学校に勤めていながら、修士の資格を取ろうとしている人たちである。われわれは授業がおわるとよく大学の近くのレストランに行ってさまざまなことを話したものであるが、相手が職業人であったのでこっちの見聞をひろめるのに大いに役立った。その珍しい話のうちに週休三日というのがあったのである。

当時、日本ではまだ週二日もあまり話題になっていなかった頃であるから「さすがアメリカだな」と感心したものであった。

しかしこの週休三日制は、ムーンライテングという裏があることを知るのにあまり時間はかからなかった。ついでながら、ムーンライテングという言葉を知ったのも彼らからである。これは丁度、われわれがアルバイトと言っているものに相当すると言ってよいと思う。週休三日と言っても、三日間休んでいるわけではない。その三日は、あるいは二日は、ムーンライテングをやったり、サイド・ジョッブをやったりしているのである。したがって、週休三日と言っても、実質的には週休一日かゼロになっているのだ。

これは少し変ではないだろうか、と私は思った。週四日しか自分の会社で働かず、あとの二日か三日をアルバイトをするなら、労働量はたいしてかわらない上に、自分の会社というものに対する帰属意識が持てなくなっただけ、仕事そのものが辛く感じられるのではないか。私のこういう疑問は彼らにはあまりピンとこないようであった。帰属意識が仕事を楽に感じさせるということがあまりないのかも知れない。

この帰属意識と労働のつらさという主観的感情との間に密接な関係があるらしいということは、私はすでに中学生の頃に体験したことがあった。それは勤労奉仕や動員の仕事はつらいのに、自分の家や親類の手伝いはあまりつらくないことをひどく奇妙に思ったからである。当時はよく説明できなかったが、今ならば帰属意識のあるなしの差だと言うであろう。そのたび毎に違う農家の手伝いをさせられたり、違った工場の仕事をするのでは身がはいらない。できるだけサボろうとし、またよくサボった。ところが家の仕事や親類の手伝いとなると違う。人が見ていようといまいといっしょうけんめいにやった。自分はそこに属しているという気があったからである。

これは大学で教えるようになってからも経験した。大学の英語教師ともなればいろいろ兼任講師の口があるわけだし、しかもいくらかは経済的に助かることにもなる。私もはじめはみんなのするようにやってみたが、つらくなってやめてしまい、今では原則として話があっても辞退することにしている。自分の学校の学生の時は何時間教えても平気で、よその学校では耐え難く疲れてくるというのは、考えて見ると随分ケチな話であるけれども、帰属意識のあるなしが疲労感に重大な関係があることは確かのようである。

教育のような先生と個人というかかわり合いが主で、学校というワクへの帰属が従である場合でさえもそうであるとすれば、普通のアルバイト的労働の疲労はもっと大きく感じられるのではないだろうか。つまり労働の切り売りということがもっと鋭く痛感されるのではないだろうか。

労働は生活の資を獲るだけの手段として切り売りされるときに、人をもっともつらくするということは、どこか人間の本性といったものにかかわっているようにさえ思われてならないのである。一般に失業対策の労働者には怠け者が多いという世評を耳にしたことがある。しかし私はそういう人たちを怠惰であるといちがいに非難できない気持である。失対労働者というのは、勤労奉仕に狩り出されていた時分の私みたいなものである。その時その時の仕事であって、とにかく早く作業時間が終ってしまえばよいのである。文字通りに労働は必要悪で一刻も早く抜け出るべきものなのだ。

これに反して、いい会社の社員などは、特に役付にでもなった人は、超過勤務手当のつかない超過勤務を別にいやがりもせずにやっている。この場合は強烈な帰属意識が労働をつらくしないのである。「つらさ」という主観的な物指しで計れば、ぶらぶらしながらやっているように見える失対労働者の方が、徹夜に近い仕事をやっている商社マンよりも、ずっと休息を要しているのかも知れない。

ところが、このような考察とは逆に、「ともかく休日を多くすればいいだろう」という会社が少なくない。その極端なものは、週休四日を打ち出してきている。これはアメリカ系の会社らしいが、そのうわさを聞いた時は、「労働者天国という工合にはいかないだろう」と思った。果せるかな最近の週刊新潮（昭和四十九年一月十・十七日号）にのった記事によると、その現実はやはり羨ましいものではないようである。労働日を減らせばよいという労働観は、簡単に壁にぶち当るという一例であろう。

では一体、人間にとって労働（レイバー）とは何なのであろうか。労働が物質的生産のもとであるとか、資本と対立するものであるとかいう、経済学的・社会学的な問題でなく、われわれ個人個人にとって、一体労働とは何なのであろうか、ということが問われなければならない段階に来ているように思われてならない。「もし経済的に働かなくても食えるならば、労働はしない方がよいのか、それともやっぱりした方がよいのか」という問に、あなたならどう答えられるであろうか。

「働かないで食うことは、働いている人を犠牲にするからよくない」

という答も少なくなさそうである。今の社会科教育で育っている青年はたいていそんな風に答えるであろう。すると労働をするのは、そうしないとほかの人に悪いから、というお義理の要素がある。

「働かざる者は食うべからず」というカトリックの聖人の言葉が今日用いられる時は、大抵そういった意味である。特に労働者が有閑階級――今はそんなものはほとんど絶滅したが――を攻撃する時に用いた時は、その意味が特に顕著であった。労働は悪でありみんながそれに苦しんでいるのだから、それから免れているのはけしからん、という発想である。

しかし十九世紀から二十世紀にかけて、西欧の有閑階級をつぶさに観察する機会にめぐまれていたカール・ヒルティは、多数の有閑階級の人が精神的にも肉体的にも不幸であることに気付き、しかもその原因が労働しないことに起因することをも洞察した。そしてこの秀れた法律家にして哲人だった人の結論は、「幸福であるためには、週六日働く必要がある」ということであった。

　そして敬虔なプロテスタントであった彼は、「週に一度は休息しなければならない」ともつけ加えた。

　ヒルティは有閑階級の無為の有害さを洞察したと同時に、当時の社会全体が、労働強化の方向にむいていることをも憂慮した。「このように労働、労働といって人々を駆り立てるならば、必ずや遠からぬ将来に、大なる怠惰の時代を産むであろう」ときっぱりとした予言もしている。そして彼の予言は当ったと言わざるをえない。それは自由主義国側においても、また共産主義国側においても。

　ヒルティが生きていた頃、もっとも勤勉だったのはプロテスタントが主導的であったイギリス、プロシャ、アメリカなどであった。そして彼が死んでから二世代ばかりたった今日、どうなっているであろうか。勤勉で有名だったイギリスの労働者はストライキで有名となり、一世代前までは西欧第一の生活水準と言われていたのが、今では個人当りの収入がスペインやポルトガルと大差のないところまで落ちこみ、間もなくそれ以下になるだろうという予測も出ている。

また能率の模範であったアメリカはどうか。ずる休み、つまりアブセンテーイズムの横行、労働者間の麻薬の流行などは由々しい問題になっているし、若い者の間に大量のヒッピーと、それまがいの者を生んできている。日本などとは比較に絶した広大な土地、豊かな天然資源、技術や資本の蓄積などがありながら、ドル切り下げなどに至ったのは、ベトナム戦争だけでなく、もっと根本的に言って労働の質の低下であろう。あのような調子で能率、能率と労働に駆り立てたため、大なる怠惰な時代が出現しはじめ、先進自由主義国といわれるところにおける労働問題はどこでもお先真っ暗といったところである。

一時は低開発国からの労働力の輸入ということも言われたが、これはイギリスですでに深刻な人種問題を起こし、西ドイツでも遠からず最大の国内問題になること間違いなしである。

日本でも人口の〇・六パーセントぐらいの在日外国人問題ですらまことに難しい問題なのに、新移民を考える余地などなかろう。日本の場合、外国人と言っても、顔付きも、文化的背景も、知能指数も日本人と違わず、言語上の障害もない。それなのに問題はデリケートなのである。人種問題は問題になった時は手遅れなので、慎重の上にも慎重であって欲しいものので、労働問題のピンチ・ヒッターとして他民族を入れてもらっては甚だ困るのだ。沖縄海洋博に外国人労働者を入れようという案が出たというので寒気がしたことを一言つけ加えておく。

では自由主義国と別の行き方をした共産主義国家はどうしたか。

そこにおいては有産階級の廃止が先ず第一におこなわれ、それは成功した。唯物論が国是であるから、物質的な配慮はゆきとどいているらしいし、労働はみんなでやることになっているらしい。別の言葉で言えば、「働けば生活の面倒は国が見てやる」ということである。その労働に対する指令は国家からくる。

ここまでくると私はどうしても古代の奴隷国家を連想してしまうのだ。古代ペルシャや古代ローマでも奴隷に生活の心配はなかった。命ぜられたように働けばよいし、重労働に耐える食糧や住居は与えられていた。

残酷の名のある米国南部の奴隷の場合も、いわゆる虐待は例外的だったと言われる。奴隷の皮膚を傷つけただけでも、値段はうんと下る。病気されても甚しい損害である。奴隷は牛よりも高価な労働源であって、大切にされていた。そして愛犬家がいるように、愛奴隷家もいたわけで、やさしい主人というのもいっぱいいたのである。

にもかかわらず奴隷制度がよくないのは、奴隷に政治的発言を許さず、乞食になる自由を許さず、主人を変える自由を許さなかったからである。つまり人間として扱わなかったからである。

非常にわかり易い言い方をすれば、「人間らしい」ということは、本人が望むなら乞食になれるということなのだ。大切にされたり、生活を保証されたりすることは、「人間らしい」ことの条件でも何でもなく、それは「家畜らしい」ことの条件であるにすぎない。あるいは「動物園の動物らしい」ことの条件にすぎない。

もし、乞食になる自由――居住地の自由、職業選択の自由を簡単に言えばそうなる――があった上で、よく面倒みてもらい、政治的発言も許されるならば大変結構である。しかしソ連はどうやら「収容所列島」らしいし、ポーランドからは最近、観光船の客たちが大量に西独に亡命したし、東独は依然として、ベルリンの壁を取払ったら国民が流失していなくなるのではないかと心配しているみたいである。

シナでは孔子反対で秦の始皇帝をまつり上げている。孔子は一種の乞食集団として諸国をめぐりあるいて道を説いたのに反し、始皇帝は、大量の奴隷を使役して万里の長城を作ったのであるから、イメージの対比は鮮烈だ。孔子のように住居不定で肉体労働もせず、統治者とは違う言論をなす者の存在は、現在のシナの体制でも好ましからざることであろう。と同時に、秦の始皇帝を仰ぐ気持も明白だ。

先ず業績第一主義である。万里の長城のかわりに核ミサイルを作る。人民に言論の自由をみとめないのは焚書政策の現代版である。そして国民に労役を命ずる。ただし飯は食わせ、着るものは着せてやる、つまり待遇のよい奴隷にしてやるというのだ。

そういう国家の中で幸福に感ずる人間が多数いるだろうこともよくわかる。南部の奴隷も多くは満足していたのであり、北部に脱走した奴隷の数は、東独から西独へ逃げてきたドイツ人の数よりも少ないのだから。そして日本の中にも、待遇のよい奴隷になりたがっている人が少なくないことも知っている。

ところで国家の質とは、奴隷になるぐらいなら乞食になりたいと願うか、乞食になるぐらいなら奴隷になりたいと願うか、その願い方の違う人間の人口比率によって決まるのではなかろうか。ギリシャの哲人デオゲネスの有名な話をここで思い出してもよいかも知れない。アレキサンダー大王がこの高名な哲人を訪ねて「何か望むことはないか」と尋ねたら、彼は、「少しそばによっていただきたい、そこに立っておられると日が当らないから」と答えたという、あの逸話のことである。

ギリシャ人やローマ人は明らかにこの乞食の方を奴隷より尊んだ。小さな都市国家のギリシャ人が、巨大なペルシャ帝国を見ても劣等感は少しも抱かず、むしろそこの奴隷でないことに誇りを持った、というようなことを田中美知太郎先生から聞いたことがある。そしてこの西洋の乞食の伝統は聖フランシスコにも連なり、中世の学問僧、学生、職人などにも連なる。彼らは遊歴する。一方、東方の帝国には皇帝と奴隷と巨大な建築物があった。そして奴隷は頭を垂れ、手を垂れていたのである。

3

われわれの住んでいる日本はどうみても奴隷国家ではない。簡単に乞食になれる。首相の批判も大っぴらにでき、しかも投票権もある。中には党首批判がタブーのところもあるらしいが、そういうところでは奴隷国家的労働観を支持しているのだから、どちらかと言えばデオゲネスの話の好きな人の多い日本では、そう簡単に全国支配というわけにはならないだろう。したがって日本における労働の危機は、ヒルティの指摘した「怠惰な時代」の到来と先ず関係してくるのではないだろうか。働き過ぎた世代への反動としての怠惰としらけである。

ここで私の注意をひくのは同じヒルティが、強烈な福音主義者でありながら、こと労働に関してはカトリックの連中の方がよいと言っていることである。彼はスイス人であるので、複雑にいりくんでいるカトリック地域やプロテスタント地域を同時に観察できるという特権があった。そして彼の目にうつったプロテスタントは、働きすぎであり、カトリックはのんびりしたリズムを守っていた。そして仕事のプロセスにおいてより陽気であることに彼は注目した。これは現代においては重大なヒントである。それは西欧において、古代の奴隷制度が消えたあと、どうして新しい労働――奴隷でもなく乞食でもない生産活動――が生じたかに対してわれわれの注目をうながしてくれるからである。ここにおいてわれわれは西欧という実体を形成した最大の原動力でありながら、哲学史や思想史や、また一般歴史からはほとんど消えている一人の巨人に出会うのだ。その巨人とは聖ベネデクトその人である。

今から二十年ほど前の春、私は復活祭前後の何日かをベルギーの田舎にあるサン・アンドレア修道院ですごす機会を与えられた。このベネデクト会修道院は、そのころヨーロッパ各地に留学している東洋からの留学生を何人か招待してくれたのである。私はそれまで修道院内部というものを知らなかったので、好奇心をもってこの招待を受けることにしたのだが、そこに行って見て全く西洋を見る目が変わる体験をしたのである。見るもの聞くものすべてがあまりにも新鮮で、呼吸が早くなるような気がした。

ここで私と同じ部屋になった学生は、韓国からの留学生で医学の勉強をしている金君だったが、彼は日本で買って来たというファン・ストラーレン師の『平和の山』という本を持っていた。日本語を久しく読んでいなかった私は彼からそれをひったくるようにして見せてもらったのだが、それが正に聖ベネデクトに関する本だったのである。この本を抱えて修道院近くの疎林の中に行き、そこで春の日ざしをあびながら夢中になって読み耽ったことを、今もはっきりと、そして金君への感謝の念も交えて想い出す。この本は私がこれまでめぐり合った最も感激的な本の一冊なのだから。

聖ベネデクトという六世紀の半ば頃に、つまり日本に百済から仏教が伝来した頃に、イタリヤで死んだ修道者の話がなぜそんなに私を興奮させたかと言えば、それは単に彼の聖性の話ばかりでなく、この聖人がそれまで漠然と抱いていた私の西洋史についての疑問の多くに答を与えてくれたからである。例えば、

•奴隷に労働をまかせていたはずの古典ヨーロッパの伝統はいつごろ途絶えて、勤労を重んずるようになったのか。

•ローマの最盛期においてすら、大部分は森の中の蕃地であったはずのゲルマニアやブリタニアが、どうして西欧になったのか。

•文化破壊者といわれていたゲルマン人たちが古典の写本を残しているのはどうしてか。

などなどのことである。簡単に言えば、私はどうしてローマ帝国という古典的地中海世界が消えたあとで、われわれが西欧と呼ぶものが生まれたかについての具体的で手ごたえのある知識が欲しかったのである。それが見事に与えられた、と少なくとも私に思われたのであった。

東のビザンティン帝国でユスティニアヌス大帝が、「ユスティニアヌス法典」と呼ばれる「ローマ法大全」をトリボニアヌスの助けをえて編纂（へんさん）し終った頃に、西のイタリヤ半島のモンテ・カッシノの山の上では聖ベネデクトが、後世の人にレグラ・サンクティ・ベネデクテ、つまり「聖ベネデクトの戒律」と呼ばれている七十三条からなる修道者のための法典を作り上げていた。この戒律が今日も生きていること自体、奇蹟的と言えることであるが、ここで目ざましいことは、「祈り」と「労働」が同じレベルで奨励されていることである。

聖ベネデクトは言う、「祈りかつ働け（オラ・エト・ラボラ）」と。これは西欧世界で、肉体労働が奴隷的連想から解放された最初の宣言であるという意味で革命的な意味を持つ。

ベネデクト自身は良家の出身であり、元来ならば肉体労働に対して偏見を持っていて当然であり、また肉体労働をしなくてもよい人でもあったのだ。しかし彼は当時の多くの修道者や隠者を観察した結果、観想や瞑想ばかりやっている者たちは、誤った神秘主義のとりこになりやすく、信心がしばしば亡びに導くと結論したのである。労働は霊魂にとって必要な予防薬であると洞察した。

この危険は現代のヒッピーの多くの者たち、あるいは信者の寄進によってのみ生活している東洋の宗教者にしばしば見られるところであって、その危険の予防策を考えたのはベネデクトの聖性に具わった健全性と言うべきであろう。労働から解放されていたビザンティンやクリュニーの修道院が駄目になったのも、同じ理由である。

ベネデクトの規定した労働は、畑を耕したり、牛の世話をするといった純然たる肉体労働のみならず、古い本の筆写なども含まれていた。つまり人間は、自分の好む観想や読書などのほかに、労働だと感じられるものを意識的に、意志的にやり続けないとそのうちに救い難い精神の頽廃（たいはい）を招くというのである。労働とは「人間らしさ」の中に本質的に組み込まれているのであって、たえず労働だと自分に感じられるものを機能させ続けて行かねばならないという人間洞察である。

肉体労働の場合、それは単に肉体的健康によいのだろうという風に皮相的、生理学的に解釈されるおそれがあるので、精神労働について一言、説明をつけ加える必要がある。先に上げたヒルティが観察した有産階級の病める人たちは必ずしもスポーツをしなかったわけでない。体は動かしているのだが、仕事と感ずるものを持てない人たちなのだ。

文学部などの学生ならばみんな経験していると思うが、好きな本ばかり読んでいるだけだと頭がおかしくなり、気分が憂鬱になり、記憶もよくなくなり、しかも体の調子も変になる。特に長い休暇の時はそうである。それからのがれるため、私は休暇の時は、毎朝一時間ぐらいは、自分に「行（ぎょう）」として英語で作文を書くことを課していたことがある。後になって、ドイツ語作文になったり、ラテン語作文になったりしたが、ともかく、夏休みや春休みの一日を意識的に、意志的に、骨の折れるという自覚のある外国語作文からはじめると、その日はずっと気分がよく、好きな本もよく読め、体の調子もよかった。今は「仕事」と感ずるものが多いので毎朝わざわざ外国語で作文をやる必要はないが、それでも、休暇の時に「今日は好きな本をうんと読んでやれ」と言って一日中過すことは危険のようだ。

そうした一日の夕方になると何とも言えぬ不幸感、むなしさが襲ってきて、私を厭世的にするからである。

たまたま最近、ハマトンの『知的生活（インテレクチュアル・ライフ）』を読んでいたら、読書だけに日を送っている青年に、「毎日、辞書や文法書を使って外国語で作文する時間を二時間とらないと精神に危険である」というようなことが書いてあったので、わが意をえた思いをした。ハマトンはヨーロッパの富裕な階級の読書人に言っているわけであるが、そうしないとアンニュイが強くなって神経がおかされると言うのだ。

江戸時代のような閑な時代の読書人が、必ず漢詩を作る「行」みたいなことをやっていたのもこれと関係あるかも知れないし、漱石の「こゝろ」の先生が自殺した原因の一つはこの見地から説明されるかも知れない。

それはさておき、ベネデクトが労働を精神活動と同列まで高めたために、はじめて知識階級と労働が手をにぎり、農業に知性が入りこみ、当時最低調にあったイタリヤの経済状態をすっかり生き返らせたのである。それは古代ローマやギリシャの農業法では絶対達成できない大事業だったのだ。

そしてこのベネデクト会の修道院組織は、ゲルマニアやガリアやブリタニアのすみずみまで入りこみ、森林を開発し、湿地を干拓し、何もなかった荒地を豊かな農地や牧場に変え、同時に全ラテン古典文学を筆写したのみならず、北欧神話やベオウルフみたいな異教徒の叙事詩まで筆写しておいてくれたのである。

そして気がついて見たら、西欧が出来上っていた。その間、聖人に叙せられたベネデクト会修道士の数だけでも約五万。それは農業や筆写ばかりではない。石工、宝石細工、鍛冶、木彫、指物、ガラス細工、織物、刺繍、醸造、製パン、垣根作り、溝掘り、庭作りまで、未開のゲルマン人たちは、育ちがよくて教養があり、勤勉で教えることに倦(あぐ)まないベネデクト会修道士から学んだのであった。そして宗教的祝日を大いに祝い、うんと御馳走を食べる修道士の習慣も、古代ならば奴隷に相当する階級の人たちによって真似されたのであった。

また労働至上主義という考えはベネデクトの排斥したものの一つである。一日中、石を刻ませてはいけない、精神を独占するような仕事を与えてはいけないというのである。

またベネデクト会にあっては労働とは自己の属する修道院生活、つまり共同社会の一つの歯車となって奉仕することを意味していた。人の労働の意味は、共同体の健全な歯車として作用することに一つ認められる。

この頃では「歯車の一つになれ」などと言うと怒られそうだが、共同体における労働とは本質的にそうしたものであろう。

しかし単なる歯車だけでないことは「祈り」に示される自由なる精神生活の保証によって明らかである。歯車になることを欲せず、自由のみを求める人たち、つまり当時の乞食修道士たちに対してベネデクトは批判的で、「彼らは自分の気に入ったものを聖と称し、気に入らないものは不法と言う」と指摘し、更にタチの悪い放縦者と呼ばれる放浪修道者もいることを嘆いていた。

しかしベネデクトは、そういう人の存在をも許容し、彼らが修道院に宿と食を求めて来たら、やさしくもてなしてやれという戒律を与えているのである。

労働を拒否してすきなことをやっている人間たちはベネデクトの目から見れば、本当の人間性の洞察を持つに至ってない人たちなのであり、その者たちに自分たちの労働の収穫を少しわけてやることは愛の行為なのである。労働と祈りの両方を持つ者が幸福なので、労働をしない人はその幸福を知らぬ可哀そうな者ということになる。

労働を人間の健全性と幸福のための本質的要件と見ること、共同体に歯車として労働を提供すること、さりとて労働至上主義にならぬこと――こうしたことにこそ、人間の真の自己実現があるとした労働観、これが西欧を作った真の原因なのである。

この西欧文明の母体となった聖ベネデクトのモンテ・カッシノの修道院は、この前の大戦の時、米軍の大砲によって一万一千トンの弾丸を打ちこまれ、しかもその上B17重爆撃機による絨毯爆撃によって完全にぶちこわされてしまった。何という暴挙であったろうか。それは西欧のよきものの源泉の破壊であり、一つの文明の終焉の象徴であった。この蛮行から約三十年たった今、世界の約半分は、近代的奴隷国家となった。自由と言われる残りの半分でも、度を越した労働の能率化のため非人間化が起こり、巨大なアンニュイと怠惰が瀰漫しつつある。

まことに左は火の河、右は濁流である。この二河の間を走る一筋の救いの白道は、正しい労働観の再建以外にはないであろう。それには聖ベネデクトの労働観の健全性がヒントになるはずである。その時こそ、人は首を垂れ手を垂れて働いても奴隷でないことを知るのだ。その時こそ奴隷の持つ生活保証を与えられながらも奴隷になることなく、また、乞食僧の持つ自由を享受しながらも乞食になる必要のない生存に一歩近づくことになるであろう。

なぜ英国病が生れたか

1

ノースカロライナの広大なキャンパスでは毎朝軍事教練が見られた。小高いところにある私の研究室の窓をあけると、丁度いい角度で訓練場を眺めることができた。号令に従って鉄砲を持った学生が分列行進したりする光景は、昔の日本でも普通であったものである。そのキャンパスが目のとどく限り果しなく広がっている森に囲まれているという自然的条件を別とすれば、かつての日本の大学にあった軍事教練と同じものであると思うのが自然である。

この軍事教練を受けている連中をロトシー（ＲＯＴＣ）と言っていたが、日本語に訳せば予備将校訓練隊ということになる。

ところが私の滞米期間が終りに近づいた頃になると、方々のキャンパスでロトシー反対運動が起ってきた。ヴェトナム反戦運動とからんでいたようである。そうなると一方ではロトシー弁護論というのも出てきたが、その中に、「カーチス・ルメイもロトシー出身であって、ロトシーのアメリカの国防に対する貢献は大きなものがある」というのがあったのでびっくりした。ルメイはこの前の大戦で、太平洋方面における戦略爆撃隊を組織し、源田実参謀（現参議院議員）をして、「われわれの最も恐るべき敵はハルゼーでもスプルーアンスでもニミッツでもなく、実にルメイであった」と言わしめた人物である。この意味で対日戦でアメリカが勝った最大原因の一つはルメイであったとも言えよう。このルメイがロトシー出身であることは、ロトシーを戦前の日本の軍事教練と同じようなものと考えていた私のアメリカ認識の甘さを痛烈に悟らせてくれたのである。

戦争というのはどこの国に対しても異常事態だから、かえってその国の特質がよく現われるということがある。戦前の日本でも普通の学校で軍事教練を受けて幹部候補生になると将校になる道があった。そこまではアメリカのロトシーと似たようなものであるがその後が違う。「幹候」の将校が一軍の総帥とも言うべき地位に昇ることは日本の軍隊では絶対になかったことは、戦前の日本人なら誰でも知っていたことである。日本軍の中ではロトシーはどんなに有能でも参謀本部の重要な役目についたり、軍司令官になることはなかったのに、アメリカではロトシー出身の、二十二歳で陸軍に入ったルメイが能力に応じていくらでも高い地位に昇っていった、ということは、学歴社会・毛なみ社会と、実力主義・能力主義社会の違いが、戦争という状況で最も顕著な相違を示したという一例になるであろう。

平時ではあまりわからない国体の差が、戦争が絡まってくると、とたんに明らかになるという古典的な例としては、ナポレオン戦争直後のヨーロッパ諸国の状況があげられる。戦勝国のロシアは七十五万の大軍を維持し続け、国家歳入の三〇パーセント以上が軍事費であった。プロシアは正規兵の数は十二万五千であったが、男子総人口の三分の一に十分なる軍事訓練を与えたために、国家歳入の五〇パーセント以上が軍事費に廻された。オーストリアも似たようなものであった。

これに反してワーテルローの戦の直後のイギリスは六十八万五千という、ロシア軍に近い大軍を持っていたが、六年後の一八二一年には六分の一以下の十万に切りさげてしまう。しかもこのうちの半分の五万は植民地に隠してしまい、実際上は五万になったのである。ワーテルローといえばイギリス人が誇る大勝利である。その勝ち誇った軍隊をイギリス政府はたった数年間のうちに五分の一以下に切りさげ、しかもその半分は植民地に隠さなければならなかったのはなぜだろうか。

それは議会の目がこわかったからである。イギリスの議会は納税者の利益を護るという最高至上の義務に忠実であった。ナポレオンが消えた以上、ヨーロッパには当分の間、大きな戦争が起りそうにない。すると大軍は不要である。不要な大軍を維持するために金を使い続けることは、それがいくら勝利に輝く名誉ある軍隊であったとしても、議会としてはその義務感から放っておけないことなのであった。

その議会からの無駄遣いの指摘をのがれるため、軍の当局は、五万を植民地に隠し、五万だけを残したのである。すると議会の目から見れば六年間に十分の一以上の人員削減をやった陸軍当局は誠意があったということになる。

イギリス陸軍はこの人数削減をしぶしぶやったのか、と言えば必ずしもそのようには見えない。というのは陸軍の機構を整備し、陸軍大臣がもっと能率的に軍の掌握ができるようにするための案が議会から出された時、ワーテルローの英雄ウェリントン自身が反対してその案を潰しているからである。ウェリントンは強力な陸軍大臣が出てくることを国家のために喜ばなかったようなのである。

日本ならば日露戦争の英雄大山元帥が陸軍の強化に反対したようなものだから話は妙な工合だ。しかしロバート・ピールが言ったように、「平時において無駄金を使わないことが、有事の際のエネルギーのもとになる」というのがイギリス人一般の考え方であり、それは軍人であったウェリントンの考えでもあったのである。

ピールもウェリントンも首相になった人であるが、民間人出身の首相も、軍人出身の首相も、「議会の至上義務は税金を節約すること」という点については完全な合意があった。ところが日本ではどうであったか。

2

伊藤博文については今日いろいろの評価がなされうるであろうが、「議会制度」という点から見ると、当時の日本人としてはやはりもっともよくその本質を理解していた人物のように思われる。彼は軽士の出身であるから、武士としての出世、つまり維新以後においては軍人としての高い位を望んだとしても不思議はないところである。そして彼が望むならばそれを得ることを邪魔する者は誰もなかったはずなのに、大将にも元帥にもならなかった。しかも日清戦争における総理大臣として、戦勝の喜びをよく知っていたはずなのに、その後は軍拡にはむしろ消極的で、節税の側にまわっているのである。彼はプロイセンの立憲君主制の憲法を参考にして日本の明治憲法を作ることに大きな役割を演じ、彼自身も、自らをビスマルクに擬する風があったと言う。しかし彼の議会に対するセンスから言うと、ビスマルクよりはマグナ・カルタ（大憲章）以来のイギリスの議会の精神に近い行動を取っていたように思われる。

誰でも知っているように、イギリスのマグナ・カルタの最も重要な眼目の一つは、国王（行政府）が勝手に税金を取り立てることを防止することにあった。たとえばその第十五条は次のようなことを言っている。

「この王国においては、みんなの同意がない限り、御用金を取り立てることは許されない。ただし王自身が捕虜になった場合の身代金を払う場合、王の長男を騎士にする場合、王の長女を嫁がせる場合一度だけは例外とする。しかしこの場合と言えども、その額は法外なものであってはならない」

これに続く第十六条も似たような趣旨のものである。もちろんマグナ・カルタについては、「これは国王と貴族の間の取りきめであって、一般国民には関係のないことであった」と言って、過小評価するむきもあるが、その当時、国王に契約を結ばせる力のあったのは貴族だけであったことは明瞭であるし、十七世紀以降、イギリスの議会制度を作り上げて行った人たちは、このマグナ・カルタの中に指導精神を仰いだことも厳たる事実である。別の言葉で言えば、十三世紀には国王と貴族の間の契約であったものが、市民階級が発達した十七世紀以降においては、国王と市民との契約となったのである。

十七世紀以後、ある意味ではイギリスの市民は中世の貴族の如き権利を持つ存在になった、というような言い方もできるであろう。

もちろん具体的な条項では、中世のマグナ・カルタと十七世紀以降の議会では異ってくるが、少くとも次の三つの点において、マグナ・カルタの精神は十七世紀以降のイギリス人に鋭く意識されていたものである。その第一点は陪審による裁判である。裁判は自分と同じ立場にある人によって有罪とされるのでなければ有罪でない、ということであって、支配者に勝手にやらせない、ということである。

その第二点は人身保護令（ハベアス・コープス）であって、権力者が市民を勝手に逮捕できないということである。

その第三点は税金は議会がコントロールするということである。

こうして並べて見れば文字通り法三章的に簡単なものであるが、今もってこれが護られてない国の方が圧倒的に多いのである。深夜ドアを叩く音がする。戸を開けて見たら秘密警察がきていて、そのまま身柄を連れさられて、その後は杳（よう）として行方が知れないという人間の例は、二十世紀に革命を起した国々にはざらにあったことだし、近頃続々と独立する新興国の大部分はそうした状態にあるという。人身保護令のようなわかり切ったことですらもそれが実現するためには、十三世紀のイギリスの貴族が団結し、更に十七世紀にそれがイギリスの議会で確立する必要があったのである。ところでわれわれの今の関心は税金であるが、これは昔から国王の大権に属すると考えられていたものであり、これをコントロールするために、税金を払う側が主導的な立場を取る制度というのは、これまたイギリス人の発見したコロンブスの卵であった。イギリス人にはマグナ・カルタ以来のこの精神が強かったからこそ、ワーテルローで勝った軍隊をたちまちのうちにたった十分の一に削減しえたのである。

3

「議会は税金を抑えるためにある」というこの考え方が伊藤博文に強かったことは今から考えても不思議なくらいだ。日露戦争を二年後にひかえた第十七帝国議会において、桂太郎内閣は増税による海軍拡張案を提出したが議会は反対した。その反対の中心が正に伊藤博文だったのである。

伊藤はもちろん反軍主義者でもなければ反戦主義者でもない。

海軍の拡張にも決して反対ではない。しかし財源が増税という安直な手段を取っているのがよくない、と言うのである。

伊藤の主張は、政府が前から約束している行政整理と財政整理は全く不十分である上に、政府の財政計画は日本の経済力から見て誇大にすぎるから、まず国費の膨脹と無駄遣いを徹底的に抑えよ、そうして浮いた金で軍艦を作るのは大いに結構というのであった。この議会において行った一時間以上もの演説において、伊藤は、「政府は経費節減の余地がないというが、私はあると思う」と増税不可論をぶった。委員会も政府案を否決して議会は解散になった。

言うまでもなく伊藤は維新の元勲であり、明治天皇の御信任も最も厚い者であった。それが政府と意見を異にして、完全に納税者の立場からの発言に終始していることは実にめざましいことである。

それまでは旧来の惰性で政府に反対する者を国家に反対する者だとしたり、また天皇の信任ある政府に反対する者は国賊だという議論すらあったのだが、伊藤のような政府批判者が出たために、そうした言い方は出来なくなり、議会の威信は飛躍的に増大した。

伊藤はこの後に政友会総裁のバトンを西園寺公望に引渡したが、西園寺は明治三十六年の第十九議会において、伊藤の方針を堅持し、行政整理を訴え、国費膨脹のおそれのある支出はこれを承認しない、という方針を明確に打ち出している。これが実に日露戦争勃発直前のことであったことを忘れてはならない。

納税者の立場の代表という点に一度立って見れば、当時の日本の経済の弱体なことはあまりにも明らかであった。とても大国ロシアと戦いうるとは思われない。それで開戦に関する御前会議でも蔵相に対する伊藤の追及がきびしく、蔵相は答に窮したと言う。しかし開戦はきまった。伊藤は日本の国力に対して何らの幻想も抱いていない。それで彼は御前会議の後、金子堅太郎（後の伯爵）を呼んで、すぐに渡米してルーズヴェルト大統領を通じて和平のための手を打たせることにしたのである。金子はハーバード大学でルーズヴェルトとは同窓の友人であるから、特使として工作させるには適任であった。その時に漢詩人であった春畝伊藤博文が金子に与えた次のような詩がある。

日露交渉マサニ断エントス
四十余年ノ辛苦ノ跡
化シテ酔夢トナツテ碧空ニ飛ブ
人生何ゾ恨マン意ノ如クナラザルヲ
興敗ハ他ノ一転機ニヨル

必勝の信念などはどこにもない。明治維新の後約四十年にして、西からの侵略大国と戦わねばならぬ破目になり、今までの努力もすべて水の泡となって空の彼方に飛び去ってしまおうとしているのだ。

しかし人生、思うようにならないことがあっても恨むまい。幸いにアメリカは中立であり、その大統領は義侠心あるルーズヴェルトであるから、これが一転機となって、生きる道が生ずるかも知れない、と言ったような、かなり悲観色の濃い詩である。つまり日本の興亡は、「他の一転機」、つまりアメリカの出かた次第という見方である。

この詩をもらった金子は渡米を引き受け、その決心を次の詩をもって表明した。

樽俎(ソンソ)ノ折衝　寸功ナシ
仁川ノ海上　礮(ホウ)（砲）丸飛ブ
米国ハ幸ニ同盟ノ外ニアリ
独リ平和ノ好転機ヲ握ル

なにしろ漢詩で激励の言葉をもらうと、それに韻を合わせて答えているのだから明治の政治家は優雅なものである。それにもまして戦争がはじまらないうちから和平のための特使を友好的な中立国に送り出すという外交センスは何とすばらしいものではないか。和平に対する何らの見通しもなしに日米開戦に飛び込んだ昭和のリーダーにくらべると天地の差である。

同じ民族のリーダーでありながら、たった三十数年の間に、どうしてこんな大きな質の差が生じたのであろうか。それは私に言わせれば「財政の紐を締めることこそ議会の最高至上の義務」というマグナ・カルタ以来の鉄則が議会人自身によって忘れられたためである。伊藤博文のセンスが失われたことこそ日米戦争のもとだったのだ。やはり博文は千円札の肖像になる価値のある人であったのである。

4

戦前の小学生ならば、学校で繰り返し繰り返し日露戦争の話を聞かされた記憶を持つであろう。

その時、われわれは日本が日露戦争に対していかに準備不足であったかについても耳にタコが出来るほど聞かされたものだ。そして結論がつくのである。

「戦争が近づいているのに議会は軍備に予算をくれず、党利党略から海軍増強に反対したのである」と。

ここで愛国的な先生は嘆いてみせることになる。小学生たちは政治家は全く党利しか考えない悪者に見えてくるのであった。思えば奇怪なことであった、義務教育の場で立法府が常に軽蔑の言葉で語られていたということは。

これと並行して大人の世界では昭和十二年には日華事変が起り、その翌年には国家総動員法が成立し、昭和十五年になると、政友会も民政党も解党して、大政翼賛会ができて、伊藤博文以来の政党政治は終りをつげた。この間斎藤隆夫の如き硬骨の士が出たが大勢は軍に引きずられて行った。この頃の推移を「やむをえぬこと」と見、それを停めることは誰にもできなかったであろう、という説が有力である。しかし軍部独走をとめることができたかも知れないチャンスはあった。それは議会が軍事費を否決することであったのである。

先日、山本七平氏と対談している時に聞いた話だが、あの当時、戦争を停めることのできるのは議会の予算否決だけであることを自覚していたのは、当の議会でなく軍部だったとのことである。特に陸軍軍務局長であった武藤章はこの問題に対して敏感だったという。

当時の軍人には秀才が多くいたし、軍事史は専門に研究していたわけだから、日露戦争直前の軍部のあせりも、予算をくれない議会に対する苛立ちもよく聞かされていたことであろう。また大正時代の軍縮による師団削減などは骨身に徹する恨みとして覚えていたに違いない。だから軍人の方は、議会が予算をくれなければ、何と言ったって動けないことを知っていたわけだが、肝腎の議会の方は、自分にそんな権力のあることを忘れていたらしい。

軍人内閣の出した予算を議会が否決したとすれば、議会は直ちに解散になったことであろう。そして総選挙があって、再び議会が召集された時、またもや巨額の軍事費を議会が否決したとすれば、いくら軍人内閣でも、もう一度解散はできなかったであろうというのが山本氏の推察であるが、私も同感である。

国の中では怖いものなしの如くに見えた軍人も、いかに「予算」というものを怖れていたかについては、福田副総理の憶い出をどこかで読んだ記憶がある。それによると、まだ若僧の主計官であった頃の福田氏が軍人と汽車に乗っていた時、「景色が美しい」と福田氏が言ったら、その軍人は汽車を停めさせてゆっくり景色の鑑賞をさせようとしたというのである。いくら若くても予算にタッチしている人だというわけで、軍人は汽車をとめてまで福田氏にサーヴィスしようとしたというのであるから、一寸信じられないくらいの話である。

ところが悲しいかな、昭和十年代の日本の議員たちは、予算を抑えるという義務の自覚も薄く、また軍事費ですら抑えうるのだという自覚もなかったのである。それどころか昭和十六年の衆議院は、政府が議会と折衝するために時間を無駄にすることのないようにというので、一般質問をやめることを議決したのである。したがって僅かに十日ばかりで、総額百二十八億円に上る予算案及び八十七件の政府提出の法律案の審議は終了して、またたく間に両院を通過した。そのため法定の議会開催期間はまだまだあるのにやることがなくなってしまって自然休会に入ってしまうという奇妙な例を作ったのである。これを見て軍部は「戦争できる」と思ったらしい。この議会が終了したのは三月一日であるが、その年の十月には第三次近衛内閣が潰れて、かの東条内閣が成立したのである。

この内閣に対してはもはや納税者の側から文句をつける者もなかったし、その機関もなかった（憲法上はあったのだが）。軍のやることをチェックする法律はなくなり、東条は自分の意見に反対の者は一兵卒として最も危険な戦場に送ったという話もある。予算を抑える議会もヘペアス・コープスもない専制国家になったわけで、正にマグナ・カルタ以前の状態に逆もどりしたことになる。この悲しむべき事態の直接の原因も、よくよくつきつめて行くと、「政府が税金を勝手に使えるようになった」という正にそこに帰着するということを見落してはなるまい。議会が納税者の代表でなくなった時には、いつでも想像に絶した危険が待ち受けているのだ。

5

何だかんだと言いながら、イギリスの議会制度の価値が広く認められ、模倣されてきたのが近代というものであろう。国によって議会のあり方は違うけれども、議会民主主義が個々の国民の自由と尊厳のためにもっともよい制度であるということは誰でも認めるようになった。ところがその頃になって、議会制度の本場であるイギリスにかげりが生じはじめてきた。莫大な富と威信の蓄積があり、しかも二度の大戦にも勝者の側にありながらも、ここ三十年間のイギリスの地盤沈下はいちじるしい。私がよく引き合いに出す具体的な例だけれど、私が大学で教えはじめた十数年前、『オックスフォード英語辞典』を買うには半年分の給料が必要であった。しかし今はかけ出しの講師の一ヵ月分の給料で買えるのである。

これはポンドの沈下のおかげである。国富の大部分を失い、しかも戦犯国としての烙印を押されて、肩身の狭い思いをしながらおずおずと国際舞台に復帰した日本にイギリスがたちまち追いこされたのは何の理由であろうか。それについては専門家の名論卓説が多くあるようであるが、私はもっと簡単に、イギリス議会が、税金を倹約する機関から一転して、税金をばらまく機関に変質してしまったからであると考える。

日本では議会が税金を倹約するという機能を放棄したのは、大政翼賛会という急性な形できた。その結果も急性であった。誰が考えても日本の国力では遂行できっこない大戦争を始めて、完敗に終ったのである。

これに反して、イギリス議会が税金を節約する機能を放棄したのはもっと緩慢な形であった。いわば慢性的に悪化して行ったのである。ユーモラスな観察で有名になったが、その実は大真面目な歴史家であるパーキンソンが言うように、この漸進性の悪性な変質が起った時点は一九〇九年（明治四十二年）である。これはたまたまパーキンソンが生まれた年でもある。このことは全くの偶然であるが、ともかくこの年に、アスキス内閣の蔵相ロイド・ジョージが、累進課税の原則を税制に持ちこんだのであった。上院にはまだマグナ・カルタの精神が残っていたとみえ、この法案を否決した。しかし議会が解散され、翌年再び同予算案が下院を通過した時、上院はそれを拒むことができなかったのである。

この累進課税の原則にのっとった予算案を提出した時、ロイド・ジョージは実に四時間三十分にわたって熱烈な演説をぶった。そして断言した。

「この予算は一種の戦時予算である。それは貧乏と卑賤に対する不退転の戦闘を遂行するための経費調達手段である」と。

戦争が増税の口実になることはいつの時代においても見られたことである。十三世紀においても、ジョンという愚王が戦争を口実に賦課金を取りすぎるからマグナ・カルタが生まれたのであるし、十七世紀のイギリス議会も、国王の戦費を抑えるのが主なる眼目であったのだ。しかしロイド・ジョージはイギリスの政府は貧乏と卑賎に対して開戦すると言うのだ。

それは見事なレトリックであった。もしロイド・ジョージに匹敵する弁士がいたら、「戦時予算が永久に続くのはまっぴらだね。どの点で貧乏や卑賎と和平条約を結ぶことができるのか。その見通し次第では時限立法として賛成してもよいのだが」とでも言ったことであろう。しかし議会はロイド・ジョージの修辞に敗れたのである。そのために、戦争終結予想点が一向に明らかでない戦争にイギリス人は突入し、議会は税金をコントロールすることができなくなってしまった。

貧困と言い、卑賤といい、その時代時代の生活水準で違う主観的なものだから、こんなものを相手に行政府が宣戦布告してしまえば、国民の間に地位の差も、収入の差もなくなるまで続くことになろう。

しかしそんな社会は未だかつて存在したためしもないし、これから存在する可能性もない。収入が全く平等というならカトリックの修道院内では実現しているが、修道者は清貧の誓いを立てた独身者である。革命を起した国にでも上と下の差は普通の国よりも大きくなっているのが現状である。日本の左翼ラディカルの赤軍派の中における、指導者と総括された赤軍兵士との間の差の大きさを考えれば想像がつく。しかしロイド・ジョージの宣戦布告は理論的に言って、この空想的絶対無条件平等まで行きつかなければやむことのない性質のものだったのである。当時の彼は目前の問題の解決を考えついたのであって、そこまでは考え抜いていいなかったであろうが。

6

その結果はどうなったであろうか。たとえば本年（一九七六年）三月十五日号の「ニューズウィーク」（四十三ページ）には「怠け者(アイドル)のアルバート」という写真入りの記事がのっている。この男は身体健全で五人の子持ちであるが、過去二十五年間に三十三週間しか働いたことがなく、失業手当だけで七百二十万円もらい、寝室三間のある住宅の家賃も国が負担、ペットのオームの餌まで国が払っている。今まで四十六種の職業を提供されたが、プライドが高くて拒否している。さすがに当局も見かねて、扶養義務違反で三十日間投獄したが、現在のイギリスの刑務所は人道的改革のため食物もちゃんと出しているので、すっかり住み心地がよくてそこで満足しているそうである。

出てくれば前と同じように、家から五十メートルばかり離れた草原に一日中ごろごろして白昼夢にふけり、夕方に帰宅して休息することになるのだそうである。もちろんそれだけの税金を使っていることをすまないという気はさらさらないらしい。

ロイド・ジョージの精神を拡大解釈すれば、自分より豊かな人がいる限り、いくら税金を使って遊んでいてもよいことになるからである。この父の考え方を受け継いだのであろうか、彼の十八歳になった息子は、すでに失業手当で生活をはじめているそうである。

これはいくら「病めるイギリス」においても極端な例であろう。しかしこういう例があること自体がイギリスでの税金の使われ方の本質を示している。そこまで至らないけれども、似たような場合(ケース)はいくらでもあるからである。なぜこんなひどいことになるのか、と言えば、ロイド・ジョージの導入した課税原則は、「税金を納めない人間が、納める人間の税率をきめうる」ということと、「税金から国民を守ってくれる国家機関が消滅した」ということを意味するからである。

昔の国王（領主）はもちろん税金を納めなかった。そして国民に勝手に税金を課してきた。それを守るための機関として議会は生まれたのだが、今日、その守ってくれるはずの議会自体が、予算のぶんどり合戦をやっている。日本は三権分立ということになっているが、税金の点から見ると二権分立にすぎない。

つまり司法と行政だけである。税金を使う側の政府と、税金をコントロールしてくれるはずの議会が、同じ政党に握られていることになっているのだ。それどころか、インフレを心配したり、納税者のことを考えて節約しようとしているのはむしろ政府、特に大蔵省であり、「もっと税金を使え」と叫んでいるのが議会なのである。そして「予算をぶんどった」と選挙区で自慢するのが代議士の常であるが、予算は税金であり、それをぶんどるのは本来なら官僚の仕事である。

なるべく余計なぶんどりのないように努力するのが議員の任務であるのに、その役割を果さなかったことを自慢するというのが、保守革新を問わず、日本の議員の現状である。日本がすでに二権分立になっているという意味がおわかりだろうか。

政党も議員も、自分が税金を取られることには関係のない人たちである。従って本質的には昔の王様と同じなのである。われわれは真の意味で「税金からわれわれを守ってくれる国家機関」を持っていないと言ってよいのだ。

松下幸之助氏は、その天才的直観によって、昭和十年を基準にして物価は千倍、賃金は千三百倍、国費は実に一万三千倍であることのおかしさを指摘して、それなのに国家活動は昔にくらべて必ずしも活発でないことを怪しんでいる。しかしこれは三権分立が二権分立化したという事実によって簡単に説明ができよう。

同じ現象の起ったイギリスの場合も、世界列強中でもっとも重税でありながら、国家活動が軍事、経済、学問のあらゆる面で大幅に弱体化したのである。日本の場合は、まだ病気がそこまで進んでいないということにすぎず、根本的には節税機関が国家体系から消滅したのだから、何もしないでおれば、遠からずイギリスなみに、あるいはそれ以下になることは間違いなかろう。

今の日本がまだ活動的なのは、戦前・戦中を生きた人たちが勤勉と自立の習慣を惰性的に維持しているからであって、「税金は払う方よりもらう方が優雅で、しかも正義にかなう」というような風潮がもう少しひろまれば、ある時点から、がらりと悪化するであろう。今、日本で節税が機能しているのは、一部の地方都市の議会が、公務員の給料を上げる予算を否決した場合に限られており、例外的と言ってもよいのである。

明治の頃は、世界の各国とも「強くなること」、「戦争に勝つこと」を最高至上の価値にしていた。

丁度、今日で「福祉」が最高至上の価値のように見えたのと同じである。実際、当時は、強国であることが、とりもなおさず国民福祉であるという面が強かった。その時ですらも、伊藤博文は増税による軍備拡張に反対して、行政の無駄をはぶくことによって建艦するよう最後まで主張したのである。

パーキンソンの指摘によれば、行政費用を思い切って縮減したならば、英国は職業安定所も大砲も両方持てた、という。明治以後の日本も勝つ戦をしている間は議会が節税のための歯どめとして機能していたのに、政府に自由に税金を使わせることにしたとたんに敗戦国になったということは、忘れてならない歴史の教訓である。「軍備拡張」にしろ「福祉増大」にしろ、それぞれの時代においては、反対のしようのない「錦の御旗」である。しかし、どんな錦の御旗が現われてきても、納税者を護る歯どめのなくなった国家は、必ずひどい目にあうことになっているのだ。

こんなことを言うと、税金について頭を使うことのいらない社会主義国の例が持ち出されるかも知れない。

しかし働いてさえおれば、衣食住の心配がなく、しかも税金を納めなくてもよいということの意味は一体どういうことなのであろうか。それはとりもなおさず国民が奴隷ということにほかならないのである。

奴隷は、飢えず、こごえず、住む所が保証されており、しかも税金が不要である。そのかわりプライヴァシイと自由は根こそぎ主人に握られている。

その主人が国家権力であるのが今の社会主義国家の実情である。われわれはやはりそれぞれの才覚によって収入を得、その中から税金を納めるのがよいのだ。身銭(みぜに)を切るのだからその支出には歯どめが要る。

その歯どめであることを現在の議会は裏切った。この裏切りをなくする工夫(くふう)にこそ、自由民の国家としての日本の将来がかかっているのだと言ってよいであろう。

英語教育考　亡国の「英語教育改革試案」

1

世はまことにルサンティマンの時代である。この意味でニーチェが『道徳の系譜』において示した洞察はさすがに天才の名に恥じないものであって、現代の日本に起っている社会現象のあらかたのものが、彼の持ちだしたルサンティマンという概念によって一応の説明がつくと言ってもよいくらいである。

ルサンティマン（ressentiment）は通常「恨み」「怨恨」などと訳されているが、語源的には「繰り返して（re-）感ずる（sentir）こと」である。つまりある一つの感情を何度も何度もくりかえして味わうことであるから、本来はどんな感情であってもよいわけだ。

実際、古いフランス語ではルサンティマンに「感謝」という意味があったし、これに相当する英語のレゼントメント（resentment）も、現在では「恨み」の意味しかないが、百年前ぐらいまでは「感謝」の意味もあったのである。特にクロムウェルが「感謝」の意味でこの単語を使っていたために、ピューリタンの説教師は後々までその用法を踏襲し、それはアメリカ英語にまで連なっていた。

人がくり返しくり返し味わう感情は、このように「ありがたい」という感情だってよいわけであるが、人の性(さが)のしからしむるところか、どうしても「うらみ」の方に重点が移り易く、ついにそこに固定するに至った。漢字の「怨」も元来は「蘊(うん)」や「鬱」と同じに使われていたのであるから、「怨」はうつうつとしていつまでも心の中にわだかまっている感情を指す単語としてルサンティマンそのものである。このルサンティマンが、つまり「うらみ」の気持が倫理価値転換の根源になっているとニーチェが指摘したのは、キリスト教倫理批判を念頭においての話であったが、現代の日本では、怨念がとりもなおさず正義という風に短絡している風のところもなくはない。弱い者、怨念を持つ立場にあるものは、正にそれ故に正義の側にあるとされる。権力は権力あるが故にとりもなおさず悪であり、大企業も強力・高能率であるが故に悪である。そして男は女よりも怨念を少なく持つが故に、その分だけ男の方が正義度が低い、といわんばかりの議論さえも出てきそうな雲行きである。ニーチェが今の日本を知っていたら『道徳の系譜』を更に説得力ある実例で満たしたかも知れない。

このような時代に、男で、東大出で、健康で、ハンサムで、大企業をバックに持ち、自民党の代議士である人といったら、ルサンティマンの対蹠点(たいせきてん)にあると言ってよいであろう。ところがそういう人が、日本国中の人々のルサンティマンを結晶させたような試案をもって登場してきたのである。その人こそは自由民主党国際文化交流特別委員会副委員長・参議院議員平泉渉氏であり、氏が我々に示したルサンティマンの結晶というのが、「外国語教育の現状と改革の方向——一つの試案」なのである。

2

戦後いろいろ批判を受けたものがあるが、もっとも手ひどい批判を受けたものの一つに英語教育がある。というわけはそれは全く役に立たないしろものであることが証明されたように思われたからであった。戦前の日本人は無敵日本軍を信じていたが、それはアメリカ軍の前に潰されてしまったし、日本男子は世界一だと思っていたのに、占領軍がきて見ると、彼らの方が堂々として恰幅(かっぷく)がよい上に、物資も豊富で、しかも女に少なくとも表面上は丁寧であったので、そういうアメリカ人を前にしては日本男子の権威はかたなしであった。全く同じ具合に、日本の英語教育もアメリカから来た「進駐軍」の前にはかたなしであったのである。

こんな話が伝えられている。進駐軍が日本の代表的な大学を訪ねた。そこには高名な英語学者も英文学者もいた。しかしそういう人たちが出ていっても英語が全然通じない。それではと外交官をしていたことのある仏文科の某教授が出かけて行って、ようやく用件が通じたというのである。これは面白くできすぎているので、つくり話かも知れない。しかし当時の田舎の中学生の耳にまで入ってきた話であるから、少なくともそういう話がすぐに「ありそうなこと」として信じられ、流布するだけの下地がその頃あったことは確かである。ここでも権威失墜のパターンは同じだ。つまりアメリカから来た進駐軍の前に出たら駄目だった、というのである。

「アメリカの進駐軍の前に出して通用するかどうか」が戦後の日本人のメンタリティを大いに左右したと思う。

日本軍、日本男子、英語教育などなどが簡単に失格した。一方、個人としての天皇、日本の官僚組織、日本のカメラ、それに日本女性などが合格した。今どき女性上位の風潮を嘆くにはおよばないのである。

今、女房の言いなりになっている連中は、子供の時にその目でばっちりと見てしまったのだ、日本男子がぼろぼろの復員服を着てくしょんとしている時に、日本女性が派手なロングスカートを風にひるがえしながら進駐軍と腕を組んで颯爽と胸を張って焼けあとの街路を闊歩するその姿を。同じように、教育ママが日本語もろくに知らない子供たちに英語を覚えさせようとするのも無理はないのである。

彼女たちは日本の大学の英文学や英語学の大先生たちが進駐軍の若い兵士を前にして初等会話すらできなかった姿を見てしまったので、その先生たちが作った教科書を使って、その先生たちの教え子たちの教える日本の英語教育を信用する気にならないのである。

そして役にも立たない英語教育に「恨み」や「不信」を抱いているのが何も教育ママさんたちだけに限ったことでなく、エリート・コースを歩んできた人たちにも及んでいるというのが日本の社会の一つの特徴である。

秀才よ、エリートよと郷党の人々にもてはやされながら出世街道を驀進（ばくしん）して、高級官僚や大企業の重役や大学教授になりながらも、一たび進駐軍の若い将校が目の前に立った時、ひとことも英語が口から出ず、また相手の言うこともちっともわからなかったので、彼らは英語教育を批判する十分な資格を持つと信じた。

ともかくも自分たちは秀才ですべての学科を容易にこなしてきたのであり、高等数学も英文法も満点だったという自負はある。

それなのに中学以来十年もやったはずの英語が、何一つ役に立たないというのは、自分らが悪いわけではなく英語教育が悪いのだということになるのは当然であろう。

そしてこの種の「恨み（ルサンティマン）」は今日においても続いているのである。無数の国際会議に出ながら、他の人の演説を聞いても何もわからず、討論にも加われず、また家族づき合いする機会はありながらも、挨拶以上の会話に入れないでいる日本人は山ほどいるのである。そういう「無力感」がルサンティマンを生むことはニーチェがつとに指摘した通りである。

こうしたルサンティマンが日本中にみなぎっていることを鋭く感じ取り、いわゆる「平泉試案」をひっさげて、日本の英語教育界空前の抜本的改革案を示した平泉渉氏の政治的センスは称賛されてよいであろう。特に平泉氏自身は、英会話についてもルサンティマンを抱く必要のない方であるらしいから、特に称賛に値すると言える。

3

平泉試案の特色は何と言ってもそれが政治家によってなされたことである。しかも政府与党の側から出されたということは、その現実的衝撃の度合が、学者の試案などとはまるでケタ違いに大きいのである。しかもそれは読む人に生理的快感を与えるほど単純明快である。普通のワラ半紙でたった二枚半にも足りないこの試案の内容を更に圧縮して見れば次のようになる。

- 現在は事実上、日本の青少年の全部に近い数の者が六年間にわたって毎週数時間の英語の授業を受けながら、その成果は、全くあがっていない。

•その理由の第一は、英語ができなくても日本の社会では困ることはないし、受験のための必要悪に過ぎないため、学習意欲が欠如していること。第二には「受験英語」の程度が高すぎるので、学習意欲を更に失わしめること。第三には教授法がなっていないこと。

•しかるに外国語は社会科や理科のような国民生活に必要な「知識」でもないし、数学のような基本的な思考方式を訓練する「知的訓練」でもなく、それは膨大な時間をかけて修得される「暗記の記号体系」である。従って義務教育の対象とすることは本来むりである。

•従って、義務教育では現在の中学一年修了程度までの英語を教えるにとどめる（この程度の知識すら現在の高校卒業生の大部分は身につけるに至っていない）。

高校では厳格に志望者のみに外国語を教えることにし、大学入試から外国語をなくする。ただし高校で外国語を志望した者には、毎日少くとも二時間以上の訓練と、毎年一カ月にわたる完全集中訓練とを行うことにし、全国規模の能力検定制度を実施し「技能士」の称号を設ける。

そして国民の約五パーセント（六百万）が英語の実用能力を持つようにする。（傍点筆言）

まことに歯切れのよい改革案である。こういう改革案が革新政党といわれるものから出されたことがなく、保守党から出ているのは逆説めいているけれども、責任政党としては語学教育に対する国民一般に瀰漫（びまん）しているルサンティマンを放っておくわけにゆかないということなのであろう。

この改革案は現状分析といい、そういう現状を生み出した理由の指摘といい、それを改革するための方策といい、一貫した論理に支えられていて、見事であると言ってよい。そして多くの人はこれに賛成するであろう。何となく賛成したくない人でも、反対する理由を見つけるのに苦しむであろう。私も一読したとき、平泉試案の明快さと迫力に圧倒される思いがしたことを憶い出す。そして始めから終りまで間違っているこの試案が、どうしてこのように明快であり、しかも迫力を持ちうるのかということを不思議に思って首をひねったものである。

4

この平泉試案は始めの現状分析から結論に至るまで、すべて誤解と誤謬から成り立っているものである。しかしこれによって日本における外国語教育の重要な問題がことごとくと言ってもよいほど、日の光の下に曝されたという意味で非常にありがたいのだ。この試案によって、われわれは外国語教育というものの意味と本質と方法についての真の反省を得ることができるであろう。

わが国の外国語教育は、戦前において、中等以上の教育が国民のごく限られた部分に対するものでしかなかった当時でも、すでに効率が低かった、と平泉試案は言う。旧制中学・旧制高校を通じて平均八年以上にわたる、毎週数時間以上の学習にもかかわらず、旧制大学高専卒業者の外国語能力は、概して、実際における活用の域に達しなかったと同試案は指摘する。そして進駐軍の前で何の受け答えもできない英語の大家の姿を見た世代は、この指摘を本当だと信ずるであろう。

しかしちょっと待ってくれ、と私は言いたいのだ。日本は戦前においてシェイクスピア全集の訳を持ち、ゲーテ全集の訳を持っていた。カントやヘーゲルやボードレールやシラーやカーライルやエマソンなどの主要著作の翻訳を持っていた。そうした文科系のものだけでなく、軍事・工学・自然科学の主要なものは多く訳されたり、原文で正確に読まれていた。さればこそ日本は白人しか享受できないと信じられていた近代西欧文化をその総体において消化したのである。

日本人がそうやってみせたから、他の有色民族もやりはじめたと言っても過言ではない。

つまり日本人は語学バリアを突き破って見せることによって、近代化が欧米人以外にも可能であることを世界に証明したと言ってよいのである。

これを可能にした戦前の語学教育を「実際における活用の域に達しなかった」などと言ってはバチが当るのではないか。平泉氏が外国語教育が成功している国としてどこを考えておられるかは知らないが、数種のゲーテ全集やシェイクスピア全集を持ったり、カント、ヴァレリー、アリストテレス、マルクスなどの信用できる翻訳を持っている国が、印欧語圏以外のどこかにあったら教えてもらいたいものだと思う。

外国の古典の信頼できる翻訳が多くあることは、その国の外国語教育の成功度を示すものと普通は考えられるが、逆に、外国語を教育しても原文が読める人間が出ないから翻訳が盛んなのだ、という反対意見もあると思う。

しかし日本人のメンタリティとして、内容のある外国の文献を、正確に訳して見せないと学生が心服しないということがあるのである。旧制の大学や高専の学生は語学力が身についていなかったと平泉試案では批判されているけれども、限られた分野では極めて正確に難しいものを読めるようになっているので、外国語を実際に活用できるぐらいの人では教師としてとどまりえなかったのである。一例をあげてみよう。

藤村作(つくる)博士は東大教授として『国語と国文学』、『解釈と鑑賞』などの雑誌を創刊され、また『日本文学大辞典』を編纂された国文学界の耆宿(きしゅく)であるが、晩年に熊本校時代の英語教育を回想されて大変面白いことを言っておられるのである。その当時の五高の英語の先生たちは佐久間信恭氏をのぞいてみなアメリカの大学出ということで、マスターやバチェラーの肩書きがついていたが、教室での解釈は学生たちの目から見るとすこぶるあいまいで、しばしば先生と学生との間に論議が起った。先生はこれに対して明解な判断で学生たちを納得させることができず、結局、「アメリカの大学でやった人は駄目だ」という評判が学生たちの間に生じた。

そうした先生たちは居づらくなって中学校などに去られるなどして、幾人か代ったが、学生たちにとっては一向に代りばえしなかった。それで中には、「先生の解釈では駄目だから、リーディングをやって下さい」という失礼な注文を持ち出し、外国帰りの発音など聞いて、一時間の授業を無駄にしてしまったこともあり、一向に学力もすすまない。先生もやりづらかったろうが生徒も迷惑してどうにもならなかった。

こうしたところに日本の大学を出た若い教師がやってきた。もちろんこの人は外国に行ったことがない。ところがこの人の授業がはじまってみると、今までとは大違いである。学生を指名して訳させ、誤訳があると辛辣（しんらつ）な質問で突っこんでくる。その答え方がまずいと、「君は一体、どこから来たんだ」と聞かれる。「○○中学です」と答えると、フンと鼻の先で罵られ、「君の中学ではそんな訳をするのか」と言われる。更にひどくなると「フン、中学からやり直すんだな」と冷然として言われる。

この辛辣さに学生は憤激し、今度の先生は意地が悪いからひとつとっちめてやろうという相談がまとまり、クラス総がかりで熱心に下調べをして、授業の際には質問攻めをもって喰ってかかることをやったが、結局は学生の総負けである。「こんどの先生には歯が立たん」ということで敬服の心が起ってみんな勉強するようになった。教室での説明も前のアメリカ帰りの先生方と違い、明快至極で、よく学生たちを納得させたのである。

それで学生たちは課外での英語の教授をお願いすることになり、総代が頼みに行って、イギリスの名作を読むことにしてシェイクスピアなど何点かを読み上げたという。

この時の日本の大学を出た若い教師というのが誰あろう後の漱石、若き日の夏目金之助であった。当時の漱石は、前任者のアメリカ帰りのバチェラーやマスターの肩書き持ちの人にくらべれば、英語の「実際における活用」においては数段と劣っていたはずである。彼はまだイギリスに行ってないし、イギリスに行ってからも会話が上達してよくその社会にとけこむということはできなかったぐらいだから。しかし若い学生をピシッと把握して原書を自発的に読もうという気を起こさせる教育力があった。バチェラーやマスターの人たちには全く教育力がなかったのである。

これは漱石が英語教師であった明治時代だけの話でなくわれわれの時代にもあった。というのはわれわれが大学の時もイギリスの大学のマスターを持っておられる方の英語の授業があったのであるが、その時の学生たちの反応は、明治時代の熊本高校の学生と全く同じだったからである。

この先生の英語の力については疑念をはさむ余地はなかったと思う。日曜の午後などはサッカレイの小説を楽しみのために読んでおられる方であったそうだ。サッカレイを楽しみのために読むなどということは、なみの英語の先生にできるわけはないのである。しかし教室の英語となるとまるで別な状況が現出するのだった。

たとえば「この as はどこにかかるのですか」というような質問が出ると、この先生はうまく説明ができないのである。説明を考えるために、五分、十分と沈思黙考なさってしまう。五十分授業のクラスで質問が出るたびに先生の沈思黙考がはじまるのでは授業にならない。元気のよい同級生の中には、「こんな英語じゃしょうがないよ」と言って、その時間は別の外人の英語のクラスに入りこむ者も出た。

そのうち何人かの有志が学校当局に出かけて行って、先生を替えてくれるよう要求した。その時にその要求を受けたアメリカ人の教授の答えはこうであった。

「そんな馬鹿な話はない。ミスター○○は完全なキングス・イングリッシュを話すジェントルマンである。君達が彼の英語を批判する資格はない」

しかし何だかんだで、結局先生は替えられた。この先生は専門が別におありになって、英語の方をやめられて、むしろ喜ばれたのではないかと思う。しかし何はともあれイギリスの代表的名門大学を優等で出たという人の英語が、日本の大学の二年生の英語クラスを教えることができなかったということは極めて珍奇な事件として今なお記憶に鮮かである。それとは対照的に、外人と英語を話しているところは一度も見られたことのないといわれる先生のクラスは学生間で好評であった。この人は学生の質問した個所を文法的に説明し、ちゃんと訳してみせてくれたからである。

明治二十年代の熊本高校にしろ、昭和二十年代の上智大学にしろ、問題の性質が少しも変っていないことは、こうした現象を考慮しない外国語教育論は日本では駄目だということである。ここには日本人の歴史やらメンタリティが独特な形で出てくるからである。

5

日本における外国語教育はいつ始まったかくわしいことはわからないにせよ、一応、聖徳太子をもってその伝統が定着したと考えてもよいであろう。そうして他の分野におけるように、聖徳太子のやり方が、その後の日本人のやり方を大きく決定したと言ってよい。

聖徳太子が仏教学を学ばれたのは推古天皇の三年（五九五年）に来朝した高麗人恵慈からであるという。仏教学と言っても漢訳仏典を読むのであるから高度の外国語研究である。更に太子は百済から来た僧観勒を師として、学生数人を学ばせたが、これが日本における私塾のはじまりといわれる。これも漢訳仏典を読むのが目的である。そうして太子自らも推古天皇の六年には勝鬘経を講じ、同じく十四年には勝鬘経及び法華経を講じて、諸王公王と臣連公民に聞かせたという。これも漢文のお経の講義である。

太子はまた注釈者としても優秀であられた。法華経、勝鬘経、維摩経の三つの経典につけられた注解は、三経義疏としてよく知られている。特に太子の勝鬘経義疏は早い時期に唐に逆輸出され、そこの法雲寺の僧明空が更にそれに注をつけて六巻としたが、これは今日も残っている。太子の漢文経典の読解力の優秀さを示す好例であろう。

このように簡単な記述からも明らかになることは、日本人の外国語に対する関心は、聖徳太子の頃からすでに「原典を正確に読む」ということに向けられていたことであろう。太子が百済の言葉やシナの言葉をどのように話せたか、などということを問題としている形跡がない。太子の先生は外人だったのだから、太子も外国語を話されたのであろう。

しかし太子の外国語教育において、いわゆる実用語学は目的とされない。太子が作られた私塾においてもそうである。その後、天智天皇がお建てになった日本最初といわれる学校においても同じことである。学職頭になった鬼室集斯はその名前からして多分百済人であろうが、その目的は要するに高い文化を持った隣国の書物を読むことに尽きる。そしてこの伝統はその後も受けつがれた。かくしてシナ大陸の文化はそっくり日本文化を豊かにするための肥料、あるいは栄養となったのである。

この傾向は鎖国のおこなわれた江戸時代になると更にはっきりしてくる。長期にわたる平和と幕府の学問奨励によって日本における漢学の研究は学問活動の主流になる。しかし何しろ鎖国の世の中だからシナに留学するというわけにいかない。あれほど日本中で漢学が行われながらも、シナ語の会話ができたのは、少数の長崎の通辞と徂徠一派の人だけである。それも唐音で喋ることに興味を持ったということで、実際にシナの学者などと自由な会話ができるほどのものではなかったと思う。

しかし聖徳太子以来の外国語研究の伝統は十分に生かされテキストを正確に読んで注をつけ、本文の校勘をすることにかけては本場のシナ人の学者を超えるものがあったのである。最近は吉川幸次郎博士の書物などのおかげで、伊藤仁斎の学風は、シナの儒学史にくらべてみると、約百年先に現われたということが知られてきている。学問史において隣国より百年先んずるということはめったにないことであるが、ここではもっと特殊な例として、享保年間（将軍吉宗の頃）に出た紀州の儒者山井鼎の『七経孟子考文補遺』について一言しておきたい（以下の記述は主として狩野直喜博士の考証に負う）。

足利学校の蔵書の中には極めて注目すべきものがあることはすでに林羅山のころから知られていたが、将軍吉宗の時代に、宋から渡来した古板十三経をもととして荻生徂徠（おうぎょうそらい）の弟子の山井が、古典の本文批判（テキスト・クリテーク）をやったのである。山井は五経と論語・孝経・孟子を取り出し、『七経孟子考文補遺』として全三十二冊にしたのであるが、これの刺戟によってシナにも本文批判の学問が起ったのである。

つまりシナの古典の校訂版（クリテッシェ・アオスガーベ）は日本からはじまったということになる。その経過は大体次の通りである。当時、杭州の人で汪鵬という人がいた。彼は日本にはシナ大陸には一冊も残っていない本がしばしば発見されることを知り、『孝経鄭注（こうきょうていちゅう）』を探そうと思って長崎にきたのである。彼は商人で時々長崎に来て、相当長い間滞在していたことが知られている。

彼はその時、山井の『考文』のほかに『古文孝経孔子伝』や『論語義疏』を買って帰った。この汪から鮑廷博（ほうていはく）の手に渡り、盧文弨（ろぶんしょう）がそれを見たのである。

盧は山井の『考文』を読んで奮発して、『周易注疏輯正』などを著述するようになったことをその題辞にも書いている。盧が山井の『考文』を見た時、すでに六十五歳で、当時すでに校勘の大家として知られていたが、当時シナ古典のテキスト・クリテークにかけては、シナ本土においても山井の書に及ぶものがないことを心の中で認めざるをえず、更に発憤してこの道に進むことになったのであった。

次に山井の影響を受けたのは阮元(げんげん)である。彼は最初、北京で山井の写本を見たが、後に杭州に来て群書を校閲して見ると、明朝以後に流布している十三経注疏は山井の『考文』によって訂正しなければならないことを知り、これを覆刻させるのである。そして阮元が門下生を督して『十三経注疏校勘記』を撰した時も、最もたよりにしたのは山井の『考文』であったのである。

このようにして山井の本はシナの校勘学が進歩するにつれて次第に価値を認められ、四庫全書にも収められ、六十余年後には、シナ版として長崎へ逆輸入されたりしている。聖徳太子の本がシナに渡り、そこで注をつけられて、その写本が再び日本にもどってきたのと同じような型である。

ここで強調したいことは、これが日本における外国語学習の根本的な型であることである。伊藤仁斎や山井鼎のシナ語会話の能力はどのようなものであったろうか。おそらく長崎に来ている清の商人と話しても、ごく簡単なことも通じなかったであろう。そして筆談になったことであろう。そして書くということになれば、これらの人は和歌を作るようにたやすく漢詩を作り、擬古文を作るよりも上手に漢文が書けたのである。

明治二十年代の五高の生徒も、昭和二十年代のわれわれも、聖徳太子や山井鼎の語学のあり方を意識していたわけでない。しかし会話ができることが語学の重要部分でないことについては、みんな本能的に知っていたのである。内容ある外国語の文章を的確に把握することこそ外国語教育であるとどの学生も疑わなかったということは、私は聖徳太子以来、長い漢学の伝統を通じて日本人の血肉になっている考え方だと思うのである。

6

古来日本人が、外国人と話すという外国語習得とは別の外国語習得の仕方があるということを知っていたことは、決して失ってはならない知的財産であることを忘れてはならない。われわれは自分の持てる物の価値や恩恵を忘れて、それより劣った物にとびつくことがよくある。幕末の頃の日本人には、広重や歌麿の浮世絵を、どうということのないラシャぎれと喜んで交換した者もいたはずである。自分の持てる技術の価値はまるでわからなかったからである。同じようなことは知識の分野でもよく見うけられるように思う。最近もある座談会で驚いたのだが、その道で名のある老人たちがテレビの教育価値を主張して、そのマイナス面にしいて目をつぶろうとしていた。文字文化を一応こなした世代にとっては恐らくテレビのもたらす情報はプラスのみといってもよいであろう。われわれが心配するのは、テレビによる教養は文字による教養の代りにならないということなのである。

テレビの教育効果を認めないなどということは絶対にないのだが、文字は文字で別の次元の話になるという主張は絶対に譲るわけにはゆかない。テレビの面におけるこうした主張は比較的わかり易いと思うが、問題は外国語教育でも同じである。

外国の事情を知るにはテレビを見た方が手っとり早いことがある。外国の事情に限らずニュースでもファッションでもテレビによる情報の方が手っとり早い。だからと言って文字による情報獲得手段は二次的と言えるかどうか。一たび文字の文化から切り離された世代が生じた場合、それを再び文字に連れもどすことは至難である。その時になって「文字の文化は何と重要であったか」と嘆いても遅いであろう。同じことは外国語教育の分野でも起ってきているのだ。大抵の日本人は「外人としゃべれたらどんなにかよいだろう」と思いながら育ってきた。そのせいか多少英語をしゃべれる青少年が出て来た。発音もよくなった。そこまでは進歩のように見える。それからがよくないのである。

少なくともわれわれが学生の頃は、読み方の上手な学生というのは、内容把握も正確であった。しかし十五年前ぐらいから、英語を読ませると大変上手だが、うまく読むことと、内容把握が連ならない現象が目立ってきた。

これは日本文化史上の新現象でないかと思われる。そうした学生の特徴は、英語の愛読書などは持たないことである。英語に対する関心がかなり幼稚な会話の段階にとどまるということは、昔の被植民地の人たちの外国語学習に似ていると言えないこともない。

更に一歩進むと、外国で生活する機会のあった親の中には、子供にともかく英語を仕込もうとして外国で教育を受けさす。そして外国の高等学校を出たりする。さて日本語は、ということになるが、高校卒ぐらいの年齢まで日本語を放って置いた日本人は、日常の日本語会話は出来るにせよ、日本語をマスターすることはほとんど不可能に近い。日本語は改めて学ぶには実に難しい言葉であるという厳たる事実に直面するのである。そうした子供の親たちは、自分が英語で苦労したので、子供だけでも英語に苦労しないようにと願ったに違いない。

しかしその人たちも、自分の持っているものの価値に気が付かなかったのである。自分たちが日本語をマスターするために払った努力の方は忘れて、日本人の子供なら放っておいても日本の文学が読め、日本語で文章が書けると思いやすいのである。そして外国生活をしているのを幸いに英語だけやらせると、年頃になった時に、その失ったものの価値に愕然として気が付く、ということになる。もちろん外国での生活も長く、外国語もよくできるが、日本語もよく出来る青年もいる。

しかしそういう人は生れつき頭がよい上に、外地にあっても日本語をゆるがせにしないという賢明さも持っていた人の子であるが、戦後に外国に出た人々は、しばしばそれほど賢明な親でなかった。新しいものの獲得はよいけれども、そのためにもっと価値あるものを捨てることになるかも知れないということの一例である。

7

この見地から見ると、平泉氏が「その成果は全くあがっていない」という戦前・戦後の外国語（英語）教育もそれほど捨てたものでないことがわかるであろう。少なくともそれは日本人に母国語と格闘することを教えたからである。単なる実用手段としての外国語教育は母国語との格闘にならない。その場合は多くが条件反射の次元で終わるからである。「格闘」という言葉はおだやかでないが、英文和訳や和文英訳や英文法はことごとく知力の極限まで使ってやる格闘技なのである。そしてふと気がついて見ると、外国語と格闘していると思ったら、日本語と格闘していたことに気付くのである。

ハマトンというイギリス人は十九世紀後半の教養人で、絵をやっていたところから欧州大陸の諸国に居を構えた。そして各地において自分の子供がどのように新しい言葉を覚えるかを観察し、十分信頼できる記録を残している。それによると幼児のうちは次から次へと国が変る毎にいともやすやすとその地の言葉を覚えるが、土地をかえると何らの痕跡も留めずにそれをすっぱり忘れ、また新しい言葉をいともやすやすと覚える。それはあたかも、バイオリン・ケースにバイオリンを入れ替えるようなものであるという。ところがそのうち新しい言葉を容易に覚えられなくなる。

つまり前の言葉を忘れないようになるからである。つまりは格闘が起こるのである。

このように格闘によって征服した場合にはじめて両者の共存が成り立つわけである。日本人の場合は母国語の基礎が一応できた中学一年頃に、全く語族を異にする英語をやり出すわけであるから、格闘は猛烈だ。「象は鼻が長い」というありふれた日本語を英語になおすときに、どれだけの知的格闘を経なければならないことか。日本語しか知らない時ならば全然意識しないことを意識にのせ、それを分解し、全く別の視点から組み立て直すのである。こういう風に外国語を学ぶことによってはじめて「精神が精神を見る」ということが起こるのである。

近頃、日本の国語教育に対する批判が高い。しかし逆説的ではあるが、日本の国語教育は、国語の文学的教育であるにすぎず、国語の言語学的教育は英語の時間にもっとも徹底的に行われているのである。たとえば国語の時間に書かされる作文はどのように評価されるか。一にも二にも文学的視点から行われる。これに反し、英文和訳の時間において、和訳の日本語は、一にも二にも言語的な批判にさらされるのである。主語はどれであるか。それはしかるべき述語によって叙述されているか。言語に内在する論理性はそこなわれていないか、などなどである。おまけに誤字の訂正までが英語教師の仕事の大きな部分を占めている。

しかしこれを異常な状況と見る必要は全くない。それは国語教師の怠慢でもなければ、英語教師の越権でもない。全くノーマルな状況なのである。昔の日本人が返り点をつけて漢文の書き下しをやったのも、漢文を一度粉砕して、日本語のシンタックスに並べかえる作業だったのである。

このようにして日本人の知性は啓（ひら）かれたのだ。そして敢えてつけ加えておくならば、ゲルマニアやブリタニアの森から出てきた蛮族が、西ヨーロッパ文明を作るようになったのも、古典語と直面して、われわれの先祖が漢文を読んだように、緻密にギリシャ・ラテンの古典を読んだからである。つい最近までヨーロッパの青少年の教育は古典語を読む訓練に尽きていたと言ってもよい。

丁度、明治までの日本の青年の教育が漢文を読むことにほとんど尽きていたように。またわが国の旧制高校の教育が「原書」を読むことにほとんど尽きていたように。

ある経済学者が本多顕彰氏に「外国語が読めないものは日本の経済学の書物は読めない」

と言ったそうである。これは別の言葉で言えば、「外国語と格闘することによって日本語と格闘したことのない日本人は、日本語で書いた経済学の本も読めない」ということになろう。

何も経済学に限らない。哲学でも、文学論でも、法律学でも、あるいは新聞の社説でも、現代の日本語の相当部分は、今言った意味での母国語との格闘経験を経なかったものには極めて理解しにくいであろう。

「学習した外国語は、ほとんど読めず、書けず、わからない」からと言って、その成果は全くあがっていないというのは甚しい短見であるといわねばなるまい。

8

去年、中津燎子さんの『何で英語やるの』が大宅賞をもらって話題になった。この中津さんが日本の英語教育の根本的欠陥に気づいたそもそもの始めは、フィールド・サーヴィスの奨学生としてアメリカに行くことになった女子高校生の英語が、ちっとも聞きとれなかったからであるという。

自分の英語が外人に通じないでルサンティマンを持っていた日本人は、熱烈同感の意を表したわけである。この本をさっそく買って読んで非常に面白かったので、これに対する反響をかなり注意深く観察していたつもりだが、一つキラリと光るコメントがあった。それは英語教育界の権威小川芳男氏のものである。氏は言われる、「その女子高生も、アメリカに行って半年ぐらいしたら上手になっているかも知れない」と。

実は現在の英語教育の問題の多くはここに尽きていると言ってよいのである。岩手県にいて、つまり周囲に英語を話す外人もいないところにいて、英会話の能力を身につけたり、その能力を維持し続けることはナンセンスに近い努力である。重要なのは、アメリカに行って三カ月か半年後になってから着実に伸びる土台を与えることなのだ。たとえば it ~ that の構文を確実に理解しているかどうかで、後の進歩はまるで違うはずなのである。そういうことなら日本の学校でもきっちりやれるはずだし、まともなところでならやっている。もちろん発音を正しくするのは大いに結構だ。しかしそれは文法不要とか、訳読不要とか、あるいはその軽視に絶対連なってはならないのである。つまり学校における英語教育はその運用能力の顕在量ではかってはならず、潜在力ではからなければならないということである。

この区別をしなかったために、平泉案はほとんど国民教育に関する案としての価値を失ってしまったと言ってよい。平泉案は日本における外国語教育（実質的には英語教育と言ってよい）の効果が全く上っていないと断定した上で、その理由として、日本の社会では外国語の能力のないことは全く不便をきたさず、英語は上級学校入試のための必要悪であるにすぎないから、学習意欲が欠如するということをあげている。更にこの学習意欲の欠如を悪化させているのは「受験英語」の程度が高いことだとしている。

しかし賢明な読者は、ここの「英語」というところに「数学」を入れても全く同じになることに気づかれるであろう。

実生活においては加減乗除ができれば大抵間に合う。つまり算盤ができればよいのである。この頃は計算機の小さいのが安く買えるから、理屈の上では九九を覚える必要もない（実際にアメリカの学校の中では算数の時間に小型計算機を使わせるところが出てきている）。確かに微分積分やピタゴラスの定理の証明などは銀行員になるには不要である。富士銀行を建てた安田善次郎などという人は算盤は達者であったろうが、対数や解析幾何などは知らなかったろう。

高等数学を知らなくても銀行を創立することだって出来たのである。このように高等数学は社会の必要がないから学習意欲は欠如し数学嫌いが多い。かてて加えて「受験数学」の程度が高すぎるから、生徒に対してははなはだしい無理を強要することになって、学習意欲はますます失われることになる。そのようにして習った高等数学は、ほとんど理解もできず、応用もできず、式も立てられないというのがいつわらざる現状である。

以上の数行の「数学」を「英語」にすれば文字通り平泉案になるのであるが、ここに明らかになることは、顕在量と潜在力であろう。国家が数学を学校教育で必要な課目として見ている理由は、生徒がすぐに高等数学を実用に使うことができるからではなくして、その学習が、若い頭脳の潜在力を豊かにすると考えているからではないのか。その議論をそっくり外国語教育にあてはめてはいけないのか。平泉案は「いけない」というのである。

9

平泉氏は言う、「外国語は……数学のように基本的な思考方式を訓練する知的訓練とも異なる」と。その上、外国語は理科や社会科のような国民生活に必要な「知識」でもない。それは単に膨大な時間を要する暗記の記号体系であり、従って義務教育の対象とすることは不可であると言うのである。これを一つ一つ反駁することは、とりもなおさず外国語教育の本質の解明になるであろう。

先ず第一に外国語教育は思考方式のための知的訓練にならぬ、ということであるが、これは二種類の外国語教育を区別しないことによる。「外国語教育とは会話を主とする実用技術である」というようなものであればあまり知的訓練になるまいが、わが国民が聖徳太子以来やってきたやり方を考えれば、知的訓練にならぬ、というのは全く当らないことはすでにのべたところから明らかであろう。異質の言語で書かれた内容ある文章の文脈を、誤りなく追うことは極めて高い知力を要する。また逆に、そのような作業を続けることによって著しく知力を増進せしめうることは、歴史的にも経験的にも疑問の余地がない。それは基本的な思考方式を訓練する点で、数学に劣るものではないのである。

第二に外国語（英語）は国民生活に必要な知識でないと言うが、そうだろうか。

大変卑近な例をあげれば、新幹線の座席はＡＢＣになっているし、ラジオもonやoffになっている。名前もローマ字で書くことが少なくない。アルファベットを用いないまでもドッグ・フードとかフード・センターなどという片仮名が新聞に出るようになると、フードが食品であるぐらいの知識は必要である。それを知らないと日常のコミュニケイションにも少なからぬ支障をきたす、という点で、片仮名の外来語は漢字の知識の地位に迫りつつあるという大勢を無視するわけに行かない。もっとも片仮名の外国語を使うことに対する批判があることは百も承知だが、その批判は濫用に対してのみあてはまるだけで概して無効である。

テレビは片仮名だから怪しからんと言って「電視」とか「電像」といっても簡単になったとは言えない。またある国語問題の論客が、しきりに「シンセリティ」という言葉を振り廻して議論しているのを聞いたことがある。

普通の日本語では「誠実」というような言い方になると思うが、考えてみれば、これだって漢字であり外国語である。大和言葉では「まごころ」になるが、そこまで主張し出すと、日本語で物が書けなくなるのではないか。話の前後関係やら、論じられていることの内容次第ではシンセリティでもよいことがあろう。外来語の流入というものは、知的・物質的に交流のある諸外国との関係次第ではとめようがないものなのだ。

昔の日本でも漢字の流入をとめることができなかったし、ルネサンス期のイギリスも膨大なるラテン語やギリシャ語の流入をいかんともしがたかったのである。イギリスにはピュアリスト（国語醇正化論者）というのが数多くいたが、大して効果がなかったことは、現在の英語を見ればよくわかることだ。

今の日本も片仮名抜きではいかんともしがたい状況である。日本が科学的・文化的・経済的に絶対的優位に立っていて、世界中に新しい発明品や新しい観念を供給する立場にあるならば片仮名書きの言葉をなくすることができよう。しかしそうではないのだから、新しい観念は大和言葉訳にするか、漢語訳にするか、片仮名表記にするかの三つしかない。大和言葉訳は国学思想の強かった明治でも不可能だった。それで漢学に通じていた明治の学者は百洋の文物や概念を漢訳しで一応の成功をおさめたのである。しかし世は漢字制限時代である（仮名書きを許していただけばポスト・漢字時代である）。

誰が明治の学者のような巧妙な漢訳ができるか。もしそれができたとしても一般の人にそれが通ずるだろうか。というようなわけで仮名書きが出ているわけである。

仮名書きがどうしても存在し、今後も増えてゆくことがわかっている以上、その仮名書きのもとになった外国語の一つぐらいは国民に教えるのが国家の義務である。理科の時間に電気のことを学んでも、ファラデイの名前を覚えてない者も多い。だが理科で電気のことを学んだのは無駄ではないのだ。少なくとも雷が虎の皮のふんどしをつけた鬼でないことぐらいはわかるのだから。従って理科は国民生活上の必要な「知識」である。同じように英語も関係代名詞や不定詞などはきれいに忘れても、アルファベットを覚え、ジス・イズ・ア・ドッグがわかる程度でも、片仮名の世界へ突破口がついたわけで、国民生活上の必要な「知識」なのである。

10

「暗記物」というのは近頃ではほとんど蔑称になっている。平泉案も外国語は膨大な時間をかけて暗記しなければならないから、国民全体にやらせるに不適当であると言っている。しかし多少とも学問をプロとしてやった人や、実務の重要部門にタッチしたことのある人ならば、鍛練された記憶力なしには何事もなしえないことを骨身に徹して知っているはずである。

法律条文が頭にのこらない弁護士、病名や薬品名を覚えられない医師、楽譜を見なければ演奏できないピアニストなどというのはいないはずである。だから昔の人はすなおに物覚えのよい子供を歓迎したのであろう。

数学は推理力の学問で暗記物とは正反対の学科だと思われ易い。しかし同級生で数学のよく出来た男のことを考えて見ても、それは公式を正確に覚える能力に負うところが甚大であったと思う。数学者の岡潔先生は、旧制中学時代にもっぱら丸暗記をすることによって非常に精神統一の力が強くなったと言っておられる（『春の草』）。岡先生の丸暗記はまこと徹底したもので、試験がすむと同時に食べたものを全部吐き出し、再び胃が食物を受けつけるまで二週間かかったとのことである。私はこのような暗記の訓練に耐える経験が青少年の知・情・意のめざめに本質的な関係があることを、岡先生と共に信じて疑わない。

英語の単語やそのスペリングを覚えることは記憶の負担である。しかもそれが異質の言語の文脈の中で憶えることは、疑いもなく膨大な機械的記憶と共にそれを「場」において正確に適用するという「活性状態に置かれた記憶」を必要とする。こういうことこそ学校教育の本義ではないのか。

戦後の漢字制限にも見られたことだが、学生の記憶力の負担をとりのぞいてやると、その余った分のエネルギーがよその学科にまわるという迷信があったのではないかという疑問が起こる。知力というものはそういうものでないことは教職にあって長く青少年を観察した人なら誰でも知っていると思う。知力、あるいは知的エネルギーは銀行預金ではない。預金ならば食費に使わなかった分を衣料費にまわすこともありうる。しかし英語をやらなかった分の記憶力のエネルギーは数学や理科にまわるかと言えば、概してそうはならないのである。

英語をやめたために、記憶力が伸びず、根気が養われず、長時間机に向いうる習慣もつかず、したがって学科全般にわたって不適格者を作るという公算が極めて大である。西ドイツでもギムナジウム（高校）の学生が麻薬を用い出したのと、古典語軽視の風潮との相関性が認めうるようである。古典語（日本では英語）を覚えなくてもギムナジウムを卒業でき、大学にも行けるとなると、青少年は突如として膨大な自由時間をうるが、その浮いた時間が、他の学科の勉学に振り向けられるということはまずないことであるから、日本でも期待しない方がよい。

11

大学入試から英語をはずす――何という朗報だろう、と一番喜ぶのはその採点で春休みを犠牲にされている大学の英語教師である。英語をやらずに何で択ぶのか。数学で択ぶことは文・法・経の人にはまるで役立たない。
では国語の古文か、と言えばこれもあまりよくない。地歴となるとあたりはずれが大きすぎる、ということになる。

簡単に言えば受験英語の悪名はいかに高かろうと、それは他学科との能力との相関性がズバ抜けて高いのである。つまり受験英語ができる人間は大てい他の学科もよくできるということなのだ。東京外語大では一次試験は語学で行うそうである。その合格点をたとえば七十点とすると、それ以上の点数を取った受験生は第二次試験でいろいろな学科の試験を受けることになる。

ところが語学試験で高い点数を取った受験生は二次試験でも高い点を取り、語学試験がスレスレで通った学生の多くは二次試験の成績が悪く、多くは落ちるそうである（小川芳男氏談）。

これは日本に限らずアメリカでも顕著に認められることである。

アメリカの大学でヴォキャブラリ・テストが重視されるのはそのためで、高校卒業時の語彙テストの成績を見れば、その後の大学四年間の成績は、専攻コースに関係なく大体予想がつくという権威あるレポートが出されている。

知っている単語の量でさえ、そのぐらいその後の修学成功度に関係あるのだから、古典語

(日本の英語)の修学成功度との相関性の高さは言をまたない。大学入試から英語をなくするという平泉案は、何をもって受験生の選択を行うつもりなのであろうか。

この伝統的語学教育とその他の学科との相関性ということに関して、私が留学していたころの西ドイツのミュンスター大学の学長クレム博士の言葉を紹介しておきたい。クレム博士は著名な化学者であるが、同博士の長い間の経験から言うと、高校(ギムナジウム)における理科の成績は、大学における化学研究者としての成績にほとんど関係がない。ところが高校でギリシャ語の成績がよかった学生は、高校では理科をやっていなくても、研究者として大成する率がはるかに高い。化学の研究者になりたいなら、高校で理科の実験などするよりも、ギリシャ語でプラトンを読んできた方がよい、と言うのである。

クレム博士の言うのは高度の化学研究者のことであろうが、語学と他学科の相関性が比類なく高いことを証明する面白い発言である。

12

大学受験から英語を切って落した平泉案では、高校の英語は志望者のみに厳格に限るのである。毎日二時間以上、毎年少なくとも一カ月にわたる完全集中訓練を行うという。なるほどうすれば日本の学校で学んだだけで英語を使える人間ができよう。英語能力の顕在化である。

しかしこの案は亡国の案である。それはなぜか。まず第一に青少年の五パーセントだけに英語をマスターさせるとなると、どのような騒動になるかが目に見えているからである。大抵の生徒は自分もこの五パーセントにはいりたがるであろう。すると当然選択が行われる。すると親も子も必死になるであろう。

そしてその五パーセントの中に加わるための英語の試験が行われると、中学生の優秀なものは、今よりも英語ばかりやることになるであろう。かくして全義務教育の構造はひっくりかえるであろう。

次にこの五パーセントが毎日二時間以上の訓練を受けるということの意味を普通の人は悟らないからである。

週十二時間以上の英語をやられたら、ほかの学科をやる余裕は絶対にない。私は英文科の学生として週八時間から十時間の授業を受けたことがある。ほんとに英語のほかは何もやる閑はないものであった。

英文科の学生ならそれでも許されるけれども、高校生がそれをやられたらいろんな方向に向うべき才能の可能性がほとんど停止せしめられるであろう。五パーセントの高校生はもっともすぐれた高校生であるはずなのに、こんなことをやられてはたまらない。あえて亡国の案と言う理由である。

平泉案はまことに画期的な外国語教育改革案である。しかしその出発点は、「英語を長いこと学校でやったのにアメリカ人の前で話せなかった」という国民的ルサンティマンから出発したため、学校教育における潜在能力の養成という根本義を見失い、学校における履修課目についての能力の顕在化を性急に求めたのである。そのため、明快な現状分析、強力な論理、迫力ある提案もそのことごとくがそっくり間違っているという結果になったのである。

しかしわれわれは平泉氏の提案に感謝しなければならない。この案によって今までもやもやしていた日本の外国語教育問題の核心が明らかになったのであるから。これによってわれわれは学校における外国語教育は英文解釈・和文英訳・文法といった机上訓練の知的価値を再認識する機縁をえた。

これによって受験英語の意味を正しく評価することができるであろう。そして何よりも、学校教育は潜在能力の開発に尽きることを改めて認識せしめられるからである。

ここから引き出される結論は二つある。その第一は、英語の教師は伝統的と言われる方法に自信をもつことである。

間違った方法ですら断乎たる自信をもってやれば相当の成功を収めるのが教育である。伝統的方法は決して間違った方法でないことを確信することが先ず重要である。教師は英訳・英作文・文法においてゆるぎなき自信を持つことが必要である。

第二には、顕在化された能力としての英語教育は別に考えなければならないことである。前提となるのは高校までの潜在能力としての英語教育をがっちりと仕上げ、母国語との格闘を一応終えていることである。

それからならば、教養ある外人の異性と結婚することから、町の会話塾に通うことに至るまで、語学力顕在化のためのさまざまのノウ・ハウがある。それについてはまた別に語る機会があるであろう。

新聞の向上？　楚人冠「最近新聞紙学」を読む

1

「第一に注意したいのは、新聞記者がその任務を行うに当り、始終職業の威厳を維持して、これを失墜せざらんことを期すべし、という一事である……従来新聞記者の世間から疎んぜられたのは、記者自らその行いを卑しゅうして、人またこれを卑しゅうしたのである。世間も悪いが記者も悪かった。」

この一文を読んだ人は、「はてな」と思うであろう。今どき新聞記者をうとんずる人などはないだろうし、また自らその行いを卑しゅうしている新聞記者などありそうにないからである。またこれには次のような言葉が更に続く。

「ただここに注意すべきは、世間にこの公明正大な記者の態度を妨げんために、ことさらに金銭を賜るとか、馳走をするとか、さまざまの小策を弄する人がすくなからぬ一事である。この誘惑に対しては蹶然として一蹴し去る底の勇気がなくてはかなわぬ……世の中の職業数々ある中に、誘惑の多いこと新聞記者の如きはけだしすくない。その地位を悪用すれば、どんな罪悪でも人知れず犯すことができる。大記者小記者それぞれその分に応じて。悪いことはできるのである。」

これについても、今どきの大新聞の記者にこんな人たちがいると思う人はまずいないであろう。

弁護士が昔は人におそれられ、同時に軽蔑された職業であったことを、何かで読んで知っている人すらこの頃は少ない。弁護士と言えば医者と並んで世間の尊敬をえている自由業の双璧みたいなものであるからである。それと同様に新聞記者が弁護士と並んで人におそれられ軽蔑された職業であったということは近頃の若い人は知識としても知らないであろう。新聞社というのは入社試験でも最も難しい分野であって、パスすれば同級生の羨望をあつめるのが常である。

事実、私が今まで会った人のうち、もっとも傲然たる態度を示したのは、某大新聞社の幹部の人であった。今から十五年以上も前のことになるが、私は縁談のことでその人に会うように言われ、彼の新聞社に出かけて行った。するとその大幹部の人は、当時大学の講師になったばかりの私に向って、顔を合わせるや開口一番、「学校の先生は給料も少ないし、ボーナスも少ないから、あの娘さんにはこの縁談はよしなさい、と言ってるんだ」と言った。

そう言われれば正に仰せの通りで、この縁談はまとまらなかった。私はその後も縁談がいろいろあったし、また、学校の教師という職業がら、少なからざる縁談の相談も受ける。しかし他人の職業に対して真正面からこれほど軽蔑の念を露骨に示した男は（中年の女にはいないこともない）後にも先にもこの人だけだから、新聞人のプライドというものは大したものだという印象が今でもあざやかに残っている。私が直接知っているいかなる人でも――イギリスの貴族でも、ヨーロッパの王族でも、世界的な学者でも、カトリックの大司教でも、日本の大臣でも大実業家でも――わが国の大新聞の幹部ほど傲然と構えていた人はいなかったのである。

正に無冠の帝王である。いや帝王以上のものである。このような現状なのに、新聞記者に向って「その行いを卑しゅうするな」などと忠告するのはアナクロニズムも甚しいと言わねばならないであろう。

こういうアナクロニズムが書いてある本が最近出版された。杉村楚人冠著『最近新聞紙学』（中央大学出版部）がそれである。ところがよく読んでみると、さすが新聞紙学の古典と言われるだけあって、初版から半世紀もたった今頃に再刊されたのを読んでも、いろいろ考えさせられることがある。そのいくつかをとりあげてみたいと思う。

その前に著者のことにちょっと触れておく必要があるかも知れない。若い読者の中には楚人冠を知らない人も少なくないだろうから。

杉村楚人冠は本名広太郎と言い、明治五年（一八七二年）に和歌山県に生まれ、はじめ英吉利（イギリス）法律学校（中央大学の前身）に学んで通訳や翻訳の仕事をしていたが、後に朝日新聞社に入社し、日露戦争後にイギリスに特派され、そこから送ってよこした軽妙奇警な文章で、文名を挙げた人である。

文章が上手であっただけでなく、研究者的センスがあり、外遊中に英米の新聞事情についても研究し、外国一流新聞の制度を取り入れて、調査部及び記事審査部をはじめて朝日新聞に作ったのも彼であった。朝日新聞がそれまでの日本の新聞にない「権威」を持ち出したのは楚人冠のこうした制度上のアイデアに負うことが少なくないと言われている。

また楚人冠はすこぶるアイデアに富み、新聞の縮刷版を考えたり、『アサヒグラフ』を創刊した。これは日本における視覚文化を先どりした事業であり、彼の時流を見る目のするどさをよく示している。

学者的な素質があったことはここで扱う『最近新聞紙学』からも容易にわかるところで、頭脳が組織的である。しかも内容はいずれも彼自身の体験を中心としたものであり、学識とユーモアが見事な調和をなしている。今日は新聞学科のある大学も方々にあるが、これだけの業績のある人、あるいは作れる人はそんなに多くはないのではないかと思われる。

楚人冠は英語がよく出来た上にイギリスやアメリカで活躍したので、英語は読むことに加えて話すことも上手で、当時の日本人としてはかなり珍しいタイプであったが、同時に東洋的趣味をも深く解していたので、故池島信平氏は彼を評して「陶淵明（とうえんめい）をバタいためにしたような味わいがある」と評していた。

『楚人冠全集』全十八巻（日本評論社）は、この傑出したジャーナリストであった人の業績の集成であるが、その中には小説もはいっているのが目につく。『最近新聞紙学』には「本所から」という一文が付けられているが、これは赤穂義士の討入りが、今起ったとすれば、どのように新聞社は動き、どのような報道がなされ、また政界などにどのような影響があったであろうかということのシミュレーションであって、新聞人にして作家でもあったこの人の面目躍如たる一文である。

2

英米において、新聞は先ず政治論の公表機関として出発した。最初何はともあれ天下国家を論ずるために出されたものらしい。このためイギリスでは徒弟までも新聞を見るという状態が早くから生じたが、これはアメリカでもそうだった。したがって議論が第一で、ニュースは第二である。

その極端な例として一七七六年七月四日にアメリカ独立宣言がなされた時、その宣言のなされた当のフィラデルフィアの町の新聞はそれを報道せず、十日たった十三日にはじめてのせている。ボストンでは更に十日おくれて、独立宣言が新聞に報道されたのは二十二日だという。『小公子』に出てくる新聞好きのおじさんも「議論」を読んでいたので、ニュースは二の次だったのであろう。

ところが議論はともかく、まずニュースだという主義を打ち出したのは、イギリスではロンドン・タイムズであり、アメリカではニューヨーク・ヘラルドとのことである。日本でも初め頃は政治論が多く「天井種（てんじょうだね）」と言われていた。つまり記者が畳の上にひっくり返って天井をにらみながら書ける議論ばかりということである。これもやはりニュース主義にとってかわられた。新聞と言えばニュースという伝統はそのあたりからでてきている。

ところがニュース第一主義（News, not views）も行きつくところまで行くと一転した。つまり通信社などが発達してきて新聞記者がニュースばかり追うという賤役（ドラジャリー）から解放され、その分のエネルギーを知的なことに使えるようになり、記事の主力は、与実的（インフォーマティブ）になってきている。つまり確実なニュースにもとづいてそれにコメントするという形態である。その結果として次のようになってきたという。

「従来の新聞紙の論説といえば、どうしても一枚上の役者が己より一枚下の者に説いて聞かせる体裁であった。『何々すべし』『何々せざるべからず』というのが論説の主眼とするところであって、『全体お前達には分るまいが、おれはこう考えている』という口調であった。ところでこれがおいおいに改まって、次第に読者と共に事を議する風になり、即ち或る事実に対して、露骨に善悪得失を批評するよりも、その事実の由来するところを説明し解釈して、これに対する判断は読者に任せたものになってきた。」

このような新聞のあり方を、楚人冠は文明社会の新聞と考えているようである。つまりニュースが正確・網羅的であることはもう前提とされているのであって、天井種はおわっていなければならない。したがってコメントがなされ、議論が立てられたとしても、ニュースはそれに先行していることになっている。

この点において日本の大新聞社は世界一とも称せられている。二、三年ぐらい前のタイムに、何台もの自家用飛行機を使ってニュースを集めている日本の大新聞社のような新聞社はアメリカにもないと言って羨ましげに書いていたと記憶する。私は日本の大新聞社の機動性やニュース蒐集の能力が、タイムも羨むほどであると知って愉快であった。タイムは「日本の新聞社では飛行機をニュースのために使うが、アメリカの新聞社が自家用機を使うのは重役のためだ」と言って、日本の新聞社のあり方を高く評価していたのである。

だからわれわれは日本の大新聞の報道力を信ずる。世界や国内の大事件がその網から洩れていることはよもやあるまいと信ずる。したがって日本の大新聞が数紙もそろって報道しなければ、われわれ日本人はその事件は存在しないと思うし、また数紙が揃って報道すればその事件は存在すると思う。ところがこんな時に妙なことが起ったのだ。

英語教師の義務として私は毎週タイムやニューズウィークにざっと目を通す。内容についての興味もあるが、目新しい単語の採集というのが大きな目的である。しかし否応なしに記事そのものも読むし、読んだ内容も多少は頭に残る。陳腐な例になるが、林彪事件なども日本の新聞に出るよほど前から知った。

さすがにこのような大問題はいつまでも放っておくわけにもいかないらしく、某大新聞は、その週刊誌に外国の週刊誌の林彪記事を訳して特集として出した。このようにして全日本人は、日本が世界に誇る大新聞によらずして、週刊誌や雑誌を通じて隣国の大事件を知ったのである。私の知人で、某大新聞びいきだった人も、さすがにこれにはガックリきて、「週刊誌、週刊誌と言って馬鹿にするけれども、今度のようなこともあるんですね」と嘆息していた。

週刊誌は楚人冠の頃の軟派新聞のようなもので、その世間の信用度においては大新聞とは比較にならない。しかし隣国の超重大政治事件という硬派記事において、大新聞が一言も報道しないうちに、週刊誌に扱われたのでは、大新聞はどうかしたのではないかと思われても仕方ないであろう。

新聞が読者に「どうかしたのではないか」と疑われる場合について、楚人冠は次のようにのべている。

「世の中には、新聞記者を買収せんとて、いろいろ苦労する人がある。又、買収し得ると思っている人がある……今日の新聞社の組織では、記者の買収などということができるものでない　ことになっている。たといできたとしても、なんらの役に立つものでないことになっている……彼〔その記者〕の上には経済部長がいる、その又上に主筆がいる。件の外勤員が、書くべき事件があるのを書かぬか、書かでものことを書いてきたとて、部長主筆はいずれその方面に目の黒い男であるから、必ず彼のやり口はどうも変だと勘づいてしまう。仮に件の部長も主筆も買収したとする。

主筆の下に編集長がいる。皆それぞれにその道にかけては目が黒い……少し大きな新聞紙になると、編集長の名は一人でも、その仕事はとても一人で年が年中勤まるものでないから、編集すべき材料の種類によっては、ある部長が引き受けていることもあれば、編集の日時によっては、何曜日の昼は誰、何曜の夜は誰と、それぞれ手代りの編集長代理ができている。その中の一人や二人を買収したとて、他の者が承知していなければ、買収の効力はこれに及ばぬ……もし更に一歩進めて、社主、社長、主筆、編集長、外勤員の全部を買収したとする。今度は世間が承知しなくなって……」（傍点筆者）

林彪事件が報道されないことについては、日本中がイライラした。つまり世間が承知しなくなった。それどころか、同じ会社の中でも週刊誌の者が承知しなくなった、というのが実情だったのではないか。つまり林彪問題に関しては、楚人冠の言う「社主、主筆、編集長、外勤員の全部」が買収されたかっこうになったわけである。

もちろん日本中の大新聞が隣国に金で買収されたわけはないであろう。とすると別の原因がなければならない。楚人冠はそんなこともちゃんと見透しで、堅く戒めていたことがあった。それは「利害の打算」ということである。彼は言う。

「新聞記者が材料を集め、又は紙面を整うる時に、利害の打算をしたり、親疎の別を立つることは、最も戒むべき点である。故意に不実の事を捏造（ねつぞう）するのも罪悪であるが、公けにすべき事実を差し押えて公けにせぬのも罪悪たることは、相同じい。『いかなる大記者もニュースを差し押うることを得ず』（"No editor can suppress News"）という言葉がある。元来ニュースと言うものは新聞紙の材料とするに足るとみられた以上は、いやでも応でも、新聞紙に載せなければならないものである。大地震があって、幾百千人が死んだような大事件がニュースとして顕われた時は、いかに有力な記者があっても、これをさし押えて新聞紙に出さぬわけにいかない。ニュースというのはそんな性質のものである。採って材料とすべきか否かは、新聞紙の立場からみて、材料とするに足るや否やの点から決すべきものであって、これに対する自己の利害、又はその事件中の人物と自己との親疎の関係などによって、決すべきものではない。」(傍点筆者)

これを近頃の大新聞の人たちはどう思っておられるだろうか。私は国内に限って言えばこれは大体において守られていると信じたい。しかし、一たび国際問題になるや否や、今から五十年以上も前に、新聞記者の心得として楚人冠が力説していることが、まだ全然まもられていないと言わざるをえないのである。

北京に特派員を置けるか置けないかについての判断は、明らかに「利害の打算」である。共産主義政権に親しみを感じ、非共産主義政権に親しみを感じないのは、「親疎の別」を立てることである。利害の打算や、親疎の別の故に、大ニュースが殺されたり、どうでもよいようなことに大きなスペースをさかれるのではたまらない。

「真実を語るために始められた新聞が、今ではただ真実を語らせぬために存在している始末なのだ」と、チェスタトンは今から六十五年も前に言っているが、われわれから大ニュースをはばんだのは、実に大新聞の壁だったのである。

われわれは今日、沖縄のすぐ先にある台湾についてのニュースを大新聞から知ることができない。何という不便なことであろう。幸いに私は英語を知っているから、英米の記者の書いたものは読める。しかし私は日本の新聞でも読みたいのだ。そこには国連からは除名され、日本からは一方的に切り捨てられた政府がある。しかしここと国交を結んでいる国もあるし、わが国との関係も濃い。そこでは一千万もの人口が、有色人種の国では日本に次ぐぐらいの繁栄した経済を有し、治安もよいらしい。

私は別に台湾と国交を恢復せよとか、国として承認しろとか、政治的な主張をしているのではない。日本のすぐ先にあって、現実に国家として作用している国に関する記事がほとんどないというのが、楚人冠の言う、「公けにすべき事実を差し押えて公けにせぬ罪悪」に当るのではないかと思うのだ。

これに対して、「いやあれは国でなく、大睦の一地方なのだから、記事にしないのだ」と言うかも知れない。それならば更に面白いではないか。島国に追いこまれた政権が水爆を持った大陸の勢力に飲みこまれることに抵抗している、などというのはロマンチックですらある。一般読者はそんな記事に人間としての興味を持つものなのだ。

蒋介石という名前は私は小学校の頃から知っている。その人が今どうやっているのか、どんなことを考えているのかは、主義に関係なく興味を引く。少なくとも北京から来たバドミントン選手の話などよりは面白そうである。そして私と同じような興味をもつ日本人は数え切れないほどいることも知っている。

一つの仮定を出す。プエルトリコはアメリカに編入されることになろうが、それに反対して、プエルトリコに共産政権が出来たとする。しかし国連にもはいれず、日本も承認しなかったとする。しかし、こんなことが起ればこれに関する記事は、連日わが国の大新聞を埋め尽すに違いないであろうということは容易に想像できる。なぜかと言えば、今の日本の大新聞は、共産主義に親しみを示していることは周知の事実であり、報道に主義による「親疎の別」があることは蔽いがたいことであるからだ。

楚人冠は「いかなる大記者もニュースを差し押うることを得ず」という英語をひいて、大ニュースというものは、どうしても新聞にのせなければならないものだ、と力説する。大地震があって大ぜいの人が死んだら、このニュースは押えるわけにはいかないと言うが、大地震があって何千人死んでも報道しないですむ新聞もあったし、また現にあることを日本の大新聞はよく知っているはずである。

たとえばこの前の戦争中に名古屋の方面に大地震があって甚大な被害があったのだそうである。そのことを私は戦後になって知った。戦争中は報道されなかったからである。地震ですら報道がないのだから、敗け戦さについての報道もない。

もしミッドウェーあたりからの戦闘状況がよく報道されておれば、原爆の落ちる前に降伏しても国民は納得したであろう。

もちろん報道できなかったのは新聞社の罪ではない。軍が報道管制をしいていたからである。そしてこのような報道管制が今なお存在している国があることは、新聞人は私よりもよりよく知っていることであろう。

たとえばソ連の報道管制の対象には大地震や飛行機事故まで含まれているし、紅衛兵たちはアメリカの月ロケットを知らず、韓国人は金大中事件についてほとんど知らされていないと言う。このような状況にある国民はまことに気の毒であるし、ひいてはその国の運命や世界の運命にとっても危険を含むものであるように思われる。

大新聞は戦争中のような状態に二度とおちいってはいけないし、そう願っているわけでもないと思う。大地震の被害状況も報道できない体制に対しても、特に敵意など示す必要など少しもないのだが、しかしそういう体制に対して特別に「親しみ」を示して、重要な報道をかくしてもらいたくないのだ。

しかし私はこの点に関して、大新聞がどれほど真剣に考えているかについて、かなりの疑問を持っている。

たとえば数年前まで、「創価学会についての批判は決して報道されない」ということに普通の日本人はみんな気がついていた。言論の自由に関するかなり露骨な干渉があるという噂が、私のように世事にうとい者の耳にも入ってきた。しかしこれは、一評論家の奮闘によって、ようやく明るみに出るまで、大新聞は決して取り上げなかったのである。これを大いに取り上げたのがアカハタであったのは面白い。最近は一部の部落解放運動についても似たようなことが起った。大新聞が当然義務として取り上げなければならぬ事件が、アカハタと週刊誌によってのみ取り上げられているのである。

おかしなことではないか、報道の自由の上にのみ成り立つはずの民間大新聞が、報道を管理する組織に対してだけは大甘の甘ちゃんであるのは。楚人冠の立てた基準からすれば、それは明白な堕落であり変態である。

3

「故意に不実の事を捏造(ねつぞう)」することが罪悪であり、言語道断な行為であることは言うまでもない。しかし故意でなく間違った報道をすることも多いであろう。それについて楚人冠はこう言っている。

「初めて新聞記者になった者は、とかく人の談に迷わされ易いもので、少しかわったことを聞けばすぐ珍しがって、これを事実のように早合点してしまう。それがだんだん記者生活を続けていくうちに、次第に、少々の事では珍しがらぬようになり、よほど突きとめた上でなければ、事実とはしなくなる。いかなる大事を聞き込んでも、場慣れた記者はまず初めは疑ってかかる。事件が面白いとなると嘘でも嘘でないことにしてしまいたいのは普通の人情であるが、それをまず、そんな事はよもやあるまいと疑ってかかる。この疑ってかかることは、記者にとって極めて大切なことで、かく初めは疑念から出立すればこそ、何事にも無闇に珍しがって、噂を売り歩く者の乗ずるところともならず、冷静に前後の事情を考えて、その虚か実かを判断した上、疑わしい点をつきとめる気も起る。かくして集め上げられた材料は、ちゃんとまとまったものになって、これでまず間違いはないと、集めた人の信念が、これに伴っている。材料の蒐集はどうしても疑念から始って、信念で結ぶようでなければならぬ。」（傍点筆者）と。

ここで楚人冠が注意していることは最近ちょっとルーズになっているのではないかと思われるふしがないでもない。富山湾の魚の汚染、第三水俣病、それにミンダナオ島の日本兵発見といった風に未確認のまま大ニュースとなったものが、ちょっと考えただけでもいくつか思い出される。ミンダナオ島の日本兵の場合、最初に特ダネを出した大新聞は、この報道が完全に誤報とわかってからも、「ナゾ残し幕切れ」と言った。

　この終り方はまことに象徴的である。楚人冠は「疑念から始って、信念で結ぶ」ことを記者の心得とした。しかし楚人冠の後輩たちは、正にその逆をやっているのだ。すなわち「信念から始って疑念で結ぶ」ことをやっている。

　楚人冠が記者の心得として立てている基準は、誰でも文句のつけようのない立派なものである。その立派な基準の逆のことが行なわれているとすれば、今の大新聞のやり方は立派でないのである。私の受ける印象では、編集の中心にある人たちが、記事を書いてくる記者を十分コントロールしてないように思われる。そういう現象が新聞社に起る場合についても、楚人冠はちゃんと指摘している。

「すべて主筆や編集長がその材料の取捨を決するに、材料の新聞価値によらずして『ちと怪(あや)し』き標準によっていることが外勤員などに勘づかれると……よい新聞紙のできよう見込みはない。」と。

　日本の大新聞の主筆や編集長が「ちと怪し」き標準によっていると私が言うのは、別に特定の個人や会社からワイロをもらっているという意味ではない。それは前にのべたような北京などに対する過度に卑屈な態度である。

楚人冠は「新聞記者は秘密の約束をしてはいけない」と言っているが、大新聞が北京と秘密の約束を持っていたことは今やほとんど公知のことになっている。この秘密協定があれば、編集は「ちと怪し」き標準になることは言うまでもなかろう。上の方の標準が「ちと怪し」き時は、下は当然たるんでくるのである。

ベテランの記者は面白い話でも疑ってかかるという。ところが人の話を信じ易い私でさえ「ハテな」と思うことを、プロの記者がちっとも疑念を起さないらしいのはまことにおかしい。

たとえば、毛沢東精神で作った稲だか麦は、あまりにも生育がよいので、その上を歩ける、というようなことが大新聞にのったことがあった。私の農事体験は戦争中の学徒動員ぐらいのものであるが、その体験からしても、マユツバだな、と思う。大新聞ならツテはいくらもあるはずだから、農業の専門家の何人かにその可能性を聞いてみればよいのだ。稲の上を歩けるほどの稔り豊かな栽培法を開発した広大な国が、食糧の緊急輸入を資本主義国に仰がなければならないというのは、前の報道がウソだったということである。

こんな例を上げて行けば全くきりがないが、「百人斬り」などもその例にはいる。あの記事を書いた記者もベテランのはずだったのだが、思考のプロセスが楚人冠の教えと逆になっているのだから仕方がない。

大新聞がしばしば北京の代弁機関の様相を呈しているのは、「密約」などのせいもあろうが、一つには新聞記者が「労働者」というものにいわれなき劣等感を抱いているからではないだろうか。楚人冠の周囲にもそういう人が多くいたと見え、わざわざ本論から脱線してまで、このことについて釘をさしている。

「元来『労働は神聖なり』とは、遊手無職にして門地や遺勲に衣食する底の徒に比して、働いて食う方が神聖であるという意味である。何も手足で労働する者が、頭脳を使う者よりも神聖なりという意ではない。これを曲解して、肉体の労働をするいわゆる労働者の労働が特に神聖なるもののように言いはやすのは、これによっていわゆる労働者の歓心を買わんとする一派の社会主義者の曲語（カント）である。」と。

人糞を用いる農業や、強制勤労奉仕を学生に強いる政府を大新聞がほめるのはおかしなものである。ごく若い人をのぞけば記者や編集者の方も、それがどういうものであったか、みんな体験しているはずで、義理にも讃美できるしろものではない。できることなら人糞より尿素などの方がよいし、勉強したい学生には本を読ませた方がよいのだ。北京政府だって本当は人糞なんか使いたいわけではないが、今のところ仕方がないのだろう。果せるかな、肥料工場設置の引き合いが来ているらしい。だから北京政府はおかしくないのだが、何でもほめようと無理をしているわが国の大新聞の方がおかしいのである。

大新聞のアラをさがすことはたやすい。しかし大新聞の力は圧倒的である。夏目漱石の頃は、大学をやめて新聞社に入ることはセンセイションであった。しかし今では大学は掃いてすてるほどあるが、大新聞の数はほぼ不動であるから、相対的に新聞社の権威が格段に上ってきている。

それはすでに大正のはじめ頃ですらそうであった。楚人冠は言う。

「今日の新聞紙は一個の報道機関たるにとどまらず、学校にも勝る教育機関となり、議会にも劣らぬ立法機関となり、政を行うに資すること政府の如く、道を教え法を説くこと教会寺院に異ならず、弁護士のすることもすれば、医者のやることもやるようになったのである。かくまで影響の及ぶところ広くかつ大きくなってくると、新聞紙も自ら顧みて、うかとしたことはできぬということになる。しかり、全く以ってうかとしたことはできぬ。」と。

例えば、議会には速記録があるけれども、そんなものを一々読んでいるのは、おそらく前の日に演説した当人ぐらいのもので、国民の大多数は、全く毎日読む新聞紙によって議会を知って行くのである。であるから、「議会をえらくも、つまらなくもするのは一に新聞紙の力で、今日のように日本の議会が一種の軽侮を蒙ってみえるのは、気の毒ながら、新聞紙のお蔭だ。」と楚人冠は指摘する。これが大正のはじめ頃の発言だということを胆（きも）に銘じよう。そうすればわれわれは思わず襟を正さざるをえなくなるはずである。

軍部の擡頭（たいとう）は、明らかに議会を軽侮する気風が日本人全体に滲み通った所で起ったのだから。政党腐敗、財界腐敗などということを宣伝しすぎたため、日本人は短絡的に「清潔な」軍人に期待をかけてしまったのである。そして「腐敗して」暗殺された政治家たちは、死んで見ると意外にも清潔であったし。「腐敗して」いた財閥も、戦前にやろうと思えば出来たはずのスイス銀行などへの財産疎開をやっていなかった。

政財界の腐敗のイメージも、清潔な軍人のイメージも、みんな新聞が作り上げたものであった。

こうした国民的イメージをバックにして、軍人や右翼を中心とする強硬外交を重ねた結果、日本は無謀な戦争に突入し、新聞自身も報道の自由を失ったのである。正に殷鑑（いんかん）遠からずである。

「全く以ってうかとしたことはできぬ」のである。

以上、楚人冠が大正四年に書いた『最近新聞紙学』を目やすにしながら現在の大新聞の様子を見てみたのであるが、まとめて言えば次のようになると思う。

（1）国内的には新聞社の機構や社会的権威の面で著しい向上が見られる。もはやゴロツキ記者とか、収賄された記者などは考えにくくなっている。この意味で、楚人冠の希望はほぼ達成されたと言えよう。

（2）ところがいったん国際的なことになると、特定主義国と秘密協定を結んだり、記事編集に利害の考慮が入りすぎたり親疎の差別を露骨に出したりして、楚人冠の立てたスタンダードは全く踏みにじられている。つまり国際的に見ると明治の軟派新聞か御用新聞の程度まで根性がいやしくなってしまっている。

そのため楚人冠の立てたのと同じ水準を維持し続けている欧米のクオリティ・ペーパーから憫笑（びんしょう）されるような低い水準にある。

（3）これが社内のモラルに関係しているのか、最近は信念ではじまって疑念で終るような記事が増えてきているような印象を受ける。

半世紀以上も前に書かれた杉村楚人冠の本の再刊版を見て、大新聞の現状を考えて見たのであるが、「葦（よし）の髄（ずい）から天井のぞく」式の思い違いや誤解もあるかと思う。叱正をまつ次第である。

歴史と「血の論理」

1

最近読んだある座談の一節に次のようなものがあった。

井上秀雄（大阪工大助教授）

「ものをみてますと飛鳥へ来ているのか、朝鮮へ行ったのか忘れてしまいますよ、ものをみるかぎりにおいては。それほど飛鳥、白鳳までの段階、あるいは天平でもほとんど違わない。たとえば有名な〔朝鮮の〕石窟庵なんかになりますと、全体の姿などは天平のものそっくりですよ。」

岡部伊都子（随筆家）

「そうですか。」

上田正昭（京大教授）

「朝鮮のなかの日本……（笑）、日本のなかの朝鮮ばかりじゃなくて、朝鮮のなかの日本とい

うことかな（笑）。」…………（『日本の朝鮮文化』中央公論・九七ページ）

この本全体を通じて右のような工合に話が進んでいく。そして日本文化がいかに朝鮮に負っているかがいろいろな分野に亙（わた）って示される。日本美人の源流は「出雲の阿国」というように出雲人であるが、これは朝鮮系であり、関東武士も朝鮮系であり、神様でもスサノオノミコトは朝鮮の神様であり、その神を祀った京都の八坂神社も朝鮮系である。桓武天皇の母后も朝詳系で山上憶良もそうである、といった工合に、神様、皇后、万葉の代表的歌人、美人、武士、技術者、学者などすべて朝鮮系である。

このようにほとんどすべての分野の重要な人物の多くが朝鮮系の人に占められてしまうのであって、第一世の帰化人、あるいは渡来人がはいりこんでいない分野は、天皇ぐらいのものになってしまうようである。まことに上田教授の言われるように、朝鮮の中の日本なのか、日本の中の朝鮮なのかわからない。

実はこれと似たような議論が今から六十年ほど前のイギリスにあった。その頃までの通念によればイギリス人の先祖はアングロ・サクソン、つまりはゲルマン人であり、イギリス人が誇りとする議会をはじめとするもろもろの制度はゲルマンの森の中にその起源を有することになっていた。たとえば当時代表的な英国法制史家のウィリアム・スタッブスは、その浩瀚（こうかん）な著書の第一巻第一章ではイギリスの法制のドイツ起源を説き、第二章ではシーザーとタキトスの記録によって古代ゲルマン人の生活を説き、第三章では大陸におけるサクソン人やアングル人の法制を論じている。

またわが国でもよく読まれていたグリーンの『英国史』も、そもそもの書き出しは、北ドイツの風土と民族と社会についてであり、しかも非常に好意ある書き方である。またカーライルの『英雄崇拝論』の第一章は、熱烈なゲルマンの英雄の崇拝論であるし、また八巻三千五百ページにものぼる彼の『フレデリック大王伝』はゲルマン精神を賛えた金字塔であると言ってもよい。

イギリス人にとって、「高天原」に相当するのはドイツの森であった。

そのような時にチェスタトンが現われてこう言ったのである。

「イギリスにローマの遺跡があるのではない、イギリスはローマの遺跡なのである。イギリスがローマの一つのプロヴィンスであった時代の方が、イギリスがプロテスタントであった時間よりも長いのだ」と。

チェスタトンの言うことも一理ある。イギリスは四百年間以上ローマ帝国の一部であったのみならず、その後約千年間はローマ教会を奉じており、カンタベリーに座を持つカトリックの大司教は常に宮廷席次第一位であったのである。特に一〇六六年のノーマン・コンクェストにより、イギリスは国王をはじめとし貴族も高位聖職者も社会の上の方の地位はほとんどフランスのノルマンディーからやってきた人たちに占められ、英語それ自体も、それに続く三百年間は公の場では使われなかったのだ。イギリスの文化は徹底的にラテン的なのである。バースの町にはローマ人の作った浴場があり、北に行けばローマ人の建てた長城がある。イギリス中の風光明媚な地にある廃墟はほとんどがローマ・カトリックの修道院で、貴族の城にもノルマン風（つまりフランス風）のものが多い。イギリスはどこを見てもラテン文化の跡ばかりである。フランス人やイタリア人が来てイギリスを観光旅行すれば、朝から晩まで自分の国の文化のコピーを眺め続けることになると言っても過言ではない。

まことにイギリスの中にローマ文化の跡があるのではなくて、イギリスそのものがローマの遺跡なのだというチェスタトンの一見奇矯な意見は、正論のように思われてくるのである。

上田教授の口ぶりで言うならば、「ローマの中のイギリス……イギリスの中のローマばかりでなく、ローマの中のイギリスということかな」と言うことになるであろう。

そして重要なことは、実際にイギリスはローマの中のイギリスであった時代があったのである。その史実については一点の疑念もない。このアナロジーから言うと、日本民族も元来は朝鮮民族だったかも知れないということになる。「知れないことになる」どころではない、今から六、七十年前までの日本では、つまりチェスタトンがイギリスはローマの一部だったことを説き出したと同じ頃の日本では、日本民族と朝鮮民族は同一であったという意見が有力であった。この日朝同祖説が有力であったからこそ、韓国併合という政治的措置が取られたのである。近頃の本では、日本は韓国を植民地にしたという。実態はそうであったろう。しかし理念としては同一先祖から出た二つの国だから、ロシアの脅威にそなえるという都合もあって、いっそのこと併合しようというのであった。実態においては同じだったか、それともっと悪かったかは別として、イギリスがインドやアフリカを植民地にしたのとは根本的に違うというのが建前の理念であった。

共通の先祖を信ずるという、一見非常に結構な考え方のために、二つの国の間に不幸な関係が生じたということは、まことに歴史のアイロニーでもあり、歴史の悲劇でもある。同祖論が一転して悲劇にもなるという「歴史」とは一体、何なのであろうか。

2

ここに一人の英語学徒がいたとする。語学というものはある程度進歩すると、その国の地名に興味を持つようになる段階があるものである。日本にきている外人でも、しばらく日本にいると地名に興味が出て、トウキョウは、東の京都、シンジュクは新しい宿場（ポスト・タウン）だということを知って喜ぶようになる。それと同じように、英語もある程度やると、ニューヨークは新しいヨークということで、ヨークはイギリスにある古い町だということがわかるようになって喜ぶ。ニューヨークぐらいならまだ問題はないが、ロンドンとかカンタベリーとかになると、調べて見ないことには見当がつかない。そこで何で調べて見るかということになるが、英語の場合はわりに簡単である。それは『オックスフォード地名辞典』というすばらしい辞書があるからである。

どんな地名でも、その語源から途中の変化まですぐわかるのである。こんなすばらしい地名辞典を書いた人は、きっとオックスフォードかケンブリッジあたりの教授だろうと思うかも知れない。しかしあに図（はか）らんや、この英国の地名辞典の著者は英国人ではなく、スウェーデン人であり、スウェーデンの大学教授でスウェーデンに住んでいるのである。

この辞書の著者であるエクウォールはこのほかロンドンの街路の名前についても最も権威ある本を書いている。

日本人にとってはこれは異様のことのように思われるであろう。日本地名辞典とか、江戸の町名の研究書を出す外人というのはなかなか想像できないからである。しかしイギリスにおいては、これは少しも不思議のこととはされない。というのは北海沿岸の諸州をはじめとして、イギリスには八世紀末以降、多数のヴァイキング、つまり北欧人が住みついており、丁度『源氏物語』が書かれていた頃には、ヴァイキングが国王になって、デンマークとイギリスとその他の北海の島々を合せたような海上帝国まで作り上げたのである。日本でも丁度この頃は、刀伊の賊（女真人）の来冠があって、藤原隆家や大蔵種材（たねき）らがこれを撃退した。

しかし北海のヴァイキングは刀伊の賊よりは大仕掛な、また長期にわたる侵冦であって、アルフレッド大王もそれを国外に退けることはできなかったのである。そしてわずか四分の一世紀の短い期間ではあったにせよ、イギリスの王冠は海を越えてきた海賊の上にあった。そしてヴァイキング王朝（デイン王朝という）が倒れた後も、ヴァイキングはそのままイギリスに定着したのであって、今日なお、少くとも千四百の地名はヴァイキングの残したものであり、おもにイギリスの北部及び東部に見出される。

フットボールやパブリック・スクールの名前として有名なラグビーとか、競馬で有名なダービーなどもその系統の地名である。語尾のビー（-by）というのはヴァイキングの言葉で、タウンのことであった。従ってイギリスの地名学の本が、スウェーデンの学者によって作られても少しもおかしくないのである。

人の名前にも明らかにヴァイキング系のものが見受けられる。今年の春頃、『週刊文春』でイーデス・ハンソン女史と対談した時、「あなたの先祖は北欧でしょう」と言ったら、果せるかな「そうです」ということであった。これなどは非常に簡単な識別法で、苗字にソン(-son)があったら先祖は北欧系と考えて大体間違いない。

アメリカのような土地では、北欧から直接移民している人たちも少くないわけであるが、イギリスの島の中で、ソンという語尾をもっていたらヴァイキングの子孫と見なして差し支えないということである。

イギリスの近代史にはいろいろ面白い帰化人問題が見られる。たとえばサミュエル・ジョンソンであるが、彼は十八世紀の中頃に最初の国民的な英語辞典を作った。その言動はボズウェルの伝記に詳細に記されていて、典型的なイギリス人として誰一人疑うものもない。

しかしその名前から考えると、ヴァイキング系である。現代の地名辞典も、最初の国民的国語辞典もイギリスではヴァイキングの血に負うということになる。更にもう一つ上げればネルソンだが、彼が海洋国イギリスの偶像的提督であり、ナポレオンの野心を挫いた救国の英雄である。このネルソンも名前が示すようにヴァイキング系で、「チャンピオンの子」というような意味である。ネルソンの出身地のノーフォーク州はヴァイキングの定着地であるから、その系統については更に疑問の余地がない。

ところがジョンソンにしろネルソンにしろ愛国心の手本になるような人であって、イギリスとその王室に対する忠誠心においては誰も疑念をさしはさまないであろう。もしもイギリス人が、アングロ・サクソン人以外の者は「帰化人」であり、ジョンソンも帰化人の子孫、ネルソンも帰化人の子孫だ、などと言い立てたらかなりおかしなことになるであろう。日本でも歴史に残る征夷大将軍の坂上田村麻呂は、九世紀の初頭に、奥州の奥深くまで蝦夷（えぞ）を討伐し、薬子（くすこ）の変でも美濃路を押えてこの乱の鎮定に大功のあった武人であるが、彼も系図をたどれば帰化人である。田村麻呂の宮廷に対する忠誠には疑念を挟（さしはさ）む余地はなく、その後の日本人も、彼を典型的な日本の武人と考えてきた。ネルソンと同じケースである。

近隣に人種として近い民族がいる場合、どこでも当然帰化人が出るのである。そして地名や人名にもそれが残っているのも当然である。古代の日本の朝廷はそれを当然のこととしていたのみならず、一般人もそれを受け入れていた。イギリスに帰化したネルソン家のホレイシオ・ネルソン提督が、その天才的な軍事能力を最もブリリアントな形で示したのはコペンハーゲン攻撃であった。理屈から言えばコペンハーゲンは昔のヴァイキングの土地である。しかし帰化人の子孫のネルソンにとっては、遠い先祖の地を攻撃している意識は全くないので、彼にとって祖国はイギリスしかない。そしてイギリスのために最善を尽すことしか考えないのである。

遠い先祖の発生地と、近い先祖が何代か住んで来た帰化国との間に戦争状態が生ずるようなことがあったら、帰化人は先祖の国などは意識しないで、現に住んでいる国のために尽すのが昔からのあるべき姿であって、それは現在も変っていないだろう。近い例ではアメリカ本土やハワイにいた二世とこの前の戦争の関係である。アメリカ人は日本人の移民が先祖の国の側につくのではないかと心配して、収容所（リロケーション・キャンプ）に日系人を入れ、そのため、日系移民は資産のすべてを失うことになった。しかし日系人の中からアメリカを裏切る集団は出なかったようだし、逆にヨーロッパ戦線では、二世軍が最も勇敢であったとして知られている。

それより少し前には、第一次大戦の時に、ドイツ系市民に対しても、裏切りの心配があったそうだが、ドイツからの「帰化人」たちがカイゼルや、ヒトラーの味方として、帰化国アメリカに弓を引くということはなかった。

アメリカにおける日系市民のように、戦前あれほど激しく米国内で差別された集団、しかも祖国日本や天皇に心情的にあれほど濃く結びついていた集団が帰化国を裏切らなかったことは目ざましいことである。それどころか日系市民の間には犯罪者がほとんど絶無ですらあった。ＦＢＩは各人種（エスニック）グループに浸透できるように、各人種出身のメンバーがいるのだが、日系市民の場合は犯罪者が実質上いないので、ＦＢＩに日系人はいないということをアメリカの大学の犯罪学の先生から聞いたことがある。こういう実績があったからこそ、近頃では日系人も公職に進出し、上院議員になる人も出てきたのであろう。もっともこの頃は日系人の犯罪者もポツポツ出てきたと言うが、これは日系移民が、本物の帰化人になってアメリカの社会に融け込んでいるという好ましい徴候とも解釈しうるという説さえある。それはさておき、古代における朝鮮からの帰化人は、イギリスのヴァイキングや日系アメリカ移民などよりも、更にスムーズに日本に定着し、日本の社会の重要な一部になったことは明らかである。

3

日本古代の帰化人の問題を考える時、私がいつも思い出すことが一つある。それは『古今集』の仮名序を読んだ時の奇妙なショックである。そこでは紀貫之が、当時の人たちが「歌の父母(ちちはは)のように」して手本にした和歌として、男の作った歌一つと、女の作った歌一つに言及しているのであるが、その男の作った歌というのが全く私の既成概念をぶちこわしたのであった。その歌というのは、今でも百人一首の試合の前に詠み上げる歌であるから知っておられる方も多いであろう。

難波津(なにはづ)に　咲くや木(こ)の花　冬ごもり　今は春べと　咲くや木の花

この歌の意味は「難波津に梅の花が咲いていています。今こそ春が来たとて梅の花が咲いています」というようなことで何の変哲もない。しかしその作者の名前を見て驚くのである。何しろ王仁(わに)なのだから。王仁は言うまでもなく朝鮮からの帰化人であり、しかも二世でさえない一世なのである。

この和歌は二重の意味で重要である。まず第一に、それが仁徳天皇に対する心からの愛情を示す歌であることに注目しなければならない。すなわち仁徳天皇がまだ皇子で難波におられた時、弟の菟道稚郎子(うじのわきいらつこ)と皇位を譲り合って即位なさらず三年も経ってしまったので、王仁が心配して右の歌を捧げたのであった。「今は春べと」と言って、梅の花にかけて即位をうながしているのである。この歌から受ける感じは、王仁という帰化人学者の仁徳天皇に対する暖かい心づかいと言ったものである。それでも帰化人の帰化国に対する忠誠は古今東西、当然のことであると言えるかも知れない。しかしもっと驚くべき第二の点は、それが和歌という形になって現われたということである。

『古今集』の仮名序は日本語で書かれた最古の文学論であるが、この相当に長い散文には大和言葉、つまり奈良朝頃までに古来の日本語と感じられた語彙(ごい)しか用いられてないと言ってよいぐらいであるし、『古今集』に収められた和歌の中にも、ほとんど漢語が含まれていない、という点でもまことにめざましい。つまり貫之をはじめとして、当時の日本人が大文学国のシナに対して、同一の立場を持つ国文学の存在を示そうと突っ張っていることは確かである。もちろん量において漢字の文学に匹敵するはずもないし、それと対立するような立場を主張することは、始めからナンセンスなことであった。

しかるに貫之らが、国文学もあえてシナ文学に劣るものでないという確信の基礎になったのは言霊（ことだま）に対する信仰があったからである。その言霊信仰に支えられて、本邦最初の勅撰和歌集を編んだ貫之が、「和歌の父」として尊敬される歌として、百済（くだら）からの帰化人の作品をあげたことこそ奇怪と言わねばならぬ。

しかし言霊の本来的機能にもとづいて考えるならば、この帰化人王仁の歌が特に尊重される理由も理解される。言霊の信仰とは要するに「言葉で言ったことが現象となって実現する」ということになる。神武天皇が初代の天皇として特別に尊敬されたのも、「厳咒詛（いつのかしり）」を唱えられて敵軍を征服され大和に王朝を立てられたからである。衣通姫（そとおりひめ）が和歌三神として古代の人たちにあがめられたのも、彼女が「恋人来る」の歌を詠んだら実際に允恭帝が通ってきたからである。これと同じく、王仁も大鷦鷯尊（おおさざきのみこと）に即位をうながすような歌を奉ったら、実際にそうなって、仁徳帝という、「仁寛慈恵（めぐみうつくし）」い天皇が出現したことになるから、言霊を駆使する力があったことになる。仁徳天皇の仁慈というのは古代史ではもっとも有名な逸話の一つであり、その御陵の大きさから見ても、大きな影響力を持っておられた方に違いない。そういう天皇の即位と言霊的に関係があったと見られる王仁の歌が、平安時代の歌人に特に尊重されたということは十分考えられることである。そしてまたこのことは、帰化人でも、日本の言霊に参加できることを示している。天皇に対して——現行憲法風に言えば日本民族統合の象徴である天皇に対して——敬愛の念を示し、しかも言霊のさきはう歌と見なされるものを作れば、帰化人と言えども、「歌の父」として仰がれるということを示している。帰化人がかくも高く尊敬された条件は——再びくりかえすが——天皇への敬愛を示し、立派な和歌を作ることであった。

これに関連して、最近話題になっている中西進氏の「憶良帰化人論」に触れておくべきであろう。中西氏によれば山上憶良は義慈王の二十年（六六〇年）に百済で生まれたが、彼が四歳の時に百済は新羅に滅されたので、父の憶仁に連れられて日本に渡ってきたという。この憶仁は侍医として天智・天武の朝廷に仕え、相当の出世をしているらしい。その息子の憶良は代表的な万葉歌人であり、貧窮問答歌など、「人間味」のある歌を作っていて、非常に人気がある。

司馬遼太郎氏も、万葉歌人の中で一番好きな人だそうである。司馬氏はその憶良が百済からの帰化人と聞いてぎょっとしたと言う。また金達寿氏も、万葉の歌人が帰化人だったということを知って愕然とした今泉仁氏という高校の先生の通信を紹介しておられるので孫引させていただくことにする（『日本の朝鮮文化』三六七ページ）。

「……喫茶店で万葉の座談会〔上田正昭氏、金達寿氏、土橋寛氏、水野明善氏による「万葉集と古代歌謡」の座談会らしい〕を読み終ったところです。いや、もうびっくりしました。万葉だけはと思っていた私の無知は、四先生によって無残にうちくだかれました……私の好きな万葉名歌が朝鮮人一世の作とは――。これまで何号か読んだうちで、ずばぬけて有益でした。反省しました。日本人として、教師として」

これは『日本の中の朝鮮文化』という雑誌を読み続け、古代日本文化の各方面において朝鮮からの渡来人が重要な役割を果していることに驚かされ続けていた今泉氏が、『万葉集』だけは日本人だけの純粋な歌集であろうと思っていたところ、そこの代表歌人の何人かが、帰化人系統であることにショックを受けられたことをのべたものである。私にもこの今泉氏のショックがわかるような気がする。それは私が若い頃に、『古今集』の仮名序を読んで、「朝鮮人一世」の王仁が「歌の父」としてあげられているのを発見した時のショックと似ているからである。しかしショックのあと、今泉氏が、日本人として、また教師として反省されているところの内容は、私と違うようである。

今泉氏が反省されたのは、万葉の代表歌人までも朝鮮人一世がいることも知らずに、朝鮮の人を見下す風潮のあった日本のことを考えられたからであろう。そしてそのことは立派なことであると思う。しかし私個人の場合は少し違うのである。私は多感な青年時代に上智大学に学んだが、この学校は戦前から神父さんたちはじめ教授たちも学生たちも朝鮮からの学生に差別感情を持たない伝統があり、戦前なども、総学生の比率に対する朝鮮からの学生の比率が特に高いのである。英文科のクラスの委員をやっていた男は北朝鮮系の男だったし、ドイツに留学した時、学寮の隣室の人は戦前の上智出身者、つまり先輩で、韓国で教授している人であった。

そのほか今日に至るまで朝鮮の友人・知人は少くないし、上古において朝鮮が日本より先進国であり、そこを通じて大陸の文化が日本に流れこんで来たことはよく知っているから、帰化人が文化的に大きな役割を果したとしても当然と思うだけである。王仁が「和歌の父」だったり、山上憶良が「朝鮮人一世」だと知った時は驚いたけれども、司馬氏や今泉氏とはちがい、「先進国から来た人が大和言葉で歌を詠んだ」というそのこと自体に驚くのである。たとえば私はドメニコ・ラガナ氏の日本語を読み、それに日本人の手が加わっていないのに驚くのと似た驚きである。

もっと適切な例でいえば、オックスフォードやケンブリッジから日本に英文学を教えに来たイギリス人が和歌を大和言葉で作って見せてくれたら驚くであろうが、その驚きと同質の驚きである。上智にはミルウォードというオックスフォード出の秀才が英文学を教えておられるが、彼は日本語も上手で、多分に奇妙な俳句も作る。もしこのミルウォードさんが和歌を作りはじめ、新年の宮中の題詠に応募して入選でもしたら――そういうことはありそうにもないが――私はぎょっとし、そして驚くであろう。それはショックであると言ってもよい。

王仁や憶良の歌がショックなのはその意味においてなのである。

王仁が帰化したように、憶良も徹底的に帰化したのである。大和言葉で見事な長歌ができるほど、つまり日本語の言霊が働くほど徹底的に帰化したのである。近頃の言語学の本には、「言語は伝達の手段である」という定義をしているものが多く、したがってたいていの人は「言語は単なる伝達の手段である」と思いこみやすい。

しかしフンボルトも言うように、言語こそは客観的に存在する外界を、精神の私有財産化する魔物でもあるのだ。

桜の花びらなどというものは客観的には大したものでないが、日本語によって精神的に私有財産化された桜の花びらは、日本男子に、それがはらはらと散るようにいさぎよく死ぬことを得しめるように働くのである。王仁や憶良も日本語を学んだに違いない。

しかし今日の「国際交流のための英語教育」式の、言語を単なる伝達手段としか見なさないような学び方でなくて、日本語で歌ができるような学び方、日本語の言霊に参加しうるような学び方であったことに私は感激するのである。憶良の「貧窮問答歌」を読んで「日本の私小説のはじめみたいなもの」と言って称賛するのもよいが、同時に彼の「好去好来歌」を見落してはいけない。その書き出しは次の通りである。

神代より言ひ伝てけらく
空みつ　大和の国は
すめろぎの　いつくしき国
言霊の　幸はふ国と
語りつぎ　言ひつがひつつ
今の世の　人もことごと
目の前に見たり　知りたり
…………

これは日本という国の、神代以来の定義をのべているのだということに注目してもらいたい。そして憶良によれば、日本の特徴は次の二点に要約されるのである。

(1)皇神能(すめろぎの) 伊都久志吉国(いつくしきくに)
(2)言霊能(ことだまの) 佐吉播布国(さきはふくに)

この第一の方は、日本の皇室の神々の威力がびくともしない立派な国と言うことであり、第二の方は言霊の威力が、ひとしお活発に発動するのが見られる国という意味である。つまり憶良は第一の点では語弊はあるが皇国史観を受け入れていることを示し、第二においては、日本語の霊力礼賛をやっているのである。この事実が私を驚かす。ヴァイキングの子孫のネルソンが、サクソン人の子孫の英国王室に忠誠を尽し、「英国は各人がその義務を尽すことを期待す」(England expects everyone to do his duty)という英語の金言を残したことよりも、もっと感激的である。王仁の場合におけると同様、憶良も天皇への敬愛を示し、立派な和歌を作っているわけであり、パタンは全く同じと言ってよい。しかしここに疑問が生ずるのである。どうしてそんなことがありうるのであろうか、という疑問が。

4

百済から帰化した王仁が、「和歌の父」と仰がれるようになった、という話は、何だかT・S・エリオットが、イギリスに帰化して英国詩壇の総帥みたいな地位に奉られたことを思い出させる。なぜエリオットが帰化人でありながら、イギリス詩壇に重きをなすような詩作ができたか、と言えばその答は簡単である。彼はアメリカから帰化したからである。アメリカ英語とイギリス英語は詳しく見れば違うところもある。しかし英語は英語である。イギリスの詩壇の総帥になってもそれほど不思議はない。

それにエリオットが抱えていた問題は、二十世紀のキリスト教圏ではどこにも見られたものである。エリオットが同じ英語圏からイギリスに帰化するにしろ、熱心なヒンズー教徒であったならば、「荒地（ウェイスト・ランド）」を書くことはできなかったであろう。つまりエリオットが帰化人として英国詩壇に重きをなすには、二つの条件を満たしていなければならなかった。言語と信仰の同質性がそれであった。

七世紀頃までの南朝鮮と日本の間にはそういう同質性が認められないであろうか。私は認められるという仮説を持っている。

先ず言語の方であるが、三世紀頃までに南朝鮮で発達したと認められる韓族は、日本人と親類関係にある種族であったと考えられる。一方、日本語と沖縄語は完全に同一語であるから、大和民族と沖縄人は同族である。しかし沖縄に北から民族が南下したという風に考えるよりは、南方から日本人の先祖が北上し、一部は沖縄に残り、一部は九州に、一部は南朝鮮に上陸したと考える方が自然であろう。あるいは北九州に上陸した者の一部が更に南朝鮮に行ったと考えてもよいし、最初南朝鮮に行った者の一部が九州にも来たと考えてもよい。つまり南朝詳、九州、沖縄という三角形をなして日本人の先祖がいたと考えられるのである。これはシナの文献でも、北九州の日本人も南朝鮮の日本人も「倭」としてあることによっても裏付けられる。南朝鮮の「倭」の人数も相当あったことは、馬韓の南部、中部と弁韓が任那（みまな）として日本のコロニーになったことからも推察されよう。そのうち辰韓を統一した新羅が強大になると、馬韓から出た百済と日本人の支配する任那が協力して新羅に当ることになる。とにかく四世紀の終り頃から、六六三年の白村江（はくすきのえ）の戦に至るまで、二百数十年間、日本は百済と密接な関係があったことは間違いない。

しかも同盟国として長い間共通の敵と戦ってきたのである。たとえば六六三年だけでも、上毛野稚子（かみつけののわかこ）らは二万七千の軍を率いたとしてある。相当の日本人が百済人と混ったことも容易に想像される。そして白村江で敗れた時、日本軍は、百済の遺民を引き連れて帰った。これはこの前の敗戦の時の「引揚者」を思わせる。山上憶良はこの引揚者に混っていたわけだ。

現在の朝鮮語と日本語は相当の差があって、その系統は簡単に決定できないとされている。白村江の戦の後にも日本人や百済人でそこに残留した者たちもいたろうが、それは後世、北からの征服者に吸収され、言語も征服者の言葉を使うようになったであろう。だから現在の朝鮮語と日本の言語学的距離が大きいからと言って、当時の百済や任那の人たちの言葉も日本語から大きく離れていたと簡単に推測するわけにはいかない。当時の百済人や任那の人たちの言葉と、日本の言葉の相違は、今の沖縄方言と、標準日本語ぐらいの違いであったかも知れぬ。あるいはもっと近かったかも知れぬ。そのように仮定して見ると、古代日本人が百済に対して抱いていた親しみも一層よく理解できるし、また、王仁や憶良が日本の言葉をこだわりなく受け入れ、その和歌には言霊があると当時の他の日本人たちに認められたのもよくわかる気がするのである。

また古代朝鮮語の単語と、日本の古語との類似がしばしば指摘されるのもなっとくされる。今日われわれは沖縄の人がすばらしい歌人であっても驚かない。元来の言語は同じだから、つまり言霊的に共通するはずだからである。

更に帰化人あるいは外来者、あるいは百済滅亡後の引揚者と、日本人の共通性を示すのはカミである。日韓併合以後、日本の「神道」にいじめられたという記憶を持つ朝鮮の人たちにとっては、日本のカミほど憎むべきものはないと思われるかも知れない。しかし日本の中に朝鮮文化を探す最近の研究により、相当の神社が朝鮮系であることが示されている。たとえば秦（はた）氏は応仁天皇の御代に弓月王（ゆつきのきみ）が、その領民ともども日本に帰化したのがその祖だとされている。

当時は日本が新羅を討って、その征服地を百済に与え、新羅にも日本府を作った、という記録があるくらいだから、後の日本と百済との関係のような関係があり、そこの豪族が、領民ともども日本に来たということは大いにありうることであろう。古代の南朝鮮は前にものべたように日本人と極めて近かったと思われるので、信仰の形態も近かったろうと思われる。

京都伏見の稲荷神社は秦氏が祀った神であり、賀茂・松尾神社も秦氏が神職になっていたことが知られている。そして一方、葛野(かどの)の広隆寺はその氏寺であった。この信仰形態は、藤原氏のそれと全く同じであることに注目したい。

つまり藤原氏は氏神としては春日神社を持ち、氏寺としては興福寺を持っていたのである。神社と寺の両方を一つの氏族が持つという奇妙な信仰形態はあまりよその国では見られないものである。だから正に日本的なのであるが、藤原氏は元来は中臣氏、その先祖は天児屋根命(あめのこやねのみこと)である。この神様は天照大御神(あまてらすおおみかみ)が天の石屋戸(いわやど)にかくれた時に、祝詞(のりと)をあげた神であり、また天孫降臨の時にも皇孫に従ってきた神であり、天孫系の宮廷でも最も由緒正しい神である。この神を先祖とする藤原氏と、南朝鮮からやってきた秦氏が全く同じ信仰形態をとっているということは、上古における南鮮と日本との本質的類似性を示すものである。

更に重要なことは、当初から秦氏などが帰化人であることは秘密でも何でもなかったことである。にもかかわらず、秦氏がそれ自身の神社を持つことを朝廷にも当然のこととして許され、また一般民衆にも受け入れられたということは、同質の神であるという認識があったからと推定するより仕方がない。ここに記紀の神話の持つ重大性が浮き上ってくるのである。

5

日本列島を創造したイザナギノミコトから「三貴子（みはしらのうずのみこ）」が生まれた。最初に左の目を洗った時に生まれたのが皇室の先祖神とされる天照大御神であり、右眼を洗った時に生まれたのが月読命（つきよみのみこと）であり、鼻を洗った時に生まれたのが建速須佐之男命（たけはやすさのおのみこと）ということになっている。そして天照大御神の系統は高天原（それがどこであるにせよ）と九州を最初に支配し、須佐之男命の系統は山陰地方を支配した。月読命の方はその後の記録があまりないのであるが、久米邦武博士などはシナ大陸の福建省、あるいは海南島あたりかも知れぬという説であった。

しかしそんなに遠くなく、南朝鮮や対馬海峡の島々であったかも知れない。上田正昭氏によると、京都右京区の月読神は壱岐から勧請したものであり、山城国の月読神の祭祀集団、つまり氏子も秦氏だという（『日本の朝鮮文化』三一六―七ページ）。戦後の一時期には山陰の出雲が朝鮮に近いところから、簡単に出雲系をイコール朝鮮系とする主張もあったが、出雲大社が南方系のものであることが認められるので、単純に北から外来民族が渡ってきたとは考えられなくなっている。

『日本書紀』の「一書ニ曰ク」には、スサノオノミコトが一時、朝鮮半島に滞在したという記事もあるから、一時的な半島滞在の経験もあるかも知れない。しかし月読命が帰化人の秦氏に祀られていたという証拠が出てきたとすれば、弁韓のあたりを中心にして南朝鮮に相当多く住んでいた「倭」、つまり古代日本人は、月読命の系統の日本人であったとするのが妥当であるかも知れない。

このように氏神を異にする近親民族がいることは、日本の神話と似た構造の神話を有するゲルマン人にも認められることである。それは日本のイザナギノミコトに相当する大神から三貴子ならぬ三神が生まれ、それぞれ天の神、地の神、大気（嵐）の神になった。天の神を氏神とするゲルマン人は南に進んでローマと境を接し、今日のシュワーベン、バイエルン、オーストリアに居住した。大気の神（その特徴がスサノオノミコトに似ている）を氏神とするゲルマン人は後のフランク民族として、ライン河の中流から下流にかけて居住し、更に一部は南進してフランスを建国した。

そして地の神を氏神とするゲルマン人がサクソン人、アングル人として、北ドイツ、デンマークなどに住み、その一部がイギリスに移住したのである。彼らはその後キリスト教に改宗したので古代の宗教は表面的には消えるけれども、王族の系図や民間伝承には残っていて、お互の婚姻なども行われていた。日本の場合も、九州、山陰、南朝鮮は、イザナギノミコトから生まれた三貴子である三神をそれぞれ氏神としていただく祭祀集団であったとして考えると、理解し易いのではなかろうか。

ここにおいて最も重要なのは、この「三貴子」が姉弟であった、ということである。古代の日本人は『古事記』や『日本書紀』の伝承をほぼその通りに信じていたものに相違ないのであって、出雲系の神々を祀る集団にも、南朝鮮や対馬海峡の諸島の神々を祀る集団にも、血族意識をもって対したのに違いないのである。今日のわれわれが、両親の「いとこ」とか「はとこ」とかいうような遠い親類に対して感ずる程度の同族感を持っていたに違いない。従って、朝廷から見れば、出雲系も帰化系も、「まつろわぬ」ものたちでない。根本的には祭りを同じくするものたちと見做し、婚姻も結んだのであろう。

これに対して、先祖を共にしたという記憶のない「尾生(あ)る土雲(つちぐも)（土蜘蛛）」のやからはこれを殺戮して平気であることは、神武東遷の記録から容易に推定される。熊襲(くまそ)や蝦夷の征伐なども異民族に対する征服のようである。帰化人の将軍たちが蝦夷征伐に出かけたり、東国の武士が奥州に攻めて行くのも同じことのように思われる。ただ明らかに異民族と思われる者でも、すすんで帰順したものには、本領安堵みたいなものを与えている。

更に天孫系の日本統一の経路を見ると、いたるところに「先行同族の再確認」というプロセスが見られるのである。神武東遷、つまり九州にいた天孫族の主力が本州に動き出す前に、出雲系の者たちが、本州の北部まで、方々に入りこんでいた、ということは記紀の記述からも容易に推察ができるのである。スサノオノミコトやその子のイソタケルノミコトが紀伊国に祀られているという伝承もそうであるし、神武天皇が長髄彦と戦っていたころの両者の問答もそれを示している。

天皇軍によって滅されそうになった時に、長髄彦は、使を出して天皇にこう言った。

「むかし、天の神の子が天磐船に乗って、高天原から下ってきました。その名を櫛玉饒速日命と申されます。この方は私の妹の三炊屋媛をめとって子供も生まれております。それで私も饒速日命を君主として尊んで仕えまつっております。そもそも天の神の子に二種類あるのでしょうか。どうして天の神の子孫だと言って、人の国を奪われるのですか。私が思うに、本当は神の子孫ではないのでしょう」と。

これに対して神武天皇が答えて言われるには、

「天つ神の子孫といってもいろいろあるのだ（天ツ神ノ子モ亦多ニアリ）。お前が仕えているという饒速日命が本当に天つ神の子孫というのならば、きっと証拠があるはずだから、それを見せてみよ」と。

そこで長髄彦は饒速日命の持つ天の羽羽矢一本と歩靫を天皇に見せた。すると天皇はそれを御覧になって、「これは本物だ」とおっしゃられて、御自分のお持ちになっていた天の羽羽矢と歩靫を見せた。それを見て長髄彦は畏怖の念を抱いたが、すでに軍兵は揃っていて、とめることはできなかったし、ここで改心しようとしなかった。一方、長髄彦の妹と結婚していた饒速日命は、天つ神が戦勝のめぐみを垂れるのは天孫に対してだけであり、また長髄彦の性質が頑迷で教化することができないことを知っていたので、長髄彦を殺し、その軍隊をひきつれて天皇に降参してきた。この饒速日命は元来が天孫族の上に、更に頑敵長髄彦を殺して忠義を示したと言うので天皇は厚く嘉賞した。この饒速日命が物部氏の遠祖である。

以上の『日本書紀』からの引用は、神武天皇以前に、すでに天孫族、つまり同族のものが大和に入っていたことを暗示している。更に神武天皇は橿原で即位されてから、事代主命の娘を皇后となされた（『古事記』では三輪山の神である大物主神を后としたことになっている）。事代主命は大国主命の子であるから出雲系の代表であるし、大物主大神は大穴牟遅神、つまり大国主命の和魂ということになっているのであるから、やはり出雲系の代表である。つまり神武天皇は、大国主命の娘（『古事記』）か、大国主命の孫娘（『日本書紀』）と結婚されたのであって、神話的には、完全に天照大御神の系統と、須佐之男命の系統が合流する。そして古代にあっては神話が決定的に現実を支配するのであった。

これによっても、神武東遷以前に、天孫族の一部や、出雲族が大和に入っていたことがわかるが、更に記紀を丁寧に読めば、伊勢をはじめとして、方々に、天孫族が前から来ていたと見られるふしがある。いずれも実証は困難な話であるが、古代の記憶ではそうなっていたらしい。そういう先行者が前から行って、情報を持ち帰っていたので、本格的な移動があったものと考えられ、この天孫族の本格的移動がとりもなおさず、神武東遷の神話なのである。

このように、散発的な移住者の小集団が先に移住し、その情報が郷里に持ち帰られ、そして後に大移動が起るということは、イギリスに渡来したゲルマン人の場合にもそっくりあてはまる。ヴァイキングなども、最初は小船団でやってきて沿岸を荒すだけだが、そのうち少しずつ住みつく。その情報が郷里にもたらされてから大移住が起るという図式になっている。神武東遷や、その後の発展をみても、同じパタンであったように思われる。

天孫族と出雲族が日本列島にひろがって行ったやり方がこうなのであるから、朝鮮半島の南部に行ったと思われる月読命の子孫の部族たちが、半島から引揚げたり、招かれたり、あるいは単に渡来した場合でも、宮廷と関係もあり、しかも自分たちの先祖神を祀ることができたのであろう。桓武天皇の母が帰化人系であっても、即位の邪魔にならなかったのは、窮極的には同じ神を祀っていたからである。

ただ天孫系と出雲系の融合は完全に神話時代であるのに対し、大和朝廷と帰化人の融合はうんと時代が新しくなっているので、神話の中の神々の融合という話の形態ではなく、もっと人間的な次元で記述されることになるのは当然であろう。神功皇后（じんぐうこうごう）の三韓征伐といわれる事件は、歴史的事件である。歴史的と言うには記録が一方的であるとするならば、セミ・ヒストリカルな事件であって、神話ではない。もしこの事件が、ずっと古代に起ったとしたならば、出雲の国を天孫族に奉った神話に相当するような記述になったであろう。そしてその際の戦争の記述は、天孫族側の建御雷神（たけみかずちのかみ）と出雲側の建御名方神（たけみなかたのかみ）の格闘のようなものになったであろう。

6

今から二十年ほど前のことになるが、私はベルギーのベネディクト会修道院の客として、韓国出身の金君と同じ部屋にいた。金君は医学専攻の留学生で熱心なカトリックであった。私とは大いに気が合って胸襟を開いていろいろのことを話し合ったのだが、何かのついでの時、彼はこんなことを言ったのである。

「僕は戦前に一度、日本に修学旅行で行ったことがありますよ。その時の第一の目的地は伊勢神宮でした。引率の先生は僕らに向って、『今はまだ朝鮮人と日本人の区別があるが、元来は同一の民族であるから、共通の先祖として伊勢神宮に参拝するのだ』といわれたのでした。僕らはまじめにそう思っておがみましたがね」

この話を聞いて私は本当にびっくりしてしまった。日韓併合の理念がそこまで及んでいるとは知らなかったのである。その時私は金君にこう言ったことを覚えている。「日本は結局、歴史慣れをしていなかったんだな」と。そして金君もそれに同意した。「歴史慣れしてなかった」ということは、民族や国家のからまり工合が複雑なヨーロッパ民族だったら、そんなことはしなかっただろうという意味である。金君と話し合ったのはたとえば次のようなことであった。

ベルギーの約半分とオランダの全部は、民族的にも言語的にも低地のドイツ人と少しも異ならない。しかしだからと言ってドイツがこれらの地方も「併合」したらどうなるか。併合するための「血族の論理」は明々白々である。しかしそういうことはできないし、またさせないのが「歴史」なのである。もっとも近年になってからも「血族の論理」を強行した人間がいた。その名をヒトラーという。オーストリアは民族的にも言語的にも全くドイツ人である。彼は「独墺併合」をやった。同じ論理で、ドイツ人の多いチェコでもそれをやった。その結果はわれわれの見る通りである。オーストリアがオーストリアであるのは「歴史」の結果であり、それは「血族の論理」よりも強いのである。

もっと極端な例で言えばスイスである。あの小さな国にドイツ系、フランス系、イタリア系が住んでおり、公用語も三つあると言う。こんな国で「血族の論理」を持ち出せば、この国は直ちに空中分解する。スイスをスイスたらしめたのは「歴史」以外の何ものでもないのだ。そして賢明にもスイス人はよくそのことを知っていて、いかなる場合でも「血族の論理」を先行させない。国民皆兵でこの小さな国の「歴史」を守ろうとしている。それにはヒトラーさえ手が出せなかった。ヨーロッパにはリヒテンシュタインとか、モナコとかサン・マリノとかのミニ国家があるのもそのためである。こんなミニ国家は防禦力も何もないのであるが、「歴史」は「血の論理」を拒絶しているので、住民は平和である。

おそらく「血の論理」から最も早く離脱した国の一つはイギリスであろう。イギリスには北にスコットランド、西にウェールズがあって、この山地の人たちはケルト人であってアングロ・サクソン人（ゲルマン人）でない。北海沿岸はヴァイキングの移住地だし、支配階級は長い間ラテン文化しか知らぬ者たちだった。比較的小さな島で「血族の論理」で争ったらきりがないことになる。

しかしエドワード一世の頃まで、つまり日本で言えば北条貞時の頃までは、ウェールズのケルト人は武力的にも容易ならぬ相手であったし、スコットランドに至っては更にずっと後まで武力で対立していた。しかし「歴史」が彼らに「血族の論理」を至上としてはいけないことを教えたのである。

彼らはイングランドの王冠に忠誠を誓うことが最も実質的な幸福に連なることを発見したのである。たとえば対ナポレオン戦の海の英雄が前にのべたようにヴァイキング系のネルソンだったとすれば陸の英雄のウェリントンはケルト系である。第一次大戦の時の首相のロイド・ジョージはウェールズ人（ケルト）であり、その他、首相になったケルト人を一寸思い浮べるだけでもバルフォア、キャンベル＝バナマン、ラムゼイ・マクドナルド、マクミランと数え切れない。それどころか、名前からしてユダヤ人のデスレリーもいる。このように「血」を忘れてからのイギリスが幸福で、「血」を忘れなかった頃は殺し合いだった。

イギリスの場合は更に面白い例を示してくれる。第一次大戦も第二次大戦も、事の起りはドイツとフランスの対立であった。第一次大戦の時のドイツ皇帝ヴィルヘルム二世とイギリス国王ジョージ五世は従兄弟同士であった。またその時までのイギリス史学界は、前にふれたようにイギリス人のゲルマン起源をこよなく賛美していたのであるし、その上、イギリス王室自体が、ドイツのハノーヴァー出身であった。「血の論理」から言えば文句なくイギリスはドイツに味方すべきであった。そうしないでドイツと敵対したのは「歴史」の論理である。

ドイツ人も第二次大戦後は「血の論理」の愚かさを知ったらしい。ブラントが東ドイツを承認する態度に出たのはその一つの現われである。東ドイツと西ドイツの差は、西ドイツとオーストリアの差よりも大きくなっている今日、それは現実的なものであったと言える。これに反して「歴史慣れ」が十分でないアジアでは、「血族の論理」がまだ正義として通用しているように思われる。南北のヴェトナムもそれであって、あれだけの悲惨事が、同一民族は一カ国にならねばならぬという迷信から出たのである。北京と台湾の関係も、北朝鮮と韓国の関係もそのようである。

平和的に同一国家が出来るならば統合もよいだろうが、大戦争を起してまで統一というのは、「血族の論理」の過剰であろう。

オランダとドイツは同一民族でありながら、「歴史」によって別国であるが、今では平和的にEECのメンバーとして協力している。将来、ヨーロッパ連邦が出来た時はいざ知らず、今日ではオランダはドイツの一部には決してならない王国である。共産主義体制と自由主義体制はそう簡単には両立しないであろう。プロテスタント・オランダが、カトリック・ウェストファーレンと同じ国家を作ることができなかったのと同じ事情なのであるから。

日韓併合は「血の論理」であったために、実に十二世紀以上もの両国の「歴史」を無視して悲劇を生んだのである。七世紀頃まででであったら、日本と南朝鮮には、民族的、あるいは神話的・言語的共通の基盤があったように思われる。しかしそれから十数世紀の歴史がまるで違うのだ。ある意味での日朝同一論者である司馬遼太郎氏も、「こんにち現実に接する朝鮮人の気質やその社会、文化というものは、およそ日本人のそれと違っている……実際に韓国の農村を歩いたり、韓国人の論理的な発想に接したりすると、隣国でありながらこれほど違うものかと驚嘆するほどのものがある」(『日本の朝鮮文化』一〇ページ)と言っておられるが、おそらくその通りであろう。それと同じようなことは、イギリス人とドイツ人とくらべた場合も言えることで、これが同じ先祖から出た民族か、と思うことは少くないからである。英独はそれでもその間の交流はあったのに、日本と朝鮮の場合はもっと歴史を共有する度合がひくかった。

歴史——あるいは現実と言ってもよい——が非常に違う時に「血」を持ち出すのは悲劇のもとである。北ヴェトナムと南ヴェトナムの併合も「血の論理」であり、実に多くの血が流された。

「血の論理」はしばしば「流血の論理」なのである。われわれは「血」という本能的に魅力的なものに引かれて悲劇を作ってはならない。血はしばしば人を「血迷わせる」ものである。われわれは血から醒めて歴史の尊重という文明的な原理にかえらなければならない。

本論の冒頭に引用した座談会のように、日本の中に「朝鮮」を探して見るのも面白い。それによって多くの事実が見出され、新しい視野が開かれることも少くないと思われるからである。しかしなぜ日本が日本であり、朝鮮が朝鮮であるのか。それは両国の歴史の原理が異って発展したからである。私のあまり信じていない進化論から比喩を取って言うならば、同じ甲殻類でも、上半身が進化すればカニになり、下半身が発達すればエビになり、全部を退化させればフジツボになり、両方発達させればザリガニになる。半島と島国の違いもあって、その後の日本と朝鮮は進化させたり退化させたりする個所を違えたようである。

たとえば日本は天皇や神社を残し、国文学を伸ばした。朝鮮半島では天皇に相当するものも神社もなくして、儒教文化を発達させた。だから日本では皇室オカルテズムともいうべき神社やシャーマニズム系統のものが文化の中心部にあるのに朝鮮ではそれは文化の最周辺部に押しやられている。

どちらが優れているか劣っているかの問題ではなく、ハサミがカニとエビでは意味が違うように、違って来たのである。歴史はまことに「血の論理」を拒絶して働く。これを忘れた種々の「日朝同祖論」はどちらの側にとっても幸福な結果にならないであろう。

日本においてはその歴史の特徴は天皇と日本語に要約できる。帰化人山上憶良が「すめろぎ」と「ことだま」の二つを日本の特徴としてあげたのは、驚くべきほど正しい洞察だったのだ。

解説（正義の時代）

谷沢永一（関西大学元名誉教授）

当今、エッセイストの最たるは、と、改めて眼を凝らすとき、すくなくとも三人の姿を、したしみぶかく、認めうる。すなわち、司馬遼太郎、山本七平、そして、渡部昇一である。私は、ながらく、この三幅対（さんぷくつい）を、なつかしみの情をもって、愛読してきた。

じつは、この、エッセイ、という微妙なジャンルに、数（かず）まえることのできる筆者が、たやすくは、見あたらないのである。書きすすめるのに難かしいスタイルであり、かなりの用意と心くばりを、必要とするからであろうか。

そもそも、エッセイ、とはなにか。これは、論文ではないのである。或る限定された材料や、専門的な事柄を、その分野においてだけ有効なように、求心の方向で書きしたためた場合、それは、謂（い）わゆる知の世界への贈り物として、有意義であることに間違いはない。しかし、そこには、誰も彼もの興味を誘うにたる、という要素が欠けている。エッセイ、を成りたたせる要件の第一は、万人に共通な関心事、そこへ直入（ちょくにゅう）するテーマ設定である。

とすれば、すべての人が面白がる話題はなにか。それは、ただひとつ、人間、である。砕いて呼ぶなら、人の心、である。エッセイは、人の心、を、描き伝えるのを、本来の使命とする。

昔から、龍を描くは易く、馬を、牛を、描くは難し、と言い慣らわす。見たことのないものほど、勝手に捏ねあげうるのである。直接に関知できない異物、はるか彼方のとほうもない事件、そういう桁はずれの見聞についてだったら、鬼面ひとを驚かすたぐいの、思いきった誇張も、いちおうは罷りとおるだろう。

しかし、『草枕』に謂うところの、向う三軒両隣りに、ちらちらする唯の人、その姿かたちについては、うかつなことは言えないのである。見当はずれは、すぐ見やぶられる。もっとも身近な、誰もが知っている素材こそ、いちばん表現しにくいであろう。

エッセイは、人の心を見て把えるという、この土壇場で、勝負しなければいけないのである。資料や知識や論理など、外から借りてきた道具では、ラチがあかないこと自明であろう。書き手の、人間としての器量が、そのまま素直に反映される。心胆を、練って、とりかからねばならぬのである。

ゆえに、エッセイの発想では、人の心について語りだす足場が、ほかならぬ書き手自身の、自分の心、であらざるをえない。ヨソユキは禁物である。自分を、棚においては、いけない。

エッセイの根っ子は、ワタクシ、である。

ただし、露骨に、開き直って、正面きって、おごそかに、自分を語るのではなく、ほのかに、かすかに、やわらかに、知らぬ間に、自分の持ち味がにじみでるという、せせらぎのような自然の流露感が必要である。エッセイの要件の第二は、話題のほとんどすべてにわたって、筆者の体温に即しながら、肌のぬくもりで暖めながら、語りつづけるという手法である。

したがって、その筆法たるや、大上段であってはならぬであろう。論文ではないから、リクツに走らない。小説ではないから、よほどの例外をのぞいて、フィクションという技法を用いない。神話や寓話や民話のような、飛躍の想像にたよらない。もとより、論証による重みをつけない。

結論や要約による恰好をつけない。ケレン藝に流れてはいけないのである。つまりは、話術においての率直と素朴、面（おもて）をつけない直面（ひためん）が望ましい。

昭和六年、内藤湖南は、旧友の文集に序をよせて、ものの弾みのごとくにこう書いた。いったい、名文とは何ぞやということになるとコトだが、文を書いて切口上に書くのはなんでもないのに対して、ウダウダいうて気分をあらわすのはむづかしい、と。これ、である。気分、である。エッセイの要件の第三は、気分をあらわす呼吸である。

とは言うものの、エッセイは、我が国に通常の随筆ではない。身辺雑記にとどまっては、読者の食欲がみたされぬであろう。量の長短にかかわらず、随筆ではないエッセイたるもの、腹ごたえ十分でなければならぬ。オードブルではないメインディッシュ。そこに期待される栄養素は、筆者の個性がかもしだす、人の世に生きる智恵であろうか。受け身にまわった感受性が、随筆の本性であるとするなら、エッセイには多少とも積極的な、湧きいづるもの、滲みでるもの、が求められる。物腰は始終やわらかくとも、内部は凛としていなければならぬ。すなわち、エッセイの要件の第四は、智恵を盛る器（うつわ）、という性格であるだろう。

ゆえに、エッセイが照らしだそうとする、その焦点は、抽象的な命題ではなく、切り口と語り口が様ざまであっても、つまりは、人の心の行きかう経路、すなわち、世の姿、に定められる。そこに確かな手ごたえがなかったら、議論の空転におわるだろう。エッセイの要件の第五は、世の姿、が見つめられていることである。

以上が、私の見るところである。エッセイは、人の心、を主題とする。その視座は、ワククシ、である。表現の主眼は、気分、である。その内容は、智恵、である。その方法は、世の姿、への凝視である。結果として、エッセイは、言語による表現の領域で、もっともきびしく煮詰められた、それゆえに到達の困難な、稀少の存在、と看做（みな）しえよう。この底光りする渋いジャンルでは、極上品の数が少なく、一部の具眼者によってのみ、ひそかに珍重されてきたのである。

その範例となった原型は、エッセイストの祖と称せられる、モンテーニュの『エセー』（ワイド版岩波文庫全6冊）である。それ以後の多彩な系譜は、平田禿木（とくぼく）（昭和8年『エッセイ』岩波講座世界文学）によって通覧されているが、そのうち、特別に例外の奇にして珍、禿木が「神品」と慨嘆する、チャアルズ・ラムの『エリア随筆』が、どの文庫にも入っていないのは、どうも、と言葉に窮する次第である。禿木訳が辛うじて、『平田禿木選集』（南雲堂）第三巻に収められている。

我が国での展望は、どうであろうか。これまた至って寥々（りょうりょう）たるものがある。しかし、名品は、厳として、遺されている。リストアップの筆頭は、もちろん、『福翁自伝』（明治32年、岩波文庫ほか）である。あの気むづかしい獅子文六が、「その面白さといったら、譬（たと）ふるにものなく」と評した。

そのあと、十年以上を経て、近代エッセイストの両巨頭が、内容の濃い流露をつづける。まず、『努力論』（明治45年）から『悦楽』（大正4年）に至る幸田露伴（全集第27・28巻）、そして、『世の中』（大正3年）に端を発して歿（ぼっ）するまでつづく三宅雪嶺、このふたりによる智恵の贈り物が、いま、どれも新刊店で入手できないのは、いささか問題ではなかろうか。露伴には全集があるものの、雪嶺の厖大な述作は、いまだ集成されていないのである。

じつは、この両者にさきんじて、のちには並行しながら、もうひとりのエッセイストがあらわれていた。『進化論講話』（明治37年）にはじまって、『猿の群から共和国まで』（大正15年）にいたる、丘浅次郎である。近代期自然科学者のうち、このひとと寺田寅彦とだけが、終始一貫、人間、を問題の中心に据えていた。丘浅次郎の学問は、知、ではなく、智、をめぐって旋回したのである。『近代日本思想大系』（筑摩書房）が、丘浅次郎の巻を立てたのは見識であった。さいわい著作集全六巻（有精堂）が出ており、『進化論講話』『進化と人生』『生物学的人生観』（いずれも講談社学術文庫）が入手可能である。

昭和改元の前後からは、さらに次の世代があらわれる。『海南小記』（大正14年）『山の人生』（15年、ちくま文庫版全集）にはじまる柳田國男、『古代研究』全三冊（昭和4～5年、中公文庫版全集）に第一次の結集を見せた折口信夫、そして、『冬彦集』（大正12年）以後の寺田寅彦である。これらのエッセイに目立つのは、その取材や論理や見通しが、たとえ実証的にくつがえされても、なお文章表現として生きのこるであろう、智を刺激せずんばやまぬ迫力である。かれらは、学問を手がけたのではなく、身をもって学問を生きたのである。

戦中戦後はけたたましく、時局便乗者の季節であった。智の表現がよみがえるのは、昭和四十年前後、その一番手は、司馬遼太郎である。小説を書きはじめるまえ、すでに『名言随筆・サラリーマン』（昭和30年）を世におくっていたこのひとは、『歴史を紀行する』（44年、文春文庫）を皮切りに、エッセイの面でも新境地を拓き、『街道をゆく』（46年以降、朝日文庫）以降へと展開する。

それと時期をおなじうして、山本七平が登場した。イザヤ・ベンダサン名義の『日本人とユダヤ人』（45年、角川文庫）にはじまる、足かけ二十二年の業績は、日本人論を核として、史上、最高の貢献と評価しうる。

そして、渡部昇一である。雑誌『諸君！』の昭和五十年十一月号は、写真連載「プロフィル」の第二回に、渡部昇一をとりあげた。その簡潔なコメントにいわく、「イザヤ・ベンダサン以来、久しぶりに出色の物書きが現われた――と氏の登場を評するムキもある。今日的な拡大原理の行き詰まりを早くから指摘した好論文〈文科の時代〉を皮切りに、〝正義の時代〟が不毛であることの歴史的アイロニーを鋭く見据えた〈腐敗の時代〉、ついで天下の話題となった〝渡部・平泉論争〟まで、筆を執るごとに問題を発表しつづけている」と。編集者による評価と期待が、これほどハッキリと表明された例は、私の知るかぎり稀少なのである。

その日本における処女出版は、専門研究書の『英文法史』（40年、研究社）。学部卒業後十二年である。それから七年、満四十二歳、おもむろに、エッセイにすすみでた。書きおろしの長篇『「人間らしさ」の構造』（47年）二二三ページがそれである。これが、我が国エッセイ史の、記念碑となった。のち、講談社学術文庫に収められ、この文庫ぜんたいの、売り上げの最上位に座をしめる。このひとを認めて執筆を促したのは、産業能率短期大学出版部の金森昭治であった。

つづいて、おなじく書きおろし、『日本史から見た日本人』（48年）刊行。戦後、我が国および我が国びとの精気と活力を、歴史叙述のかたちで、はじめて具体的に指し示し、評価軸を建てなおした貢献である。

それ以前から、司馬遼太郎が、小説という自在の形式を借りて、日本人を動かしているエネルギー源を、しだいに強く照射してきた。その積みかさねに対応するかのごとく、エッセイの文脈を生かしたのが、渡部昇一の力技である。この日本史はさらに書きつがれ、いまは祥伝社から続刊されている。

そして昭和四十八年七月、『諸君！』に「文科の時代」が掲載された。一般読書人にしたしみやすい、身近な媒体への初登場である。このたぐいまれな異才に目をつけた、文藝春秋の編輯陣（へんしゅうじん）、なかんづく安藤満、川又良一、堤堯（つつみぎょう）らの成功である。

これから足かけほぼ三年、不羈奔放（ふきほんぽう）のいきおいで、読者の肝をつかむような、多彩なエッセイが書きつがれる。すなわち、『文科の時代』（49年）『腐敗の時代』（50年）『正義の時代』（52年、いずれも文藝春秋）の三部作によって、エッセイという分野ならではの、極上酒がかもしだされたのである。この時期を、私は、ひそかに、エッセイ史における渡部昇一の時代、そう名づけて、心おどりを楽しんだのであった。

解説（腐敗の時代）

谷沢永一（関西大学 元名誉教授）
聞き手：編集者

――この本を文庫に入れるよう強くお勧め下さったのは谷沢さんでしたよ。

谷沢　そうでしたかね。とにかくこれは飛びきりの名著ですよ。渡部昇一さんの最高傑作かもしれない。

――おやおや、そんなことを仰言ると、これ以後の厖大なエッセイを貶しめることになりませんか。

谷沢　いや、そういうつもりは全くありません。ただ、私などは、この本を読んで初めて、渡部昇一的思考力というものの真髄が解った。よくよく腑におちたという思いでした。

――と言うと、それまでは幾分わからぬところがあったわけですか。

谷沢　ある意味ではね。軽薄な著作家なら、第一作、第二作で、奥行きの程が解ってしまうものですよ。しかし渡部さんのような底力のある人の場合、すぐにはその人の核となるものが見えてこない。特にこの人は変化球が多いですからね。いろいろなところへ球が行く。

そのうち、ああ、これが決め球かと納得できるような球が入る。それが『腐敗の時代』の、特に巻頭の「腐敗の効用」でした。私は思わず膝を叩きましたね。

――しかし、それまでも愛読者だったんでしょ。

谷沢　そうそう勿論です。雑誌『諸君！』に登場された途端、ああ、これは稀有の論客、と目をつけました。並大抵の代物じゃない。これは買いだ、と読み続けました。

――そういう時の判断の基準はなんでしょうか。

谷沢　ああ、それは簡単です。世の風潮に流されたり乗じたりしていないこと、つまり世に阿る姿勢が伺えるかどうかですよ。自分に自信のない人ほど、自分を世に合わせようとする。そういう人は頼むに足りません。世間にどんな言説がはびこっていようと、自分は自分だという腰の構えができていること、その種のタイプから本当の独創性が生まれます。

――なるほど、その点、渡部さんは一貫していますね。

谷沢　非常に良い意味で独立独歩です。或る種の人の眼には、頑固な性癖であると映るかもしれません。毅然としていますからね。男惚れするタイプですよ。

――しかし最初は多少わかりにくいところがあったのでしょうか。

谷沢　そうですね、書かれてあることは素直に理解できます。理屈でごまかすような卑怯なところは片鱗もありませんからね。ただ、時として、この人は逆説家ではないのかしら、と心配させるところ無きにしも非ずでした。

――なるほどねえ、逆説家はお嫌いですか。

谷沢　逆説家を一概に斥けるわけではありません。しかし世の殆ど全部の逆説は、実は常識の引っくりかえしなんです。逆説が逆説でありながら結構なんとか理解されるというのは、実は世間に通有の常識をベースにしているからではないでしょうか。逆説家で独創性のある存在を、古今東西、私は見たことがありません。

――そんなものですか。逆説家こそ世の流行の対極にあるような感じですけれどねえ。

谷沢　それが表向きの看板ですけれど、拈(ひね)った言い方というものは清涼剤の如しで、栄養剤にはならぬと私は思っています。渡部さんの読みどころは、読者の常識、世の風潮の根柢、そこに強烈な打撃を加えて、常識の底のところ、大根(おおね)のところに、揺さぶりをかけようとする力学の発動にあるでしょうね。

――その打撃力が次第にはっきりしてきたということでしょうか。

谷沢　そうです。大体この『腐敗の時代』は『文科の時代』および『正義の時代』と、期せずして三部作になっていましてね、その殿(しんがり)に現われたわけなんですが、特に「腐敗の効用」を読むに至って、私には渡部昇一の根性(こんじょう)とでも言うべきものが見えた解ったと思いました。

――感動されたんですね。

谷沢　感動しました。渡部昇一は逆説家ではない。表現力が多彩で、説得の技に長けているため、逆説家と間違われることがあるかもしれないけれど、根はおっそろしく生真面目な、直言の士であることがはっきり見えました。話術の末端には、話法としての逆説が用いられても、それは強調の為の藝ですね。論旨は堂々としてあくまでも正攻法です。

ひねくれたところなど、ひとかけらもない。

――剛直の人なんですね。人あたりは実にものやわらかですが、執って動かざるところあり、と見受けられます。

谷沢　諫議太夫、というのがありますね。唐の時代から制度化されたのだけれど、諫諍、つまり皇帝の意に逆らうような直言をして、誤りや良くない点を改めるよう諫言する役割の人を指します。よほど肝っ玉が据わっていないと勤まらない。それは昔の話として、民主主義の社会では絶対君主はいないけれど、そのかわりに世論という強大な力がある。その世論に向かって単刀直入、世を諫する、世人を諫める、そういう率直な人が入用です。渡部さんは世を諫する現代のサムライなんですよ。

――おやおや、たいそう古い時代の話が出てきましたね。しかし、その意味は大体のところ解ります。つまり逆らうんですな。

谷沢　そうです、確かに逆らう人なんですが、その逆らい方が非常にオーソドックスです。つまり、反対する為の反対を決してしないんですね。ふつう、反対とか異を立てるという場合、相手と同じ次元でぶつかってゆきますね。両者が単純に対立するということになります。しかし渡部さんは構図の上での対決へは持ちこまない。もっと根本的なところ、相手の拠って立っているところ、足許へ目をつけます。つまり相手が無意識のうちに拠りどころとしている既成概念、固定観念を問題にします。そして相手の盲点を衝く。そこで相手は足許が揺らいでひっくりかえるということになります。

――なるほど、相手の線引きの中へ這入りこまないで、もっと大きく網を打つわけですね。

谷沢　そうです。遙かに深いところへ目を注ぐんですね。或る時、渡部さんが、こんな話を持ちだしたことがあります。また昔の話になりますが、桶狭間の戦いを例にとりました。永禄三年、今川義元が二万の大軍を催して上洛せんとし、東海道をひたひたとのぼってきた。尾張の清洲城では、信長の動員能力は僅か三千、どう見ても衆寡敵せずです。迎え出て野戦を試みても敗北は必至、籠城するにしても救援が来る当てはなく、立ち枯れとなって万事休す。織田勢は進退きわまって判断停止の状態になりました。

――そこで、あの有名な奇襲がおこなわれたんですね。

谷沢　そのとき信長は何をどう考えたか。渡部さんの洞察が冴えるのはここのところです。

渡部さんの分析によれば、信長はこう考えた。二万の大軍、それが野戦や攻城に集結したときは、総体としての威力を発揮するだろう。しかし、行軍中ともなれば話は別だ。当時の東海道は、人がふたり並んで通れる程しか道幅がない。いかなる大軍と雖も行軍中は団子のようにかたまらず、長く長く伸びている筈だ。その伸びきっているところを横から襲い、大将の首を取ってしまえば一発勝負で勝つ。

——なるほど、二万の軍勢が紐のように細く長く進んでくるわけですね。

谷沢　軍勢は団子となって攻めかかる場合もあれば紐で行軍する場合もある。言葉にすればたったこれだけの事ですけれど、このイメージが誰の頭にも浮かばなかった。周章狼狽している清洲の武将たちは、すべて一様に、固定観念のとりこになっていたんですね。誰もが軍勢を団子で考えた。そのときたったひとり、信長だけは、それを紐であると見た。既成概念にこりかたまっていなかったんですね。話がここまで進んだとき、渡部さんは一言にちぢめて、信長には見えた、と言いましたね。ほかの人には見えなかった。信長だけには見えた。人が見ていない機微を見抜く、これが信長を信長たらしめた要因なんですね。

——なるほど。見えた、ですか。いいい言葉だなあ。

谷沢　含蓄のある言葉でしょう。信長には、見えた。そして、信長には見えたのだ、ということが渡部さんには見えた。この話には、渡部さんの面目が躍如としています。渡部さんは、他の人が自分の固定観念に捉われているとき、既成概念に縛られず、事態の奥底を見抜く人なんです。

——お聞きしているうちに、渡部さんの眼光を思い浮かべました。あの眼光の深い色合いの、拠って来たるところが解ったように思えます。

谷沢 確かに、あの眼差しは魅力的ですものね。だから、盲点を衝くとは言っても、いわゆる天邪鬼(あまのじゃく)とは違うんですよ。相手が安楽に腰かけている坐り椅子の、その床面(ゆかめん)から全部を引っくりかえしてしまうような迫力がある。盲点を衝く人、と言うよりも、根柢から覆す人、と言った方がよいかもしれない。

——なるほど、その方向へ突き進むと、論じているテーマそのものが根柢的(ラディカル)になりますよね。ただ、そういう渡部さんと議論を戦わす破目におちいった方々は多少お気の毒という気がしないでもありません。

谷沢 まったく同感。世には論争を避け通して、それを以て紳士面(づら)する人も少くありませんが、渡部さんはそれとは逆、颯爽と鉄火場にも身をさらしますね。論争歴は数知れず、そして一度も負けたことがない、常勝将軍ですよ。

——そして勝ち方がいつも鮮やかですよね。判定勝ちではなく正面からお面一本、素人にも解る勝負になります。だからでしょうか、あまりだらだらと長びきませんね。

谷沢　それが論争というものの本来の姿なんですよ。文壇などで延々と続く論争なんてのは、あれはジャーナリズムを賑わすため、そして自分たちの出番を多くするため、両者が阿吽(あうん)の呼吸で演出し、わざと長びかしているんですよ。渡部さんはそういう作為を嫌う人ですから、論争のテンポも早いですよね。

――どちらかと言うと気が短い方でしょうか。持って廻ったような論法はお嫌いなようですね。

谷沢　そう、ぐだぐだ言うのは厭なんでしょうね。ただし、エッセイの構成に当っては、できるだけ鷹揚(おうよう)にという方針を守っていますね。

――なるほど、気質だけで文章は書けないであろうこと、よく解ります。努力されてるんですね。

谷沢　そうですよ、渡部エッセイは悠然とした構想力の結実です。その骨格は厳しすぎるほど論理的で、骨組みが実にしっかりしています。しかしそれだけでは無器用な学者の書くロンブンと同じでエッセイにはならない。エッセイをエッセイたらしむるものは気分です。ロンブンは読者を硬直化する。エッセイは読者を静謐(せいひつ)化することを本領とする。穏やかな安らぎ、ですね。そのためには落ちついた気分を醸(かも)しださなければならない。渡部さんは、その気分を漲(みなぎ)らせる名手なんですよ。

——そうですね。鉢巻きをしてとりかからねばならぬような堅苦しいのは、編集者の立場から見ても非常に困ります。

谷沢　一行目から読者の胸にすっと入ってゆくような温か味が必要なんです。その為には、エッセイの筆者には遊び心が不可欠でしょうね。渡部さんは論理的であると同時に情趣を重んじます。この、情趣、がなければエッセイは成り立たない。読者を良い意味で面白がらせること。「腐敗の効用」の第一行なんか、その代表例でしょう。こういう風に始まります。「『ガリヴァー旅行記』の著者スウィフトは絶えず英語に腹を立てていた」。多少ともスウィフトを知っている者は、あの永遠の不平派、年がら年じゅう腹立ち屋のスウィフトが、なんとまあ、英語そのものにまで腹を立てていたのか、はて、それはどうしてだろうか、と一遍に吸いこまれてしまいます。しかも、それと表題に掲げた腐敗なるものとどう結びつくのか、興味津々ということになり、読者は渡部さんにたちまち摑まってしまう。うまいですねえ。

——仰せの通りですなあ。「腐敗の効用」に限らず、どのエッセイにも引力のようなものが秘められていますね。

谷沢　むかし桑原武夫さんが名言を吐きましてね。評論家たる者は、言々句々、人を驚かさなければならぬ、と言うんですね。この、驚き、こそ、エッセイを読もうとする読者の期待の中枢でしょう。明治の作家、国木田独歩は、平板な日常生活のなかで、なんとか驚きたい、自分は驚きを求める、と言いましたが、それは読者一般の願いかもしれません。

――そうですね。社会がいくら複雑化しても、その時期なりに日常生活を平板と感じる欲求不満は消えないわけですから。

谷沢　渡部さんは何を論じても、今まで読みなれている常套の論法とは違う、新しい着眼を展開します。今まで固定観念というカーテンによって隠されていた、遙か彼方へと拡がる新しい風景を見せてくれます。この驚きの新鮮さが快いですね。

――しかもその風景が朧（おぼろ）ではなく、燦々と日光に輝いているような。

谷沢　そうです。驚きは驚きでも陰気な驚きではいけない。明るくて心地よいものでないとね。そういう向日性の光景を展開する為には、筆者の精神が明朗でないといけない。いつも陽気に朗らかに、それが人の心を和（なご）ませるコツです。渡部昇一は信念の人ですが怨念の類いとは無縁、毅然として希望に満ちた壮快で明朗な人柄、それが自然に滲みでて、渡部エッセイの魅力の根幹となっているのではないでしょうか。

解説（文科の時代）――編集者との対話

谷沢永一（関西大学 元名誉教授）

――『文科の時代』は『腐敗の時代』そして『正義の時代』と続く三部作の第一冊ですね。

谷沢 そうです。渡部昇一が『諸君！』誌上に登場した初期の爆発的な力作ぞろいですよ。

――昭和四十八年七月、「文科の時代」が第一声ですか。

谷沢 結果としてはそうなったんですが、それにはちょっとした経緯（いきさつ）がありましてね。たまたま、この年、杉村楚人冠の『最近新聞紙学』（大正四年十二月二十八日・慶応義塾出版局）が復刊されまして、その書評を編集部が渡部さんに依頼したんですよ。そこで渡部さんはありきたりの短い書評を書くのではなく、御自身の言葉でいえば「腹にふくれる想い」（PHP文庫『腐敗の時代』あとがき）をほとばしらせて、一気に長いエッセイを書いたんですな。

それが本書に入っている「新聞の向上？」の原型です。

――おやおや、だって「新聞の向上？」は書評どころじゃなく、当時のマスコミに対する情理を尽くした正面からの大批判ですよね。

谷沢　つまり渡部さんの言いたいこと論じたいことがあまりにも多くて、書評の枠をはみだしてしまったんですよ。

――しかし編集部は困ったでしょうな。

谷沢　気の小さい編集者なら、これはどうも、と思って、書き直しを求めたでしょうね。ところが、そこがまあ『諸君！』編集部のエライところで、この厄介なはみだし原稿を、眼光紙背に徹するの構えで読みこんだんですな。

――書かれていないところまで読みぬいたというところですか。

谷沢　そうなんです。この筆者は「腹にふくれる想い」を沢山かかえている、と見たんですよ。

――なるほど、これはイケル、という勘ですか。

谷沢　そして悠揚迫らぬ姿勢から発する文体の迫力。

――そうですね、態度が堂々としている。ケレン味がありませんから。

谷沢　そのあたりを編集部がすべて見てとった。それなら、この筆者に、なんでもいいから書きたいことを存分に書かせよう、と思い立ったんですね。さあ、書きなさい、というわけです。

そこで、月並みな言い方になりますが、筆硯を新たにして書かれたのが、この本の題名にもなった「文科の時代」です。

——そうですか、編集者の眼が問題、ということですね。

谷沢　千里の馬は、それを見出してくれる秀れた博労（ばくろう）を必要とします。『諸君！』編集部は、今や稀に見る名エッセイストを掘りだしたんですよ。

——それからはまさに一瀉千里（いっしゃせんり）でしたね。

谷沢　無尽蔵の鉱山のごとき印象でした。

私もまた一読者として、次作を待ちわびる思いでしたね。だいぶまえから言われているんですが、物書きとは何か、という問いかけに対しての定義があるんです。

——むつかしいですなあ、それをひとことでパッと言えるんですか。

谷沢　言えるんです。物書きとは、編集者をして、あの人に書かせたい、と思わせることのできるキャラクターを指す。

——なるほど、どんぴしゃりですね。

谷沢　そして編集者は一面では読者の代表でしょ。だから言いかえるとこうなります。つまり、物書きとは、読者をして、この人の次の作品をぜひ読みたい、と思わせることのできる筆力の持ち主を指す。

——そうですね、この人のもたらす収穫物は、もうこのあたりでお終いだな、と思われたらエライことですものね。

谷沢　そこで、さきほど取り置きになっていた「新聞の向上?・」、これははじめ書評のはずであったのが、『諸君!』十一月号の特集「新聞をどうよむか」の巻頭に出る。第三作が「天皇について」、と、こういう順番で渡部エッセイがゆるやかに進行します。出てくる一篇一篇が刺激的でした。ひとつひとつ教えられました。

——ところで、このエッセイという形式は、谷沢さんのおっしゃるところ（PHP文庫「正義の時代」解説）によると、かなりむつかしいジャンルなんでしょ。

谷沢　むつかしいですなあ。論文を書ける人はワンサといるけれど、エッセイストとなると、いつの時代でも稀少です。学問的な論文だったら、テーマはどれだけ狭くどれだけ偏っていてもかまわない。或いはテーマを細かく限った方がいいのかもしれません。しかし、エッセイとなると、これは読者の常識に訴えるものですから、誰もが予習なしで読めるものでないといけない。

——しかし、そうすると、常識的な次元にとどまるおそれがありますね。

谷沢　そこなんですよ。常識に訴えながら、常識の盲点を衝かなければならない。そこの兼ね合いが非常にむつかしいんですわ。

――盲点を衝く、なるほど、それは意義あることですが、それではかなり猛々しくなりはしませんか。

谷沢　ええ、すこし気をゆるめるとそうなります。一般に、なにか、批判すべき事柄を徹底的に批判する、それはじゅうぶん意味のあることだし、それをあえてせねばならぬ局面も、いつかどこかでたしかにめぐりくるでしょう。しかし、エッセイたるもの、大根のところは批判であり追究であっても、姿勢が攻撃的であってはならない。もっと穏やかに平らかに、膝つきあわせて話しこむ調子、つまり炉辺談話の呼吸であることが、暗黙のうちに求められますね。

――なごやかに行け、ということですか。

谷沢　ゆったりおっとりまったり、とね。じゅんじゅんと説く、というおだやかな姿勢が要ります。言い募る、というような恰好になってはいけない。母屋の座敷では、ときには口論にもおよぶでしょうけれど、いったん茶室にはいったら、静謐の気が求められますね。エッセイは茶室の会話なんですよ。

――しかし、それではあまりにも遠慮がすぎて、言いたいことがじゅうぶん言えないというもどかしさがありはしませんか。

谷沢　そこそこ、ずいぶんキツイことを言いながら、雰囲気には波風を立てないという、オトナの配慮、紳士の心得、その涼し気な気配りが、エッセイを生みだす緊張感かもしれない。カドが立たぬように、よく練った言葉づかいをする工夫ですよ。

――さきほど、常識に訴えながら、とおっしゃいましたが、その、常識、とはなんでしょうか。

谷沢　常識、という言葉の意味ですが、広辞苑はまるで哲学辞典みたいな調子で解釈しているので使いものにならない。三省堂国語辞典が実にウマイ定義を下していましてね、常識とは、その社会が共通に持つ、知識または考え方、というんです。

――簡単ですなあ。言い得て妙ですね。

谷沢　簡単、簡明、それが国語辞典のイノチですから、この定義は天晴れと思います。ところで、エッセイストは、そういう意味での常識を、深く強く身に体していなければならない。常識はずれ、というのは、文藝などの世界では意味もあるでしょうけれど、エッセイではどうでしょうかな。

――じゃあ、常識の盲点、とは、どういうところを指しますか。

谷沢　常識の灰汁（あく）ですな。常識は煮物のようなもので、しょっちゅう釜のうわべに灰汁を浮かびあがらせて溜めてゆきます。それは煮ているものの本体から出てきたものだけれど、その灰汁をこまめに取り除かなければ、おしまいには本体を損ねます。常識は煮物、その煮物である常識をうまく炊きあがらせるためには、灰汁を注意ぶかく掬いとらねばならない。常識の盲点を衝くとは、言いかえるなら、常識のうちなる灰汁を、まずこれは灰汁であると見届けて、それをかいだす作業なんですよ。

――なるほど、つまり常識のうちなるイケナイもの、今では灰汁となってしまっている部分に目をつけるわけですね。

谷沢　そこを見定めることそのことが、エッセイの発想だと思います。灰汁を攻撃したり弾劾するんではないんです。これは灰汁ですよ、と静かに指し示して、それを丁寧に取り出したらいい。そのおだやかな手つき物腰が、ほかならぬエッセイの呼吸だと思います。

――つまり、誰もがこれは灰汁だと見ているものじゃなく、まだ多くの人がそれと気がついていない時期に、これも灰汁ですよと語りかけるわけですね。

谷沢　だから、その意味で、エッセイは独創的でなければならない。それも破壊のための独創ではありません。常識を尊重するゆえに、常識をより高度な水準へ引きあげるための、幾分なりともそのお手伝いをする、それが批判的精神の骨髄ではないでしょうか。

――読者にとっては、エッセイを読むことは、常識をより健全ならしむるための、常識の補強作業、というわけですか。

谷沢　常識の研磨作業ですね。「文科の時代」を書き綴りつつあった渡部さんの心組みは、読者の常識を磨き肥やし充実させ発展させようと、それをひたすら願っているかのごとくです。この人は説教師ではありません。いささかも自分を高みには置いていない。読者とともに、平土間で、明るく陽気に、語り尽くそうという姿勢です。

――なるほど、すこしも押しつけがましくありませんものね。

谷沢　このエッセイの内容はたいへん高度で、よほどの広範な学識がなければ、このように論じ進めることはできないでしょう。ところがその学識をけっしてひけらかさない。ハイゼンベルクなんて言われると頭が痛いけれど、それをもあっさりと要約するところ、余裕があって自信があってそして親切です。読者に対して親切であること、それは現代の執筆者たる者の必須条件でしょう。

――そうですね。さて、その学識ですが、およそエッセイストたるには、学識なくしてはどうにもならないんでしょうね。

谷沢　ぶっちゃけたところではまさに然りです。エッセイには、学の薫り、が絶対に必要です。しかし言うまでもないことですが、単なる物識りだけでは駄目なんですよ。博学と称される人びとには二種類あります。まず、その博大な学識が、おもちゃ箱をひっくりかえしたように雑然としているタイプ、これでは学藝随筆は書けてもエッセイには不向き。それに反して同じく博大な学識が、ひとつの方向性にそってきっちり整理されているタイプ、そこからエッセイストが誕生するでしょう。

――その、大切な方向性とは、具体的にはどういうものでしょうか。

谷沢 言葉に出して言えば、そんな仰山たらしいこと、と笑われるかもしれませんが、それを承知であえて野暮ったく申しますと、この日本人の社会がすこしでもよくなるようにと思いをこらし、そのために自分も多少なりともお役に立ちたいと志す気持ち、この素朴な祈願の念です。今の世の中に対して自分はなにを思いなにを願うか、そこのところで自問自答をかさねるうちに、ようやくエッセイのテーマが見出されるのだと私は考えます。

――しかし昔の左翼の連中も、表看板はそれに似ていたのではありませんか。

谷沢 あの連中は、社会主義共産主義の世になったら、自分たちはみな相当なポストにつけると、そのはかなき思惑(おもわく)にもとづいて、ささやかな保険をかけていたのですよ。そういう腥(なまぐさ)い根性からは、エッセイに必要な薫りが匂い立ちませんね。

――我(が)の利、我(が)の慾、そのあたりは鬼門ですか。

谷沢 そうです。エッセイには清爽(せいそう)の気がなければなりません。真剣ではあるが余裕たっぷり、熱意はあるが執着せず、積極的であるがゆとりを失わず、学ぶところ博大ではあるがそれをひけらかさず、世の中を注視するがことさらに自分の座を求めはしない、それがエッセイストの心意気ではないでしょうか。

《出典》

天皇について――文科の時代　文藝春秋（1974・昭和49）
文科の時代――文科の時代　文藝春秋（1974・昭和49）
労働について――文科の時代　文藝春秋（1974・昭和49）
新聞の向上？――文科の時代　文藝春秋（1974・昭和49）
解説――文科の時代　PHP研究所（1994・平成6）
戦後啓蒙のおわり・三島由紀夫――腐敗の時代　文藝春秋（1975・昭和50）
腐敗の効用――腐敗の時代　文藝春秋（1975・昭和50）
英語教育考――腐敗の時代　文藝春秋（1975・昭和50）
タブー用語について――腐敗の時代　文藝春秋（1975・昭和50）
解説――腐敗の時代　PHP研究所（1992・平成4）
小佐野賢治考――正義の時代　文藝春秋（1977・昭和52）
甲殻類の研究――正義の時代　文藝春秋（1977・昭和52）
歴史と「血の論理」――正義の時代　文藝春秋（1977・昭和52）
解説――正義の時代　PHP研究所（1992・平成4）

本書は１９７４年11月に文藝春秋から出版された『文科の時代』、
１９７５年５月に同社より出版された『腐敗の時代』、
１９７７年２月に出版された『正義の時代』を編集・新装したものです。
また谷沢永一氏の解説は、ＰＨＰ研究所から出版されました
文庫本『文科の時代』『腐敗の時代』『正義の時代』より再編集したものです。

渡部昇一（わたなべ　しょういち）

渡部昇一　略歴

昭和5年（1930）10月15日　山形県鶴岡市養海塚に生まれる。
旧制鶴岡中学五年のとき、生涯の恩師、佐藤順太先生に出会い、英語学、英文学に志して上智大学英文科に進学。

昭和28年（1953）3月（22歳）　上智大学文学部英文科卒業

昭和30年（1955）3月　同大学大学院西洋文化研究科英米文学専攻修士課程修了（文学修士）

昭和30年（1955）10月（25歳）　西ドイツ・ミュンスター大学留学。英語学・言語学専攻。

昭和33年（1958）5月（27歳）　同大学より大なる称賛をもってDr. phil. magna cum laude文学博士の学位を受ける。この学位論文は日本の英語学者の世界的偉業となった。日本では昭和40年（1965）に『英文法史』として研究社より出版。

昭和33年（1958）5月　オックスフォード大学の寄託研究生としてE. J. Dobsonに師事。

昭和39年（1964）4月（33歳）　上智大学文学部英文学科助教授

昭和43～45年（1968～1970）　フルブライト招聘教授としてニュージャージー州、ノースカロライナ州、ミズーリ州、ミシガン州の各大学で比較文明論を講ず。

昭和46年（1971）4月（40歳）　上智大学文学部英文学科教授

昭和51年（1976）　第24回エッセイクラブ賞受賞

昭和58年（1983）4月～62年（1987）3月　上智大学文学部英文学科長／同大学院文学研究科英米文学専攻主任

昭和60年（1985）　第1回正論大賞受賞

平成6年（1994）（63歳）　ミュンスター大学よりミュンスター大学名誉博士号を。卓越せる学問的貢献に対して授与された欧米以外の学者では同大学創立以来最初となる。

平成7年（1995）4月　　上智大学文学部英文学科特遇教授
平成11年（1999）4月　　上智大学文学部英文学科特別契約教授
平成13年（2001）4月（70歳）上智大学名誉教授
平成29年（2017）4月17日　逝去。享年86。

渡部昇一　著書案内

代表的な著作（複数社で出版された場合は、その最新の版。★印はシリーズ）

知的生活の方法（講談社現代新書）
人間　この未知なるもの――翻訳（三笠書房・知的生きかた文庫）
腐敗の時代（PHP文庫）　文科の時代（PHP文庫）
ヒルティに学ぶ心術（致知出版社）
萬犬虚に吠える（徳間文庫）　楽しい読書生活（ビジネス社）
紫禁城の黄昏（上・下）――監修（祥伝社黄金文庫）
人は老いて死に、肉体は亡びても、魂は存在するのか？（海竜社）
★渡部昇一「日本の歴史」全7巻+別巻「読む年表」（ワック）
★［渡部昇一著作集］（ワック）より：日本は侵略国家だったのか――「パル判決書」の真実／税高くして民滅び、国滅ぶ／いま、論語を学ぶ／ドイツ参謀本部／「繁栄の哲学」を貫いた巨人　松下幸之助／渡部昇一の古事記
新・知的生活の方法　知の井戸を掘る（青志社）

言語関係の著作

英文法史（研究社）／英語学史（大修館書店）／英語の歴史（大修館書店）
秘術としての文法（講談社学術文庫）／イギリス国学史（研究社）
英文法を知ってますか（文春新書）

正義と腐敗と文科の時代

二〇二三年十一月二十六日　第一刷発行

著　者　渡部昇一

編集人
発行人　阿蘇品 蔵

発行所　株式会社青志社
〒一〇七-〇〇五二 東京都港区赤坂5-5-9 赤坂スバルビル6階
（編集・営業）Tel:〇三-五五七四-八五一一 Fax:〇三-五五七四-八五一二
http://www.seishisha.co.jp/

印刷・製本　中央精版印刷株式会社

ISBN 978-4-86590-167-2 C0095